復刻版
韓国併合史研究資料 ㉑

間嶋産業調査書（下）

龍溪書舎

本復刻版製作に際しては、東京経済大学図書館のご好意により、同図書館所蔵本を影印台本とした。ここに深甚の謝意を表する次第である。

間嶋産業調査書

（下）

凡例

一、本書ハ統監府臨時間島派出所ノ存在中調査シタル事項ヲ同派出所閉鎖後殘務整理中ニ編纂シタルモノニ係レリ派出所ハ明治四十二年九月日清協約締結ノ結果突然閉鎖スルニ至リシト其存立中ト雖トモ地方ニ出張ヲ要スル調査ノ如キハ冬期天候ニ妨ケラルルト稍モスレハ清國官憲ノ妨害アリシトニヨリ未タ盡サヽルトコロアリシヲ遺憾トス

一、農業上ノ調査ハ派出所技師八田農學士主トシテ之ニ從事シ間島ニ於ケル一般ノ調査ヲナシ尚ホ模範農園ヲ設ケテ各種ノ試驗ニ從事シタルモ未タ完全ナル結果ヲ視ルニ至ラスシテ止ミタリ

一、地質鑛山ニ關スル調査ハ明治四十年八月ヨリ明治四十一年一月迄ハ小川農商務省技師(現今京都大學教授理學博士)主トシテ之ニ從事シ明治四十一年八月以降ハ派出所技師太田工學士主トシテ之ニ從事シタルモ此調査ノ

如キハ殊ニ冬期積雪ニ妨ケラルルト分析所ノ設備完成セサリシ爲メ之レ亦調査ヲ完了スル能ハスシテ止ミタリ

一、商業ニ關スル調査ハ派出所通譯山本貞淸、山崎誠一郎、近藤信一等ヲシテ本務ノ餘暇ヲ以テ之ニ從事セシメ又明治四十二年七月一日高等商業學校出身者ヲ雇入レ專問的ニ調査セシメントシタルモ當時淸國官憲ノ派出所ニ對スル壓迫其極ニ達シ旅行困難ナリシヲ以テ其目的ヲ達スルニ至ラス因テ右諸員ノ調査報告書ヲ綜合シテ商業調査書トナセリ

一、商業調査ニ於テ間島以外吉林琿春等ノ調査ヲナシタルハ此方面ハ現在及將來ニ於テ間島及淸津ト密接ノ關係ヲ有スルニヨレリ

間島産業調査書

総目次

第一編　農業調査書

第一編　農業調査書目次

第三　蔬菜栽培調査

第七　附屬模範農園成績

一、明治四十一年度成績

第一章　模範農園ノ設置及其計畫

東間島ニ於ケル農業ノ改良發達ヲ圖リ其生產力ヲ增進セシメンカ爲メ玆ニ模範農園設置ノ必要ヲ認メ其第一著手トシテ新廳舍ノ背面ニ六千坪ノ地ヲ畫シ農夫舍、農具舍兼收納舍、一棟肥料舍、一棟及井戶二ケ所ヲ附屬セシメ圃場ヲ分チテ蔬菜園、普通作物園特用作物園、種苗圃及中央花壇トナシ四月中旬苗床ヲ設ケテ蔬菜種子ノ一部及草花種子ヲ下種シ五月上旬本圃ヲ整地シテ漸次一般作物ヲ播種セリ本年度內地ヨリ輸入シタル種類ハ左ノ如シ

一、普通作物

イ、陸稻　一種　ロ、大麥　一種　ハ、小麥　一種

ニ、稞麥　一種　ホ、燕麥　一種

二、特用作物

甜菜　一種

三、蔬菜類

イ、菜豆　一種　ロ、蠶豆　一種　ハ、京菜　一種

ニ、菠薐草　一種　ホ、甘藍　一種　ヘ、花椰菜　一種

ト、莱菔　四種　チ、蕪菁　三種　リ、胡蘿蔔　四種

ヌ、牛蒡　三種　ル、葱　二種　オ、球葱　三種

ワ、茄子　二種　カ、蕃茄　二種　ヨ、紫蘇　一種

タ、胡瓜　二種　レ、南瓜　三種　ソ、西瓜　二種

四、果樹類

イ、苹果　七種　ロ、梨　七種　ハ、桃　四種

ニ、李　四種　ホ、梅　二種　ヘ、榲桲　二種

ト、櫻桃　二種　チ、葡萄　八種　附、草苺　三種

其外桑苗、五種薔薇苗、五種躑躅、五種黒松苗、五百本、ポプラ苗百本、梧桐苗五十本、牧草八種及草花各種トス

本年度作物栽培ハ重キヲ内地産蔬菜栽培ニ置キ普通作物及特用作物ハ主トシテ間島種ヲ栽培シ傍ラ二三種ノ内地種ヲ栽培シタリ

各作物ノ栽培反別ハ左ノ如シ

普通作物　二反二十五歩二合

蔬菜類　六反九畝一歩二合

特用作物　　四畝十五步

合計　九反四畝十一步四合

之ニ秋作蔬菜栽培二毛作反別二反一畝六步ヲ合スレハ作物總栽培反別ハ一町一反五畝十七步四合ナリ

此外ニ

苗圃　八畝一步四合

花壇　二反三畝十三步

即チ總使用反別ハ一町四反七畝一步八合（二毛作蔬菜栽培反別ヲ合ス）ナリ

建物ハ二棟ニシテ

農夫舍收納舍兼農具舍　十七坪

肥料舍　十坪

農園ノ方針トシテハ

一、內地及各地產ノ優良ナル各種作物ノ品種ヲ輸入シテ之ヲ試作シ一般作物ノ品種改良ヲ圖ルコト

二、作物ノ栽培法ヲ改良シ其ノ生產力ヲ高メ廣ク韓人ヲシテ其法ヲ習得セシムルコト

三、特用作物及園藝作物ノ栽培試驗ヲ行ヒ其有望ナル種苗ヲ配布シテ其栽培ノ普及發達ヲ圖ルコ

ト尙進ンテ農產製造及畜產ノ改良發達ヲ圖ラントスルニアリ左ニ本年度栽培成績ヲ報告セントス

然レトモ本年ハ開設匆々ニシテ諸般ノ準備未タ定ラス圃場ノ位置及土地選擇ニ就テモ種々ノ事情上遺憾少ラス且ツ又經費ニ制限アリ爲メニ完全ナル成績ヲ擧クルヲ得ス單ニ明年度以降ニ於ケル準備試驗タルニ過キサリシハ頗ル遺憾トスル處ナリ

第二章　氣象及土性

本年度ノ氣象ハ一般作物ノ播種期タル五月及六月上旬ニ於テ降雨アリ氣候順ヲ得作物ノ發芽良好ナリシカ六月中旬ヨリ七月初メニ至ルマテ殆ト降雨ナク爲メニ麥類蔬菜類ノ如キ著シク生育ヲ害セラレタルモノノ如シ然レトモ七月上旬ヨリ降雨次第ニ多ク氣溫亦次第ニ高マリタルヲ以テ麥類及蔬菜類中葉菜類ヲ除クノ外次第ニ恢復シ來リシカ八月二十七日ニ至リ一晝夜九八、八粍ノ豪雨アリ且ツ九月中旬降雨頻リニ至リ氣溫大ニ下降シ以テ下旬ニ至リ時恰モ作物ノ完熟ニ會セシヲ以テ一般作物ハ平年ニ比シ一割以上ノ減收ヲ見タルモノノ如シ然レトモ十月ノ上旬以降天候恢復快晴打續キタルヲ以テ收納上非常ノ好都合ニシテ爲メニ穀實ノ乾燥充分ナルヲ得タリ左ニ本年三月ヨリ十月ニ至ル氣溫及降水量表ヲ揭ク

自三月至十月氣象表

月	平均氣温	最高氣温 平均	最高氣温 極度	最低氣温 平均	最低氣温 極度	降水回數	降水量
三月	九五・一	一・九	一六・〇	八八・八	七六・〇	九	一三・〇
一旬	九〇・七	九六・四	二・〇	八二・九	七六・〇	三	四・六
二旬	九五・五	一・四	五・〇	八九・六	八六・五	二	二・九
三旬	九九・二	七・九	一六・〇	九三・八	八九・〇	四	五・五
四月	六・九	一四・八	二七・七	九七・四	九二・五	六	六・七五
一旬	三・四	一一・九	一四・〇	九六・〇	九二・五	一	〇・五
二旬	八・四	一六・二	二七・七	九八・七	九四・五	二	四・六
三旬	八・八	一六・三	二三・五	九七・四	九三・五	三	一・六五
五月	一一・一	一八・三	二七・〇	四・二	九七・五	一八	七四・二
一旬	一〇・二	二〇・三	二三・五	二・一	九九・〇	四	七・九
二旬	九・八	一五・五	二二・〇	三・三	九七・五	八	四四・八
三旬	一三・二	一九・一	二七・〇	七・三	五・五	六	二一・五
六月	一八・一	二六・二	三六・〇	一〇・四	五・五	六	六五・六

月	平均氣溫	最高氣溫 平均	最高氣溫 極度	最低氣溫 平均	最低氣溫 極度	降水回數	降水量
一旬	一六·九	二五·四	三二·〇	九·九	八·〇	四	六五·四
二旬	一七·四	二五·二	三〇·〇	一〇·二	五·五	一	〇·一
三旬	二〇·一	二八·〇	三六·〇	一一·〇	九·五	一	〇·一
七月	一九·六	二七·二	三五·五	一三·四	八·五	二一	六二·四
一旬	一七·四	二五·三	三〇·〇	一一·九	九·〇	五	二三·六
二旬	一九·二	二六·九	三二·五	一二·〇	八·五	六	八·三
三旬	二二·〇	二九·三	三五·五	一六·四	一〇·五	一〇	三〇·五
八月	二一·二	二八·七	三四·五	一五·七	八·〇	一五	一六三·一
一旬	二三·四	二九·八	三四·五	一八·〇	一二·〇	四	二五·三
二旬	二四·一	三一·一	三三·五	一七·五	一五·五	四	四·四
三旬	一七·三	二五·三	三四·〇	一一·七	八·〇	七	一三·四
九月	一四·五	二〇·八	二五·五	九·五	〇·三	一七	一〇九·四七
一旬	一七·二	二三·九	二五·五	一二·九	九·五	三	九·四七

二旬	一四・二	一九・六	二四・〇	九・二	四・〇	六	六九・九
三旬	一二・二	一八・九	二四・五	六・四	〇・三	八	三〇・一
十月	八・六	一六・三	二三・〇	一・八	九一・五	一〇	一一・三五
一旬	一〇・三	一七・〇	二二・五	四・三	〇・二	四	五・四五
二旬	一〇・六	一九・六	二三・〇	二・八	九九・〇	一	〇・七
三旬	五・〇	一二・四	二一・五	九八・二	九一・五	五	五・二

初霜　九月二十五日

初雪　十月三十一日

晩霜　五月十七日

晩雪　五月十三日

河水結氷期　十一月八日

河水解氷期　四月二十日

降水總量　五〇五、八七

自五月至八月積算氣溫　二、一六一度四（自五月一日至九月三十日二、五九六、四）

備考　本表中氷點以下ノ溫度ハ負數ヲ用ヒス百ヨリ其度ヲ減シ其ノ餘數ヲ以テ之レヲ示ス即チ

氷點下一度ハ九十九度氷點以下五度ハ九十五度ト記スルカ如シ
土性ハ冲積層ニ屬スル砂質壤土ニシテ普通作物園、特用作物園、及蔬菜園ノ一部ハ礫ヲ混ス
ルモノ少カラス良好ト稱スルヲ得ス表土ノ深サ六七十糎ニシテ下層土ハ砂質ナレトモ凡
ソ地上四尺以下ハ全ク礫質ナリ

第三章　普通作物栽培成績

一、粟

粟ハ韓清人ノ主食穀物ニシテ其ノ栽培最モ廣ク全間島ニ於ケル耕地全面積ノ約三割ニ達シ餘剩ヲ
北韓地方ニ輸出シ其額ハ昨年度調査ノ推測ニ依レハ七八萬石略三十萬圓ニ達ス
其ノ品種ハ種々アリ未タ充分ノ研究ヲ經サレトモ凡ソ十餘種ニ達ス本年農園ニ於テハ昨年度踏査
中採集セル各地ニ於ケル粟二十七種ヲ栽培シ其收量優劣ヲ試驗セリ而シテ土壤ハ砂質壤土ニ屬ス
レトモ礫ヲ混シ從來其一部ハ道路タリシヲ以テ土塊ノ碎破充分ナラス土地ノ情態良好ナラス

一、耕種梗概

土性　　砂質壤土ニシテ礫ヲ混ス
　　　　栽培面積、三畝四歩四合
整地　　耕地ハ牛耕二回ノ後土塊ヲ碎破シ鍬ヲ以テ土地ヲ均整セリ
播種　　五月七日畦幅二尺ニ條播セリ

肥料　基肥トシテ一反歩當厩肥百五十貫重過燐酸三貫ヲ施シ補肥トシテ中間ニ一回人糞尿ノ稀薄セシメタルモノ若干ヲ施セリ

發芽期　五月二十四日

除草及間引　五月三十一日、六月十三日、六月二十四日、七月九日ノ四回

中耕　七月九日、七月十六日ノ二回

開花　七月二十九日(中生種)

收穫期　十月七日

成績　(一反歩ニ換算)

	早中晩	稈長	稈色	穗長	稈重量	收量	一升ノ重量	粒色
會寧間島 南尙洞	中	四九	白	八	九〇、八三四貫	一、五四二	三〇七	灰白
同 江開德	晩	四三	白	一二	一〇二、五〇〇	一、六六六	三〇〇	黄白
同 椽田洞	晩	三八	暗紫	七	一〇九、一六六	一、二五〇	二九七	白
同 咸沙洞	中	三八	暗紫	六	一三二、五〇〇	一、六六六	二九四	黄
鍾城間島 湖川街	晩	三六	白	七	一〇二、五〇〇	一、五四二	二九二	黄白

	早中晩	稈長	稈色	穂長	稈重量	收量	一升ノ重量	粒色
上古島	晩	三七	白	八	一二五、〇〇〇貫	二、〇〇〇	二九二	白
北獐洞	中	三七	暗紫	八	一五〇、〇〇〇	一、五〇〇	二七九	黄
岳沙坪	中	三七	淡紫	七	一一〇、八三一	一、〇九三	二五二	黄
北崗局子街	中	三九	白	七	七六、二五〇	一、一五〇	二九六	黄
官廳尾	粳中	四〇	暗紫	九	一〇二、九一六	一、二九二	二九一	黄白
同上	糯中	四五	白	八	八三、三三三	一、三七五	三一七	黄
南崗龍井村一	中	三七	暗紫	六	八八、八八八	九四五	二九六	白
同上二	中	三二	淡紫	七	八三、三三三	一、三〇六	二九二	灰白
龍井村對岸	中	四二	白	九	八五、〇〇〇	一、〇八三	二九〇	黄白
敦臺溝	中	四〇	白	九	九九、一六六	一、八七五	三一八	黄
小許門里	早	四三	暗紫	九	七七、九一七	一、〇八三	三〇八	褐
長洞	早	四五	白	七	七五、〇〇〇	一、四〇〇	二八四	黄
東梁大村	中	四一	白	九	八四、一六六	一、四一七	三一九	黄白
繡紋浦	早	四五	白	九	八八、三三三	一、〇五八	三〇七	黄白

青林洞	早	三五	暗紫	五	八二、〇八三	一、二五〇	三〇七	灰白
西崗頭道溝	晩	四四	白	一〇	九九、一六六	一、四一七	三二一	黄白
白浦江中村	晩	四三	白	八	九五、〇〇〇	一四、五八〇	三二三	黄
二道溝平野	中	四二	白	九	八五、〇〇〇	一、六六六	三〇七	黄白
茂山間島 防川項一	晩	三七	暗紫	九	一四五、八三〇	一、〇八三	三〇八	黄白
同 二	晩	三六	淡紫	八	七六、二五〇	一、二五〇	三一〇	黄白
釜洞	中	三二	淡紫	七	六九、一五〇	九九九	三〇四	灰白
南坪	早	三五	白	七	八三、七〇〇	一、四三六	二八五	黄
平均	―	四〇	―	八	九六、五二〇	一、三六二	三〇〇	―

備考

一、總平均收量一石三斗六升

一、七月下旬ニ於ケル草丈伸長二尺ニ達シ抽穗シ二十九日ニ至リ早種ハ開花ス收穫期ハ九月二十八九日ヨリ始ムルヲ得

左ニ參考トシテ本年度龍井村附近栗坪刈試驗成績ヲ揭ク

品種	程長	程色	穂長	莖葉重	收量	一升重量	粒色
一	四二寸	黄色	九寸	一二三、〇〇〇	三・〇〇〇石	三二〇匁	黄色
二	四五	同	八	一二三、〇〇〇	二・一六〇	三三九	同
三	五一	同	一〇	一八一、五〇〇	三・一八〇	三三三	同
四	四四	同	八	九九、〇〇〇	二・三一〇	三二〇	同
五	五一	同	七	一三四、一〇〇	一・七七〇	三二二	同
六	三八	暗紫	八	八四、三〇〇	一・二九〇	三三九	灰色

之ヲ比較スレハ農園産ハ一般ニ劣リ其最大收量ハ二石ニシテ坪刈試驗ノ最大收量ノ三石一斗八升ニ比スレハ大ナル懸隔アリ然レトモ坪刈試驗成績ハ其通幣トシテ實收ヨリモ常ニ多量ニ算セラルル傾向アリ且ツ農園ニ於ケル粟栽培地ハ土地ノ情態良好ナラサリシヲ以テ必スシモ直チニ其甲乙ヲ判スルコト能ハサルモノアリ尙明年度更ニ比較研究セントス

二、大麥

大麥ハ韓人ノ副食穀類トシテ栽培シ清人ハ之ヲ食スルコト少シ唯醱酵用トシテ多ク用ヒラルルノミナルヲ以テ比較的其栽培少シ近時我統監府派出所ノ設置アリ且ツ清兵ノ增加ト共ニ馬糧トシテ需要次第ニ增加セルヲ以テ從テ韓清人ノ栽培歩合漸ク增加スルニ至ラン

從來間島産ノ大麥ハ悉ク有芒六條種ナルカ如シ本年間島各地ニ産スル大麥九類及內地産大麥淀橋

ニ就テ比較栽培ヲナセリ但シ間島産ハ其ノ品種一ナルカ如シ

一、耕種梗概

土性　砂質壤土ニシテ少シク礫ヲ混ス

栽培面積　間島産二畝四歩八合

(內地產十歩九合)

整地　牛耕二回ノ後土塊ヲ碎破シ五月十六日鍬ヲ以テ整地セリ

播種　五月十六日畦幅二尺ニ條播セリ

肥料　基肥トシテ一反歩當厩肥約百二十貫重過燐酸三貫ヲ施シ補肥トシテ稀薄ナル人糞尿若干ヲ六月三日、六月十七日、及七月十二日ノ三回ニ施セリ

發芽期　五月二十三日

除草及間引　六月二日　六月十五日七月一日ノ三回

中耕　六月九日

開花期　七月中旬

收穫期　八月十六日

但シ內地產大麥ハ五月七日播種シ五月十八日發芽、八月二十三日收穫セリ他ハ間島種ニ準ス

一、成績　(一反歩換算)

地名	稈長	稈重	收量	穀實一升重量
茂山間島南坪	二四・〇	五〇・八五四	一・二五〇	二五三・〇
同　防川項	二六・〇	二二・九一六	一・五〇〇	二三〇・〇
鍾城間島草坪	二八・〇	二二・〇八三	〇・五二一	二五六・〇
南崗龍井村	二三・〇	一四・二五〇	一・〇四二	二三四・〇
同　老房子	二六・〇	一二・九二五	〇・六二五	二五三・〇
同　七道溝中村	二三・〇	一四・二五〇	〇・七〇九	二五九・〇
北崗官廳尾	二六・〇	二六・〇〇〇	一・三一三	二五一・〇
仝　河東	二五・〇	一四・五八五	〇・七〇九	三一一・〇
平均	二五・二	二一・〇一三	〇・九一六	二五三・六
內地產淀橋	二〇・〇	一四・六七七	一・〇一六	二三五・〇

之ニ依テ比較スルニ間島產中收量ニ於テ防川項產一石五斗最モ多ク官廳尾產、南坪產之ニ次キ總平均收量ハ九斗一升六合ナリ內地產淀橋ノ收量一石一升六合ニシテ間島產平均收量ニ比シテ勝レトモ稈長稈量及一升重量等ニ於テ間島種ニ及ハス之レ內地種ハ秋蒔種ニシテ未タ風土ニ慣レサルモ

ノアルニ基因スルナランカ然レトモ僅カニ一品種ニ過キサルヲ以テ來年度ハ更ニ多クノ品種ヲ栽培シテ比較研究ヲ行ハントス

(附)日本產稞麥及燕麥

日本產稞麥及燕麥ハ各一種ニシテテ栽培面積ハ各十歩九合トス其耕種法ハ內地產大麥ト同法ニシテ稞麥ハ甚シキ雀害ヲ蒙リ收量非常ニ減シ不成績ニ歸シタレトモ明年度ハ嚴ニ雀害ヲ豫防シ更ニ品種ヲ多クシテ之カ栽培ヲ試ミントス蓋シ從來間島ニ稞麥ナク將來有望ナリト信セラル

燕麥ハ良好ナル成績ヲ得タリ左ニ之ヲ示サン(一反歩換算)

品名	稈長	稈重量	收量	一升重量
稞麥膝八	一九寸	一〇・四八四	〇・二四〇	三五三匁
燕麥	二三	一七・五〇〇	一・〇九七	一七一

三、小麥

小麥ハ韓人ハ之ヲ栽培スルモノ少ク清人ハ之ヲ粉トナシ其主要ナル食料ナルヲ以テ粟、大豆、玉蜀黍、高粱等ニ次キテ多ク栽培ス品種ハ有芒種ニシテ穗長僅ニ二寸乃至二寸五分ニ過キス本年間島產三種ニ就テ栽培セル成績ハ左ノ如シ

但シ雀害ノ爲メニ甚タシク收量ヲ減少シタルハ遺憾トスル處ナリ

耕種法ハ凡テ間島大麥ノ栽培ニ準シ土地亦同シ

但シ栽培面積十四歩五合トス

成績　（一反歩換算）

地名	稈長	莖葉重	收量	穀實重	品質
西崗　西古城子	二六・〇寸	二五・〇〇〇貫	〇・一〇八石	三七四	
同　四道溝上村	二六・〇	二九・一六六	〇・一〇八	三四六	
茂山間島　下社地對岸	二七・〇	二二・五四一	〇・一六六	三七五	
平均	二六・三	二五・九〇二	〇・一二七	三六五	

內地產小麥相州白皮一種ニシテ其耕種法ハ內地產大麥、稈麥、燕麥ノ栽培ト同樣ナレトモ遂ニ抽穗スルニ至ラス全ク不成績ニ歸セリ明年改メテ多クノ品種ヲ輸入シテ更ラニ其栽培ヲ試驗セントス

四、陸稻

陸稻ハ當地帶ニ於テハ其栽培極メテ稀ニシテ僅ニ銅佛寺附近及朝陽河八道溝ニ小面積ノ栽培ヲ見タルノミ種子ハ吉林方面ヨリ持來リ兩三年來ノ栽培ニカカルト云フ然レトモ未タ結果充分ナラス

成功ノ域ニ達セサルモノノ如シ

本年農園ニ於テハ内地產陸稻「ヤカン」及凱旋二種各一合ヲ輸入シ耕種法凡テ内種產大麥ト同樣ニシ五月七日下種シ五月二十日前後發芽シ爾後數回灌水シタレトモ發育不充分ニシテ抽穗スルニ至ラス全ク不成績ニ歸セリ明年度更ニ多クノ品種ノ栽培ヲ試ミントス

五、高粱(蜀黍)

高粱ハ間島ニ於ケル主要ナル農產製造品ニシテ燒酎ノ原料トシテ又淸韓人ノ副食穀類トシテ其栽培反別ハ粟及大豆ニ亞キ玉蜀黍ト略々雁行セリ本年ハ間島各地產十種ニ付比較栽培セリ

一、耕種梗概

土　性　砂質壤土ニシテ礫比較的少シ

栽培面積二畝十步

整　地　牛耕二回ノ後木槌ヲ以テ土塊ヲ碎キ五月十六日整地セリ

播　種　五月十七日畦幅ヲ二尺トシ一反步當約一升二合ニ三寸ノ距離ニ播種セリ

肥　料　基肥厩肥約百二十貫及重過燐酸ヲ施シ補肥トシテ七月四日及七月十五日ノ二回稀

海人糞尿ヲ施セリ

發芽期　五月下旬

間引及除草五月三十日、六月六日、及六月十四日ノ三回中耕七月四日及七月十五日

開花期　八月上旬
收穫期　九月二十九日
一成績　左表ノ如シ（一反歩換算）

地名	稈長	稈重	收量	穀實一升ノ重量
朝陽川（早）	尺 六・五〇	〆 一〇七・四	石 一・九〇五	匁 三二八
小許門里（早）	七・五〇	一三七・四	一・七一九	三三三
西古城子（早）	六・五〇	一五九・〇	二・四二一	三四五
二道溝口（早）	七・五〇	一五二・七	二・四九三	三三二
大泉坪（早）	七・五〇	一三三・二	一・六三八	三四七
長洞（早）	五・〇〇	一二四・五	一・九二六	三六六
江城洞（早）	八・〇〇	一二四・五	一・五五七	三四〇
防州項（晩）	四・五〇	一二六・五	一・九七七	三五〇
上古島（晩）	五・〇〇	一〇三・二	一・五三二	三三八
龍井村（晩）	七・五〇	一四一・九	一・八四八	三三六
平均	六・五五	一三一・七	一・九〇二	三四一

是ニヨレハ二道溝口子產及西古城子產最モ收量及稈重量多ク一升ノ重量ニ於テハ長洞產三百六十六匁最モ勝レリ今本年龍井村附近ニ於テ行ヒタル高粱ノ坪刈成績ヲ見ルニ左ノ如シ

品種	稈長	稈重量	收量	穀實一升重量
一	八五寸	一三〇・八〇〇貫	一・五九〇石	三三九匁
二	七五	一二一・五〇〇	一・九五〇	三三四

右ハ生育中位ニアルモノニ就テ得タル成績ナレトモ農園ノ成績ニ比フレハ總シテ劣レリ要スルニ農園產ノ高粱成績ハ良結果ナリト云フヲ得ヘシ

六、玉蜀黍

玉蜀黍ハ淸韓人共之ヲ常食トシ其ノ栽倍率ハ粟及大豆ニ次キテ大ナリ主トシテ乳熟ノ際採リテ煮食シ亦完熟後乾燥ヲ充分ナラシメ脫穀シテ挽割又ハ粉トナシテ炊キテ食ス然レトモ品種ニ良好ナルモノ少ク甘味ニ乏シ間島產七種ニ就テ行ヒタル栽培成績次ノ如シ

一、耕種梗概

土性及整地　高粱ノ項ニ同シ

栽培面積　二畝二十一步七合

播種　五月十七日畦幅二尺株間五寸ニ五六粒ツツ點播セリ

肥料　基肥トシテ厩肥約百二十貫重過燐酸三貫ヲ施シ補肥トシテ七月四日一回稀薄人糞尿約三十貫ヲ施セリ

發芽期　五月下旬

間引及除草　五月三十日、六月六日、六月十四日三回

中耕　七月四日

開花期　七月下旬

收穫期　生食用ハ八月十三日ヨリ採取シ八月三十一日全部ヲ收穫セリ

一成績(一反歩換算)

稈量	收量	一升重量
四三〇・五〇〇貫	七・二〇〇石	三二九匁

收量多キニ過クルノ疑アリ暫ク記シテ參考ニ資ス

七、黍

韓清人共ニ栽培スレトモ其栽培率ハ少シ

一、耕種梗概

土質　砂質壤土ニシテ多ク礫ヲ混ス

栽培面積　三歩六合

整地　間島産大麥ノ項ニ同シ

播種　五月十六日畦幅二尺ニ條播ス

肥料　基肥トシテ厩肥百二十貫及重過燐酸約三貫ヲ施シ補肥トシテ六月十四日及七月七日二回稀薄人糞尿ヲ施ス

發芽期　五月下旬

除草及間引　五月三十日、六月十三日、及七月六日、三回

中耕　七月二十日

開花期　八月上旬

收穫期　九月七日

一、成績　（一反歩換算）

地名	稈長	稈重量	收量	穀實一升重	品質
鍾城間島絕障洞	二九	一二六・六六六貫	〇・五七三石	三三〇匁	ー
龍井村	三〇	一五〇・〇〇〇	〇・六九二	三四二	ー
西崗五道溝	三七	一五八・三三三	一・一六六	三二九	ー

品種	稈長	稈重量	收量	穀實一升重	品質
平均	三二	一七八・三三二	〇・八一〇	三三四	—

本年度龍井村附近黍坪刈成績ヲ見ルニ

品種	稈長	稈重量	收量	一升重量	品質
(一)	四七寸	一二五・五〇〇貫	二・一九〇石	三三一匁	—
(二)	三七	六九・〇〇〇	一・五〇〇	三六〇	—

之ニヨレハ農園產ハ著シク劣レリ蓋シ主トシテ土質不良ナルニ歸スルモノノ如シ

八、大豆

大豆ハ粟ニ次ケル主要作物ニシテ其ノ栽培步合約二〇%ニ達シ北韓及琿春方面ニ輸出スル額少ラス其品種ハ大小黑黃四五種アリ現在淸韓人ノ栽培ハ最モ粗放ニシテ品質均一ナラサル爲メ輸出品トシテ聲價低クケレトモ向後之ヲ改良シ其栽培ヲ奬勵スルアラハ頓ニ聲價ヲ高メ輸出品トシテ粟ト相匹敵スルニ至ラン本年間島各地產ノ大豆十三種ニ就テ其ノ優劣ヲ比較スル結果次ノ如シ

一、耕作梗概

土性　砂質壤土ニシテ礫少シ

栽培面積　二畝二十一歩七合

整地　牛耕二回ノ後更ニ土塊ヲ碎粉シ五月十八日整地セリ

播種　五月十八日畦幅二尺一反歩當ニ條播セリ

肥料　基肥トシテ一反歩當ノ廐肥約一五〇貫重過燐酸三貫及木灰四貫ヲ施セリ

發芽期　五月下旬

間引及除草　五月三十一日、六月二十四日、二回

中耕　六月二十八日及七月十六日、二回

開花　七月二十八日

收穫　九月下旬(枝豆ハ八月三十一日)

一、成績　(一反歩換算)

品種	早中晩	稈長	莖莢重	收量	一升重量	粒大小	粒色	色	品質
三道溝	早	一五・〇寸	二九・八五一貫	〇・九五五石	三六六匁	中	黃白	白	整虫劣害
黃坪	中	一六・〇	三八・九三八	一・一〇六	三六八	小	黃白	白	整良
白浦江中村	早	一六・〇	三四・五一三	一、二二一	三六六	中	黃白	白	整虫劣害

品種	早中稈	稈長（寸）	莖莢重（貫）	收量（石）	一升重量（匁）	粒大小	粒色	色	品質
四道溝中村	晩	一五・〇	三八・〇五三	一・三三六	三六五	小	黃白	薄黑	整良
二道溝	中	一七・〇	四七・七六二	一・六八三	三六一	小	黃白	黑	稍整良
五道溝	早	二二・〇	三一・八五九	一・一〇六	三五六	小	黃白	黑	整優良
東梁大村	中	一八・〇	三四・九五六	九七三	三五九	中	黃白	白	不整劣
龍井村	晩	一七・〇	四七・三四五	一・六三七	三五九	中	黃白	褐	稍整劣
椽田洞	中	二〇・〇	四五・一三三	一・三二七	三五〇	中	黃白	黑	不整劣
草坪	早	一五・〇	二八・三七八	一・二一七	三六三	中	黃白	白	整良 虫害
湖川浦	晩	二〇・〇	四七・七八七	一・三二七	三六三	大	黃白	褐	不整劣
咸沙洞	晩	一八・〇	三七・一六八	一・二八三	三五九	大	黃白	灰黑	稍整 稍良
大泉坪	晩	二〇・〇	四六・〇一七	一・四三四	三五五	大	黃白	灰黑	稍良（整）
平均		一七・六	三九・〇五七	一・二七七	三六〇				

是ニ依ツテ見レハ最大收量ハ二道溝產ノ一石六斗八升三合ニシテ龍井村產ノ一石六斗三升七合之レト伯仲シ平均收量ハ一石二斗七升七合ナリ一升重量ノ最大ハ黃坪村ノ三百六十六匁ニシテ白浦江中村及四道溝中村產之ト相伯仲セリ平均重量ハ三百六十匁ナリ品質ハ中粒種ニ於テハ草坪稍良

種ニ屬シ小粒種ニ於テハ五道溝最モ良好ニシテ黄坪產之ニ次ク
左ニ龍井村附近ニ於ケル本年度大豆坪刈試驗成績ヲ擧クレハ

品種	稈長	莖莢重	收量	一升重量	品質
黄白大粒種	寸 一・八〇	貫 三一・五〇〇	石 〇・九〇〇	三五〇匁	粒形不整ニシテ品種雜混ス

右ハ單ニ一種ニ就テ試驗シタルニ過キサレトモ農園產ニ比シ收量及一升重量共著シク劣レリ之レ農園ニ於テ大豆ノ最良肥料タル燐酸肥料及木灰ヲ施シタルニ歸スルコト疑ナシ

九、小豆及綠豆

一、耕種梗概

土地及整地　大豆ノ項ニ同シ

栽培面積　小豆一畝四步四合　綠豆十一步三合

播種　五月二十二日畦幅二尺株間七寸ニ一反步當ニ點播セリ

肥料　大豆ニ同シ

間引及除草　六月十日、六月二十四日二回

中耕及土寄　六月二十八日、七月十五日二回

開花　七月三十日

一、成績　（一反歩換算）

（イ）小豆	早中晩	稈長	莖莢重	收量	一升重	粒大小	粒色	品質
馬鞍山北	早	一八・〇寸	三五・二九四〆	一・五一三石	四〇〇匁	中	赤	
局子街	早	一七・〇	三五・六三〇	一・三三四	四〇六	小	暗赤	
富世洞	中	一四・〇	三五・六六四	一・四〇三	四〇〇	小	赤	
平均		一六・三	三二・一九六	一・四一七	四〇二			

備考　一升重量ハ重キニ失セリ疑フヘキ點アリ

龍井村本年小豆坪刈試驗成績ヲ見ルニ

品種	稈長	莖莢重量	收量	一升重量	品質
灰白中粒	一〇寸	二五・八〇〇〆	〇・九〇〇石	三九四匁	良

備考試驗ニ供セルハ生育優良ノモノナリ

右ハ僅ニ一種ニ過キサレトモ農園產ト比較シテ遙ニ劣レリ

(ロ)綠豆	早中晩	稈長	莖莢重	收量	一升重	粒大小	粒色
普通種	中	一二寸	二七・〇七九〆	〇・六九七石	三九九匁	小	綠
變種	中	一三	三四・三三三	一・三六六	三八九	小	綠ニ黑班アリ

坪刈試驗成績ハ

品種	稈長	莖莢重量	收量	一升重量
普通種	一二寸	四六・二〇〇〆	〇・四五〇石	四〇七匁

是亦農園産ハ大ニ優レリ要スルニ燐酸肥料ハ豆菽類ニ最モ適切ナルモノナランカ明年度特ニ之カ試驗ヲ行ヒテ研究スル處アラントス

十、牧草

栽培牧草ハ八種ニシテ其ノ種類左ノ如シ

一、レッド、クロバー

二、ホワイト、クロバー

三、オルチャード、グラス

四、チモシーグラス
五、ペイニアル、ライグラス
六、レッドトップ、グラス
七、メドウ、フエスキユー
八、イタリアン、ライグラス

栽培面積ハ三畝歩ニシテ五月二十九日畦幅一尺ニ條播シ基肥トシテ一反歩當馬糞約七十貫及重過燐酸二貫ヲ施セリ、レッドクロバー及ホワイト、クローバーク二種ハ完全ナル發育ヲ遂ケタレトモ他ノ六種ハ僅ニ「オルチヤード」ノ一部發芽セルノミニテ殆ント萠芽セス不成績ニ歸セリ蓋シ播種期晩キニ失シ且ツ旱害ヲ蒙レルカ如シ明年度ニ試作スル處アルヘシ

第四章　特用作物栽培成績

一、甜菜　（一ニ菾菜俗ニ砂糖大根）

甜菜ハ從來寒地ニ栽培シ得タル唯一ノ採糖作物ニシテ近來韓國及南滿洲ニ於テ有望ナル特用作物トシテ盛ニ栽培試驗行ハレ其結果頗ル多望ナルモノノ如シ間島ニ於テ之レカ栽培成功スルニ至ラハ實ニ一大富源タラン

本年内地ヨリ甜菜ノ一品種ヲ輸入シテ之カ栽培ヲ試ミタリ然レトモ土性礫ヲ混シ良好ナラサリシヲ以テ充分ナル良成績ヲ擧ケ得サリシハ頗ル遺憾トスル處ナリ

一、耕種梗概

土性　砂質壤土ナレトモ礫ノ混量多シ

栽培面積　二十四歩四合

整地　牛耕二回ノ後木槌ヲ以テ土塊ヲ碎キ五月十六日鍬ヲ以テ土地ヲ均整セリ

播種　五月十六日畦幅二尺株間七寸ニ一反歩當一升二三合ノ割合ニ點播ス

肥料　基肥トシテ一反歩當厩肥約百八十貫重過燐酸石灰約三貫ノ割合ニ施シ補肥トシテ一回人糞尿三〇貫ヲ施セリ

發芽期　五月下旬

間引及除草　六月三日、六月二十八日、七月二十日ノ三回

中耕　六月三十日一回

灌水　五回

收穫期　十月三日

根莖ノ收量ハ一反歩換算三百七貫五百匁ニシテ其最大ナルハ一箇百八十匁ニ達セリ之ヲ水原勸業模範場報告第二號甜菜(施肥料區)ノ一反歩收量根莖七百八十七貫二百匁ニ比スレハ其約五分ノ二以下ニ過キストスト雖モ根莖最大一箇ノ重量七百二十四瓩(百七十三匁餘)ニ比シテ大ナル遜色ナシ糖分ノ檢定ニ至リテハ其ノ設備ニ缺クヲ以テ玆ニ示スヲ得サレトモ要スルニ其栽培ニ適シ得ルコトヲ知

ルヘシ明年ハ更ニ土質ヲ選ヒ品種ヲ多クシ嚴密ナル栽培試驗ヲ行ハントス

二、罌粟

罌粟ハ阿片採取用及搾油用トシテ韓淸人共ニ之ヲ栽培ス本年農園ニ於テハ龍井村產白花種一種ヲ栽培セリ然レトモ種子不良ナリシヲ以テ發芽步合頗ル不良ニシテ良成績ヲ得ス

一、耕種梗概

土質　砂質壤土ニシテ少シク礫ヲ混ス

栽培面積　一畝十五步

整地　一般作物ニ同シ

播種　五月十六日畦幅三尺株間一尺ニ一反步當約一合ノ割合ハ點播セリ

肥料　基肥トシテ一反步當厩肥約七八十貫重過燐酸約二貫ヲ施シ補肥トシテ七月十四日一回人糞尿約三十貫ヲ施セリ

間外及除草　五月三十日、七月二十八日二回

中耕　七月二十四日、七月二十八日二回

開花期　七月十七日

收穫期　八月下旬

一、成績　（一反步換算）

稈長	稈重	收量	一升重量
二八寸	七・三三三〆	〇・〇三六合	二九一匁

三、煙草

煙草ハ韓清人ノ大ナル嗜好品ニシテ盛ニ栽培セラレ風土又之ニ適スルモノヽ如シ本年農園ニ於テハ間島産一種ニ付栽培ヲ試ミタリ

一、耕種梗概

土性　砂質壤土ニシテ少シク礫ヲ混ス

整地　一般作物ト同シ

播種　苗床ノ土ハ能ク粉碎シテ細砂ヲ混シ篩カケ腐熟馬糞ニ重過燐酸若干ヲ加ヘテ一般ニ撒布シテ混和シ四月十六日下種ス苗床ノ周圍ハ高サ八寸ニ蓆ヲ以テ圍繞シ日中二回乃至三回如露ニテ灌水シ夜間ハ蓆ヲ以テ覆ヒ寒風ヲ防キタリ
直播ハ五月二十八日圃場ニ下種シタレトモ其後旱魃ニ會シ發芽セス六月十二日第二回ノ直播ヲナシタレトモ遂ニ發芽ヲ見ス

移植　六月二十九日畦幅二尺株間一尺五寸ニ移植シ七月七日更ニ補植ス

肥料　基肥トシテ厩肥八十貫重過燐酸石灰三貫ヲ施シ補肥トシテ七月上旬人糞尿約三十
貫ヲ稀薄ニシテ施シタリ
摘心及摘芽　八月下旬、十二、三葉ナルニ及ヒ摘心シ爾後三回摘芽セリ
除草　二回
中耕　二回
驅虫（蚜虫發生）一回
收穫　九月二十四日土葉四葉ヲ收穫シ十月二日中葉ヲ收穫シ十月九日本葉及天葉ヲ同時
ニ收穫ス（移植期稍後レタルヲ以ヲ收穫從テ後レタリ）
乾燥　聯干トシ收納舍内ニ懸ケ置キ自然ノ乾燥ニ任セ一月七日秤量セリ
收量　（一反歩換算）
乾葉四十二貫八百五十匁
品種ハ細長種ニシテ葉ノ大ナルモノ長サ一尺三四寸幅廣キ處六七寸ニ過キス葉ハ柔軟ニシテ肉着良好ナリ本年ハ間島一般六月中旬ヨリ七月初メニ至ル旱害ノタメ煙草ノ發育不良ナリシモノノ如シ然レトモ朝陽河八道溝ニ於テ見タル煙草ハ楕圓形種ニ屬シ葉ノ大ナルモノハ長サ二尺二寸五分幅廣キ處一尺二寸ニ達スルモノアリ害虫トシテハ蚜虫ノ發生ヲ見タレトモ八月三十一日今井驅虫劑ヲ以テ驅除シ被害アルニ至ラス間島種煙草ハ一般ニ赤星病（病菌）（Macrosporium Tabacium, Ell et EV.）

ニ侵サレ易ク各地ニ於テ其被害ヲ見タレトモ本農園ニ於テハ其發生ヲ見ス明年度ハ內地種各種ヲ栽培シテ試ミ以テ品種ノ選擇ヲ試ミントス思フニ煙草ハ當地帶ニ於ケル最モ有望ナル特用作物ノ一ニシテ其品種及栽培法ヲ改良シ製造法ヲ完全ナラシムレハ重要ナル物產タルニ至ラン

四、大麻

大麻ハ間島產一種ヲ栽培シタレトモ種子劣惡ナリシタメ發育不充分ニシテ不成績ニ終レリ明年度ハ二三ノ內地種ヲ栽培シ間島種ト比較栽培スル處アラントス

第五章　蔬菜栽培成績

蔬菜栽培ハ特ニ內地產各種ノ種子ヲ栽培シ其適否ヲ試ミタリ左ニ種法生育及收穫成績ヲ表示セン然レトモ收量試驗ハ脫漏セシモノ少カラス最モ遺憾トスル處ナリ

甲、耕種一覽表

作物	種類	栽培面積	土質	肥料（一反歩當）基肥	肥料（一反歩當）補肥	播種期	植付法	移植期	摘要
豌豆	間島產	畝 歩 一・二八・三	砂質壤土（礫ヲ混ズ）	馬糞 七〇貫 過リンサン 二貫	—	五月十日	畦巾二尺 株間七寸	—	六月二十五日添木立
菜豆	同	二・二五・三	砂質壤土	—	—	同	同	—	
蠶豆	おたふく	〇・一八・〇	同	—	—	五月九日	畦巾二尺 株間一尺	—	

作物	種類	栽培面積	土質	肥料（一反歩當）基肥	肥料（一反歩當）補肥	播種期	植付法	移植期	摘要
蘿蔔（ダイコン）	聖護院 練馬尻太 同尻細 間島種	五・一〇・四（畝歩）	砂質壌土	馬糞八〇貫 木灰一貫	人糞尿約一二〇貫	八月六日	畦巾二尺 株間七寸	―	高畦ヲ設ケ下種ス 補肥三回 春蒔ハ虫害ノタメ不良
蕪菁	日本種	六・〇〇・〇	同（礫チ粗大）	同	同	八月七日	同	―	補肥四回
	間島産	〇・二一・三	同（同）	同	同	八月七日	同	―	
胡蘿蔔（ニンジン）	札幌大長 東京大長 金時 内地産（品種不明）	二・二一・七	同（同）	馬糞七〇貫 重過燐酸二貫	人糞約一二〇貫	五月二十二日	畦巾二尺 二條播	―	補肥四回
牛蒡	瀧野川 大浦 千住	五・〇〇・〇	同	同	人糞尿約三〇貫	五月十九日	同	―	補肥一回

葱	下仁田	二・二五・二	同（礫ヲ嫌ズ）	馬糞一〇〇貫 過燐酸五貫	人糞尿一五〇貫	五月七日	同	―	補肥五回
	間島種								
球葱	白赤及黄	〇・一四・二	同（同）	同	同	（床蒔）四月十六日 （直蒔）五月十九日	同	六月下旬	補肥二回
萵苣(チシャ)	間島種	三・〇〇・七	同	馬糞七〇貫 過燐酸二貫	人糞尿六〇貫	五月十四日	畦巾二尺條播	―	補肥二回
茼蒿(シュンギク)	間島種		同						
菠薐草(ホウレンソー)	內地種		同						
紫蘇	同	〇・一五・〇	同	馬糞七〇貫	人糞尿約三〇貫	五月十日	同	―	補肥一回
菜	間島産白菜	一・一四・八	同（礫ヲ嫌ズ）	馬糞八〇貫 過燐酸二貫	人糞尿約七〇貫	八月十日	同	―	補肥二回
	內地産三河島	〇・二九・七							
	同高菜	三・〇〇・〇				八月十八日			
	同京菜	三・〇〇・〇							
胡瓜	間島種	二・二一・七	同（礫多シ）	同	同	五月二十日	畦巾二尺 株間一尺二寸	―	四五粒宛點播 補肥二回
甜瓜	同	二・二一・七	同（同）	馬糞五〇貫 過リンサン二貫	同	五月二十六日	畦巾三尺 株間三尺	―	補肥二回
西瓜	アイスクリーム	五・一三・四	同（同）	馬糞八〇貫 燐肥三貫	同	五月二十五日	同	―	補肥三回
	マウレテンスイート		同（同）						

作物	種類	栽培面積	土質	肥料（一反歩當） 基肥	補肥	播種期	植付法	移植期	摘要
	間島種	畝 歩 二・一八・七	同						
南瓜	縮緬	五・二三・四	同（礫ヲ混ス）	同	同	五月二十五日	同	—	補肥一回
	菊座								
	バソカード								
茄子	山茄子	二・一八・七	同	馬糞五〇貫 燐肥三貫	人糞尿二〇〇貫	床蒔四月二十一日 直蒔五月二十五日	畦巾二尺 株間一尺五寸	七月十三日	點播 補肥九回
	千成	二・一八・七						六月二十九日	
蕃茄	ミカド	一・一九・〇	同	同	人糞尿三〇〇貫	温床蒔三月七日 冷床蒔四月二十一日	畦巾二尺 株間一尺	温五月廿五日 冷六月十五日	補肥一回
甘藍	札幌	四・〇六・七	同	馬糞八〇貫 燐肥三貫	同 一〇〇貫	床蒔四月十九日 直蒔五月九日	畦巾二尺 株間一尺五寸	六月八日	點播 補肥四回
花椰菜	内地種	一・一五・〇	同（礫ヲ混ス）	同	同	温床蒔四月十六日 冷床蒔四月十九日	同	温六月十日 冷六月廿九日	補肥三回
馬鈴薯	間島種	二・二一・七	同（同）	馬糞七〇貫 木灰四貫	同 三〇貫	五月十八日	畦巾二尺 株間一尺	—	補肥一回

備考　表中燐肥トハ重過燐酸石灰ヲ云フ

乙、生育及收穫成績表

作物	種類	發芽期	間引及除草	中耕	摘心	開花期	收穫期	一反步當收量	適否	摘要
豌豆	間島種	五月廿日	四回	一回	—	六月二十八日	自七月十六日至八月十日	石 〇・四六三（子實）	適	一升重量四〇〇匁
菜豆	同	同	同	二回	—	六月下旬	自七月十四日至十月七日	〇・七〇〇（同）	同	同 三八八
蠶豆	おたふく	五月下旬	同	三回	—	同	自八月一日至八月四日	二・五二六	同	同 二九七
蘿蔔	聖護院	八月中旬	五回	一回	—	—	十月下旬	九〇三・〇〇〇（根菜）	同	最大重一本三三〇匁
	練馬尻太							六六二・二三一（同）	同	同 二五〇
	同尻細							三八九・二六〇（同）	同	同 二四〇
	間島種							二六九・六七〇（同）	同	同 一六〇（蕪菁狀）
蕪菁	日本種	同	—	—	—	—	—	—	—	虫害ノ為皆無
	間島種		四回	一回	—	—	十月十日	二二一・三〇〇（同）	同	一個長サ 周圍四寸—七寸五分 長サ二寸—二寸九分
胡蘿蔔	札幌大長	六月上旬	同	同	—	—	自八月十五日至十月廿五日	一、一八九・四五五（同）	同	最大重量一本一九五匁
	東京大長							六一〇・四一八（同）	同	同 一三五
	金時							五四七・六五六（同）	同	同 一四六
	内地種（品種不明）							二四四・三一〇（同）	同	同 一一〇

作物	種類	發芽期	間引及除草	中耕	摘心	開花期	收穫期	一反歩當收量	適否	適要
牛蒡	瀧野川	五月下旬	二回	一回	—	—	自八月十三日至十月十九日	石 二〇五・三五一（根菜）	適	大ナルモノ一本長サ一尺二寸周圍四寸
	大浦							二一一・二六七（同）	同	同 長サ一尺三寸周圍四寸
葱	千住	五月下旬	三回	三回	—	—	九月中旬	一三三・〇九〇	同	白根ノ長サ五寸五分
	下仁田							五二・九三二	同	同 三寸
	間島種							六五・〇五六	同	同 四寸
球葱	白赤及黄	五月下旬	二回	二回	—	—	自八月廿九日至九月十九日	八五・四一四	同	白種最良、赤種中、黄種劣
萵苣（チシャ）	間島種	五月十四日	二回	一回	—	—	七月上旬	—	同	
茼蒿（シュンギク）	間島種	同	同	同	—	—	同	—	同	
菠薐草（ホウレンソー）	內地種	同	同	同	—	—	同	—	同	
紫蘇	同	五月下旬	同	同	—	—	葉採集八月中	—	稍適	發芽不良
菜	間島產白菜	同	四回	同	—	—	自七月廿五日至八月六日	—	適	旱害ノ爲メ生育不良
	內地產三河島	八月中旬	三回	二回			十月下旬	—	同	
	同 高菜	八月二十一日			—	—	十一月二十一日	—	同	

	同京菜	同					十月下旬	—	同	甚シク虫害ニ侵サレ易シ
胡瓜	間島種	五月下旬	同	一回	一回 七月十五日	七月上旬	自八月十五日至九月八日	—	同	皮硬クシテ品質不良
甜瓜	同	六月上旬	同	二回	五回	八月十二日	八月二十二日	—	同	土地瘠薄ノ為メ生育不良
西瓜	アイスクリーム	同	四回	一回 土害	一回 六月下旬	七月中旬	八月二十九日			
	マウシテンスイード							—	同	大 一、三二〇匁
	間島種							—	同	大 一、七八〇匁
南瓜	縮緬	同	二回	一回 七月二十九日土寄	七月十二日	七月十七日	八月三十一日	—	適否	大 七〇〇匁 中 五五〇 小 三六〇
	菊座									
	バッカード							—	同	大 一、三〇〇匁 中 八〇〇匁 小 五〇〇匁
茄子	山茄子	(床蒔)五月中旬	四回	四回	—	七月中旬	自八月十日至十月八日	—	同	
	千成	(直蒔)六月下旬					自八月九日至十月上旬	—	同	
蕃茄	ミカド	(床蒔)四月下旬	三回	一回	—	六月中旬	自八月廿二日至九月十三日	—	同	生育頗ル良好
甘藍	札幌	(床蒔)五月中旬 (晩蒔)六月中旬	同	二回	—	—	自九月三日至十月下旬	—	同	最大重量 一、一〇五匁 平均 五五〇匁
花椰菜	内地種	(床蒔)五月中旬	同	同	—	—	—	—	否	結花セス
馬鈴薯	間島種	五月下旬	四回	同	—	六月中旬	自七月下旬至七月十四日	四八四・〇〇〇貫	適	皮色薄地長形ニシテ一個ノ大サ大ナルモノ五〇匁

右ノ表ニ依レハ内地種ハ花椰菜ヲ除クノ外殆ト全部栽培ニ適セルモノノ如シ但シ蕪菁及京菜ハ其發芽當時さるはむしト稱スル小サル甲蟲ノ爲メニ甚シク嫩葉ヲ食害セラレ殆ト發育セサリシノミさるはむしハ當地菜類ノ幼時ニ於ケル唯一ノ强敵ニシテ其發生最モ盛ニ食害頗ル猛烈ナリ驅除法トシテ石鹼水ニ除虫菊粉若干ヲ投シテ撒布シ頗ル有効ナリシカさるはむしノ發生盛ニシテ全ク驅除スルニ至ラス京菜蕪菁ノ如キハ二三回下種シタレトモ其都度殆ト全滅シ生育スルニ至ラス最モ困難ヲ感シタリさるはむしハ土中ニ潜伏シ越年スルモノアリト雖モ其巣窟ハ主トシテ堆積馬糞中ニアリ馬糞中ニ潜伏シ越年シ産卵シテ發生スルモノノ如シ之カ完全ナル驅除ヲ行フヲ得ハ良好ナル成績ヲ得ルニ至ラン土民ハ驅除法トシテ單ニ木灰ヲ撒布シ稍有効ナルカ如シ

他ニ蚜蟲及てんとーむし、たましノ發生ヲ見タレトモ被害大ナルニ至ラス病害トシテハ南瓜及甜瓜ニうとんこ病(Erysiphe Cichoruceaum D. C.?)ヲ見ルノミ之レ亦發育ヲ妨ケラルルニ至ラス

蔬菜中最モ成績良好ナリシハ蘿蔔、胡蘿蔔、牛蒡、茄子、蕃茄、西瓜及南瓜等ナリ就中蘿蔔ノ如キハ間島種ハ收量及風味等ニ就テ殆ト比較ニ堪ヘス左ニ比較成績表ヲ示サン

	最大ナルモノ一本			一本平均大サ		根菜收量(一反歩當)	品質	摘要
	重量	周圍	長	周圍	長			
聖護院	三三〇匁	一·一〇尺	一·〇〇尺	〇·九〇尺	〇·七〇尺	九〇二·九七五貫	良	
練馬尻太	二五〇	〇·五〇	一·八〇	〇·四〇	一·六〇	六六二·二三一	優良	屈曲スルモノアリ

仝 尻細	二四〇	〇・四五	一・七〇	〇・三五	一・五〇	三八九・二六〇	良	同
間島種	一六〇	一・三〇	〇・三五	〇・九〇	〇・二五	三六九・六七〇	劣	蕪菁形

牛蒡モ亦頗ル良成績ヲ得其最大ナルモノハ長サ一尺六寸周圍七寸ニ達シ風味佳良ナリ

胡蘿蔔ノ成績ハ左ノ如シ

	最大ナルモノ一本			一本平均ノ大サ		根菜收量（一反歩當）	品質	摘要
	重量	周圍	長	周圍	長			
札幌大長	一九五匁	〇・八五尺	一・七〇尺	〇・六〇尺	一・四〇尺	一・一八九・四五五貫	優良	
東京大長	一三五	〇・七五	一・四〇	〇・四〇	〇・七〇	六一〇・四一八	中	分根多シ
金時	一四六	〇・七五	〇・六五	〇・五〇	〇・五〇	五四七・三一〇	良	
內地種 品種不明	一一〇	〇・六〇	一・二五	〇・四〇	〇・八〇	二四四・三一〇	中	分根多シ

風味亦佳良牛蒡ト共ニ一般ノ賞讃ヲ得タリ

茄子ハ清韓人ノ栽培スル在來種ハ支那細長種ニ屬シ皮硬ク風味淡泊ナレトモ內地產ハ品質優等風味亦佳結果亦頗ル多ク其收穫期間ハ最モ長ク八月十日ヨリ十月八日ニ及ヒ一般ノ需要最モ多ク賞博セリ

西瓜ハ內地產、西洋種アイスクリーム、マウンテンスウキート二種共ニ土地ニ礫多ク良好ナラサリシニ係ラス甘味多ク纎維少ク間島種ハ遙ニ之ニ劣リ比較スヘカラス但シ一ケノ大サハ土質稍劣リタル爲メ間島種ニ及ハサリシノミ西瓜ハ甜瓜ト共ニ淸韓人ノ大ナル嗜好品ニシテ其栽培法ノ如キ見ルヘキモノアリ西洋種ノ良好ナルモノヲ栽培セシムルニ至ラハ從來種ハ殆ト驅逐セラルルニ至ラン

南瓜ハ西洋種バッカード最モ良績ヲ見ハシ味美ニシテ甘藷ノ如シ內地種菊座亦好結果ヲ得タリ從來南瓜ハ韓人ノ栽培スル大形ノ一種アレトモ風味淡泊ニシテ殆ト邦人ノ口ニ適セス內地種及西洋種ノ栽培ニ適スルヲ見ルハ以テ意ヲ强フスルニ足ル甘藍ハ紋白蝶ノ幼虫數多發生シ其食害ヲ被リ數回之カ驅除ヲ要シタレトモ結球情態良好ニシテ全部ノ三分ノ二以上ニ及ヒ大ナルモノハ一ケ一貫百五匁ニ及ヒ平均五百匁ニ達セリ甜瓜ハ當地產ノ種子ヲ用ヒタレトモ種子劣惡ニシテ發育不充分不良且ツうとんこ病ニカカリシ爲メ成績良ナラス

草苺苗ハ「ピクトリヤ」(百本)「ビルモラン」(百本)及「ノーブル」(五十本)ノ三種ニシテ溫床ニ栽培シタレトモ本年ハ開花スルニ至ラス要スルニ內地產蔬菜各種ハ殆ト全部栽培ニ適シ間島ニ於ケル蔬菜栽培ノ前途頗ル有望ナリト云フヘシ

第六章　果樹苗盆栽及樹苗栽培成績

本年內地ヨリ輸入セル果樹苗盆栽及樹苗ノ種類品種及本數左ノ如シ

品名	種類名	品種名	本數	產地
(一)果樹類	苹果	紅魁	一〇	東京
		鰕夷衣	一〇	同
		祝	一〇	同
		柳玉	一〇	同
		倭錦	一〇	同
		鳳凰卯	一〇	同
		國光	一〇	同
		計	七〇	同
	梨	泰平	一〇	同
		長十郎	一〇	同
		明月	一〇	同
		早生赤	一〇	同
		世界一	一〇	同
		キーファー	一〇	同

品名	種類名	品種名	本數	產地
		バートレット	一〇	東京
		計	七〇	同
	桃	天津水蜜桃	一〇	同
		早生水蜜桃	一〇	同
		アムスデンジユーン	一〇	同
		アーリーリーバー	一〇	同
		計	四〇	同
	李	幾李	一〇	同
		巴旦杏	一〇	同
		牡丹杏	一〇	同
		クリマックス	一〇	同
		計	四〇	同
	櫻桃	カバーナーウード	一五	同
		ベルデーオルマシネ	五	同

	計	二〇	同
榲桲	越后長	五	同
	越后丸	五	同
	計	一〇	同
梅	增井	五	同
	白加賀	五	同
	計	一〇	同
葡萄	キャンベルスアーリー	一〇	同
	チャンピヨン	一〇	同
	アヂルン、ダソーク	一〇	同
	ハーパート	一〇	同
	ペーコン	一〇	同
	コンコート	一〇	同
	マタロ	一〇	同
	ブラック ハンブルソ	一〇	同

品名	種類名	品種名	本數	產地
		計	八〇	
	合計	—	三四〇	
(二)盆栽	躑躅	初露島	一〇	
		三島紫	一〇	東京
		淀川	一〇	同
		琉球	一〇	同
		日ノ霧島	一〇	同
		計	五〇	同
	薔薇	金生成	五	同
		鷄冠	五	同
		紅牡丹	五	同
		鶴頂紅	五	同
		日ノ司	五	同

		計	二五	同
	槭	日笠山	五	同
		カギリ	五	同
		青枝垂	五	同
		紅枝垂	五	同
		織段錦	五	同
		計	二五	同
	合計	―	一〇〇	同
(三) 樹苗類	桑	魯桑	一〇	同
		節曲	一〇	同
		九紋龍	一〇	同
		青木	一〇	同
		十文字	一〇	同
		計	五〇	同
	ポプラ		一〇〇	同

品名	種類名	品種名	本數	産地
	梧桐	—	五〇	東京
	黒松	—	五〇〇	同
	合計	—	七〇〇	同
總計		—	一、一四〇	

一、果樹培養經過概況

苗木類ハ周到ナル荷造ヲナシ三月二十日東京ヲ發送シ四月十四日當地ニ着ス發送當時梨苗櫻桃苗等ハ既ニ萌芽シ到着ノ時ハ堀上後既ニ二十八日ヲ經過セルヲ以テ生育如何ヲ慮リタルモ成績頗ル佳良ニシテ着後直チニ事務室ノ脊面ニ假植シ毎月一回灌水シ同十九日多少ノ剪枝ヲ試ミ二十一日苗圃ニ移植ス

移植法ハ株間一尺五寸畦幅三尺トナシ幅八寸深サ一尺五寸ニ堀下ケ之レニ廐肥及重過燐酸ヲ入レ土ト能ク混和シ苗木ヲ植エ覆土シ水ヲ多量ニ施シテ踏ミ固ム苗木ノ周圍ニハ高サ四尺ニ高粱稈ヲ以テ垣根ヲ作リテ寒風ヲ防ケリ其後ノ經過次ノ如シ

灌水　五月四日、六月二十四日、六月二十八日、七月一日、四回

補肥　七月十三日根本ヨリ三寸ノ距離ヲ兩側ニ溝ヲ堀リ稀薄ナル人糞尿ヲ施ス

除草　七月二十六日、八月六日、八月十七日、三回

害虫驅除　五月下旬ニ至リ苹果苗木ニ葉捲虫及蚜虫發生桃苗木ニ蚜虫發生セルヲ以テ葉捲虫ハ之ヲ捕殺シ蚜虫ハ今井驅蟲劑ヲ以テ驅除セリ他ニ著シキ病虫ノ害ヲ見ス

生着情況　八月中旬ニ於ケル概況ヲ示サンニ左表ノ如シ

品目		生着本數	生育狀況	枯死本數
榅桲	越後丸カンタン	三	劣	二
同	長カンタン	三	劣	二
梨	世界一	八	中	二
同	早生赤	一〇	優良	〇
同	太平	一〇	良	〇
同	長十郎	一〇	優良	〇
同	明月	一〇	優良	〇
同	パートレット	一〇	優良	〇
同	キーファー	七	中	三
苹果	倭錦	七	優良	三
同	紅魁	一〇	優良	〇

品目	生着本數	生育状況	枯死本數
苹果蝦夷衣	九	良	一
同　祝	一〇	優良	〇
同　國光	九	良	一
同　鳳凰卵	六	良	四
同　柳玉	一〇	優良	〇
計	一三二	｜	一八

仁果類生着歩合　八六、四%

品目	生着本數	生育状況	枯死本數
梅増井	五	優良	〇
同白加賀	五	同	〇
桃天津水蜜	一〇	同	〇
同アムスデンジュン	一〇	同	〇

同マーリーソーバー	一〇	優良	〇
同早生水蜜	一〇	優良	〇
櫻桃ヘルテーオルレアンナ	五	良	〇
同ガバチーウード	一四	良	一
巴旦杏	七	良	三
クリマックス	一〇	優良	〇
牡丹杏	一〇	優良	〇
幾李	一〇	優良	〇
計	一〇六	—	四

核果類生着歩合　九六、二三%

品目	生着本数	生育状況	枯死本数
葡萄ベーコン	八	優良	二
同ハーバート	一〇	優良	〇
同アジロンタック	一〇	優良	〇

品目	生着本數	生育状況	枯死本數
葡萄アタロ	五	良	五
同コンコート	一〇	優良	〇
同キャンベルスアーリー	九	優良	一
同チャンピオン	六	中	四
同ブラックハンブルグ	二	劣	八
計	六〇	―	二〇

將水果類生着歩合　六六、六六%

桑樹生着歩合　一〇〇%

防寒ノ設備

十一月六日ヨリ十一日ニ至ル間ニ於テ防寒被覆ヲナス其法先ツ各苗木ノ根際ニ約五寸内外ノ馬糞ヲ置キ各苗木ノ幹ハ枝ト共ニ麥稈ヲ以テ包ミ更ニ約五寸位ノ覆土ヲ行ヒ各苗ハ悉ク支柱ニヨリ支フ但シ葡萄ハ根際ニ土ヲ寄セ其上ニ麥稈ヲ約一寸位積ミ之ニ苗木ヲ彎曲シテ横ヘ更ニ麥稈ヲ以テ包ミ土ヲ以テ掩フ事二三寸ニ及フ又周圍ノ垣ヲ修理シ高サ一間トナシ寒風ヲ防カシム其結果ハ明

春ヲ待タサルヘカラサルモ大抵寒害ヲ蒙ムル事ナカラントト信ス

二、盆栽ノ栽培經過

內地輸入ノ盆栽ハ躑躅五十本薔薇二十五本及槭二十五本ニシテ二月末小包郵便ニテ東京ヲ發送シ三月二十八日當地ニ着シ四月七日之ヲ事務所前ニ根ヲ深ク假植シ灌水シ根際ヲ粟稈ヲ以テ覆ヒ周圍ヲ高サ一尺ニ蓆ヲ以テ圍繞シ蓆ヲ以テ上ヲ蔽ヒ生着ヲ待テ日中溫暖ノ日ノミ覆ヲ去リ四月二十九日及三十日全部ヲ鉢ニ移植シ日蔭ニ置キ毎日灌水シ肥料トシテ大豆粕ノ腐熟セルモノヲ施セリ何レモ生着良好ニシテ僅カニ薔薇苗ノ內一本枯死セルノミ躑躅苗ノ內霧島、三島紫、及琉球ハ五月下旬ヨリ開花シ薔薇苗ハ日ノ司、及鶴頂紅ノ二種八月中旬開花セリ

十月二十日氣溫大ニ降下セルヲ以テ土中ニ鉢ヲ埋沒セシメ十一月八日溫突ヲ有スル防寒室ニ入レ毎夕一回溫突ヲ焚キ時々灌水シテ保護ヲ與ヘ居レトモ尙氣溫ノ變化大ナルヲ以テ多少ノ枯死スルモノアルヲ免レサルヘシ

三、樹苗培養經過

樹苗ハ桑苗、ポプラ、梧桐黑松等ニシテ着後直ニ假植シ桑苗ハ果樹苗ト同一ニ苗圃ニ移植シポプラハ四月二十三日ヨリ梧桐ハ六月三十日ヨリ各所ニ定植シ黑松ハ五月三十日更ニ苗圃ニ移植セリ其結果ハ桑苗、梧桐ノ如キ全部生着シポプラハ百本中七八本枯死シ黑松ハ五百本中三十一本ノ枯死ヲ見タルノミ概シテ良成績ヲ得タリ防寒設備ニ就テハ桑苗ハ凡テ果樹苗同樣ニシテ其內五本ハ全ク防

寒ノ設備ヲナサス以テ其耐寒性ヲ試ミントシポプラ及梧桐ハ粟稈ヲ以テ幹ヲ包ミ黒松ハ其上ニ粟稈ヲ以テ全部ヲ蔽ヘリ各樹ノ耐寒性ニ就テハ翌春ノ結果ヲ待タサルヘカラサルモ有望ナラント信ス

附　草花栽培

草花ハ其種類數十種ニシテ其一部ヲ床蒔トナシ一部ヲ直播セリ苗床ハ幅三尺長サ二間トナシ八寸ノ高サニ薦ヲ以テ周圍ヲ圍繞シ土塊ヲ粉粹シ篩ニカケ細砂ヲ適度ニ混シ深サ五寸トナシ馬糞ヲ碎キタルモノ五六貫及重燐酸石灰約三百匁ヲ一面ニ撒布シテ土トヨク混和シ四月十六日三寸ノ間隔ニ淺キ溝ヲ作リテ各種二溝宛條播シ其上ニ土ヲ薄ク篩ヒ掛ケ日中二三回宛如露ヲ以テ灌水シ夜間ハ薦ヲ以テ蔽ヒ寒氣ヲ防キ一向（ヒタスラ）發芽ヲ促進セシメントシタレトモ五月二十日ニ至リテ漸ク發芽ス下種後實ニ三十四日ヲ要セリ

六月三日ニ至リ鉢ニ移植シ六月六日ヨリ七月中旬ニ至ルマテ漸次花壇ニ移植セリ直播ハ五月三十日、六月五日及六月十八日、三回ニシテ(最後下種セルモノハ發芽シタレトモ開花スルニ至ラサリシモノアリ)其後數回灌水及除草ヲナセリ

成績ハ何レモ良好ニシテ百花爛漫荒凉タル光景ニ大ナル美觀ヲ添エ頗ル人目ヲ惹ケリ明年度ハ更ニ種類ヲ多クシ廣ク其栽培ヲ普及セシメントス

結　論

本年度ハ前述ノ如ク諸般ノ準備未タ足ラサルヲ以テ充分ナル栽培試驗成績ヲ得ス且ツ作物栽培試驗ノ如キハ單ニ一ケ年ノ成績ヲ以テ直チニ其適否ヲ判スル能ハスト雖モ以上ノ栽培成績ニ依テ概論スレハ一般ニ內地種ノ栽培ニ適シ漸次品種ノ選擇改良ヲ行ハハ農產物ノ品位ヲ高メ其收量ヲ大ナラシメ得ヘク將來頗ル有望ナリト云フヘシ

左ニ本年度農園設計圖ヲ掲ク

二、明治四十二年度成績

第一章　本年度ノ計畫

本年度ニ於テハ昨年度ノ事業ヲ繼續擴張シ本園ノ右側ニ二千餘坪ノ附屬圃ヲ設ケ更ニ大敎洞韓人所有ノ水田一反歩ヲ借リ受ケ水稻栽培試驗ヲ行ヒ又建物トシテハ盆栽防寒室一棟ヲ建設セリ

本年度ニ於テ日本及韓國水原ヨリ輸入セル種苗類ハ次ノ如シ

一、普通作物種子

作物名	品種名	數量	輸入先
水稻	大場、日ノ出、出雲、豊後、高宮	各一升	水原勸業模範場
	北海道産赤毛種	二合	成興種苗場
陸稻	熊本、大畑早生	各二合	東京農科大學
	信州早生、仙臺、熊本、半田	各二合	東京日本農園
	フシヂー、チヤンゴミー オイラン	各一升	水原勸業模範場
大麥	二角シ・パリー	一升	札幌興農園
	魁、埼玉半芒	各二合	東京農科大學

作物名	品種名	數量	輸入先
小麥	金玉・三尺	各二合	東京農科大學
稞麥	鬼稞、埼玉鬼稞	各二合	同
燕麥	ゴールデンブラックタータリマン	各二合	同
	興農園改良種	一升	札幌興農園
ライ麥	スプリング ホワイト、ウオンター	各二合	東京農科大學
玉蜀黍	アーリー、エート、ロード ブラックフロリフイツク	各二合	同

二、蔬菜類

作物名	品種名	數量	輸入先
葱	九條葱 岩槻葱 夏葱	各二勺	東京日本農園
玉葱	黄、赤、白	各二勺	札幌興農園
甘藍	子持甘藍 パリスマーケット 札幌	各一袋	東京日本農園

甘藍	サクセツション	各二勺	東京日本農園
	アーリーサムマー		
	オータムキング		
	オールシーヅン		
花椰菜	アーリースノウボール	各二袋	札幌興農園及東京日本農園
	バーピース、ベストアーリー		
	ベツチスオータムヂヤオンド		
	アーリーパリス		
	ドルエフルエアリ		
	ドーリーア		
萵苣	チリメンチシヤ	各五勺	東京日本農園
	タマチシヤ		
	ヒヲデルヒヤ		
	ホワイトキヤベージ	二袋	札幌興農園
菠薐草		一合	東京日本農園
ミツバ		一合	同
野蜀葵		一合	同
茼蒿		一合	同

作物名	品種名	數量	輸入先
紫蘇		二勺	東京日本農園
菜	小松菜	一合	同
〃	京菜	一合	同
セルクー	ホワイトブルーム	各一袋	札幌興農園
〃	ゴールデンロース	〃	〃
〃	パースレー	〃	〃
〃	ボストン、マーケット	五才	東京日本農園
亞米利加防風	パースユップ	二袋	札幌興農園
越瓜	早生、黒門	各一勺	東京日本農園
〃	青大	〃	〃
胡瓜	札幌早生	各一袋	札幌興農園
〃	庄內早生	〃	〃
〃	早生節成	各三勺	札幌興農園
〃	白節成	〃	〃
〃	青大長	〃	〃
〃	清國三尺	〃	〃
〃	ロンググリーン	〃	〃

甜瓜	鳴子、金、梨、銀 ミラクリーム	各一勺	東京日本農園
西瓜	マウンテン、スウ井ート アイスクリーム	各三勺	東京日本農園
	赤早生	一合	同
南瓜	菊形早生	各一合	同
	縮緬バッーバード	各二合	同
	西京	五勺	同
茄子	米國種ブラックビユーチー	二袋	札幌興農園
	大圓、巾着、佐土原	各二勺	東京日本農園
	千成、中生	各五勺	同
蕃茄	テーブル、クウイーン オーノア、ブライト	各二勺	同
牛蒡	砂川、瀧ノ川 大浦、梅田	各二合	同
萊菔	赤二十日 龜井戸於多福 憂大根 時無大根	各一合	同

作物名	品種名	數量	輸入先
胡蘿蔔	札幌金時	各二合	東京日本農園
	三寸		
	東京大長		
蕪菁	時無ホワイトエッグ	各三勺	同
	ゴールデンボール		
	小蕪菁		
蠶豆	一寸	各一升	同
	早生		
藤豆	白	各五合	同
	赤		
豇豆	十六豇豆	一合	同
刀豆		三合	同
豌豆	大莢	二合	同
大豆	青鐵砲	五合	福島縣會津產

三、特用作物

甜菜	大邱産		韓國勸業模範場大邱出張所
	北海道岩見澤産		東京日本農園
煙草	秦野	各若干	水原勸業模範場
	國府		
	神奈川		
	達摩		
棉花	陸地棉シャインス	各一升	同
	韓國在來種		
落花生	小粒種、大粒種	各二合	東京農科大學産
	清國種、大粒種	一升	局子街
	韓國義州産並大粒種	一升	水原勸業模範場
瓢簞	千成大瓢簞	各一合	東京日本農園
蕃茘	龍ノ瓜	若干	同

四、牧草

作物名	品種名	數量	輸入先
禾本科	チモシー	半斤	東京日本農園
	ケンタキーブリユーグラス	同	同
	ハールミレット	同	同
	エンマー	二合	同
荳科	レッドクロバー	半斤	同
	ホワイトクロバー	同	同
	アルフアルフアー	同	同

五、草花類　凡三十五種

六、果樹苗

梨	上花	各十本	東京日本農園
	幸藏		
	獨逸		
	早生赤		
	衣通姫		
	赤龍		
	バートレット		
	キーファー		

苹果	國光 柳玉 紅魁 祝 赤龍 青龍 滿紅	各十本	東京日本農園
	紅魁 柳玉	各十本	札幌興農園
葡萄	ムアスダイヤモンド ナイヤガラ ハーバート アガワム カールマン アヂロンダック チヤンピヨン ブライトン ハートフートフロリヒック	各十本	東京日本農園
李	神產李 幾李 牡丹杏	各十本	同

作物名	品種名	數量	輸入先
桃	天津水蜜	各十本	東京日本農園
	アーリー、リバース		
	アムスデンジユーン		
	アレキサンダー		
	離核水蜜		
櫻桃	レニホルテーンス	各十本	同
	エロースニツシユ		
	エルトン		
	ガバーナーウード		
	ナポレオンピローカー		
榲桲	アンガス	各五本	同
	越後丸カンタン		
	リアスマンモース		
	オレンヂ		
	チヤンピヨン		
栗	盆栗	各十五本	同
	丹波栗		
	咸従	各五本	水原勸業模範場

胡桃	鬼 姫	各十本	東京日本農園
梅	太平 豊後	各五本	
須具利	黑房 白房 米國	各十本	同

七、其他ノ樹苗及盆栽類

櫻	吉野	三十本	東京日本農園
	御衣光 揚貴妃 紅普賢	各十本	
花梅		三十本	同
桑	魯桑	二十本	同
ポプラ		六〇〇本	同
梧桐		二〇〇本	同

作物名	品種名	數量	輸入先
桐		一〇〇本	東京日本農園
チヤボヒバ		二〇〇本	同
羅漢柏		二〇〇本	同
薔薇	各種	三五本	同
躑躅	各種	一〇〇本	同
楓	各種	五〇本	同
枳殻		三〇本	同
アカシヤ樹	種子	二合	札幌興農園
落葉松	種子	五合	同

本年度ノ各作物栽培反別ハ左ノ如シ

普通作物	二反二畝十二歩
蔬菜類	六反三畝二十五歩
特用作物	一反二畝二十五歩
合計	九反九畝二歩

之ノ外ニ借用地水田一反歩、秋作蔬菜栽培ノ二毛作反別九畝二十五歩ヲ合スレハ總栽培反別ハ一町八畝二十七歩ナリ外ニ

葡萄園	四畝二十四歩
果樹苗圃	七畝六歩
林木苗圃	九畝二十一歩
苗床及温床	二畝二十四歩
花壇	二反三畝十歩
計	四反七畝二十五歩ニシテ總使用反別ハ一町五反六畝二十二歩ナリ

本年度ニ於テハ日本内地種蔬菜ノ各種ノ品種ヲ增加シテ之カ優劣試驗ヲ行ヒ又普通作物ニ於テモ水稻陸稻大小麥燕麥玉蜀黍ノ優劣ナル品種ヲ輸入シ來リテ之カ栽培ヲ試ミ又二三ノ作物ニ就テ其播種期ノ早晩及施肥ノ効果等ニ就テ試驗ヲ行ヒタリ果樹苗モ昨年ヨリ種類及品種ヲ多クシ樹苗類ハ新タニ數種ヲ輸入シテ之カ栽培ヲ試ミタリ

左ニ其成績ヲ報告セントス

第二章　氣候

本稔四月ヨリ十月ニ至ル氣象觀測表ハ次ノ如シ

月次		氣溫 平均	氣溫 最高	氣溫 最低	氣壓	濕度	雲量	最多風向	降水總量	備考
四月	上	〇・四	一二・五	(一)八・〇	七六〇・〇	七三	七・二	西	四〇・三	降水欄ハ雪ナリ
	中	三・四	一八・五	(一)四・〇	七五八・六	八一	六・二	西	二二・一	
	下	七・九	二〇・五	(一)二・八	七五七・一	六一	五・二	西	八・八	
	月	三・九	二〇・五	(一)八・〇	七五八・六	七二	六・一	西	七一・二	
五月	上	一二・一	二八・五	二・〇	七五五・四	六五	九・〇	西	二五・一	
	中	一一・一	二六・〇	一・一	七五七・六	六〇	六・四	西	一四・五	
	下	一五・〇	三五・〇	四・〇	七五二・三	五八	八・九	西	一六・七	
	月	一二・八	三五・〇	一・一	七五五・〇	六一	八・一	西	五六・三	
六月	上	一七・四	三二・〇	五・五	七五一・八	五四	七・六	西	一四・〇	
	中	一六・五	二七・五	七・〇	七四七・三	六九	七・八	西	二八・二	
	下	一八・五	三〇・五	一一・五	七五二・二	七二	七・九	東	一八・四	
	月	一七・五	三〇・五	五・五	七五二・一	六五	七・八	西	六〇・六	
	上	一八・七	三一・二	七・五	七五六・四	六九	六・三	東	二・〇	

	七月中	七月下	七月月	八月上	八月中	八月下	八月月	九月上	九月中	九月下	九月月	十月上	十月中	十月下	十月月
	二二・七	二三・六	二一・七	二三・三	一九・八	二〇・七	二一・三	一六・二	一四・九	二〇・九	一七・五	九・四	五・八	二・八	五・九
	三三・七	三二・五	三三・七	三〇・七	二九・〇	三〇・〇	三〇・七	二八・〇	二五・〇	三〇・〇	三〇・〇	一九・〇	一八・〇	一八・〇	一九・〇
	一二・〇	一五・三	七・五	一四・八	一〇・五	一〇・七	一〇・五	四・五	四・〇	一一・五	四・〇	(−)三・二	(−)六・〇	(−)六・二	(−)六・二
	七五二・四	七四五・四	七五一・四	七五二・六	七五四・〇	七五四・〇	七五三・五	七五三・八	七五八・〇	七五三・九	七五五・一	七五九・七	七六二・二	七六二・八	七六一・五
	七五	七四	七三	七九	七六	七七	七七	六九	六九	七八	七一	六五	五九	六八	六四
	八・六	八・三	七・八	八・二	七・二	八・〇	七・八	六・〇	六・二	八・〇	六・八	六・三	五・八	五・〇	五・八
	西	西	西	北東	南	北西	北東	西	南東	北西	西	西	西	西	西
	二七・四	八四・三	一一三・七	一九・六	一七・九	四〇・五	七八・〇	二四・五	二・四	四四・一	七一・〇	二六・八	二・五	六・八	三六・一
													十四日初雪降ル		

初霜　九月三十日
晩霜　四月三十日
初雪　十月十四日
晩雪　五月十四日
河水結氷期　十一月中旬
河水解氷期　四月中旬
降水量　自四月至十月

自五月一日至九月三十日積算溫度二千七百七十九度八

之ヲ要スルニ本年ノ作物生育期ニ於ケル氣候ハ昨年ニ比シ四月ニ於テ著シク寒冷ニシテ上旬ノ如キハ常ニ降雪アリシカ五月ニ至リテ大ニ氣溫ヲ增シ降雨亦宜シキヲ得作物ノ發芽生育ニ最モ適セリ七月ニ至リテ氣候濕潤ニシテ作物ノ生育上頗ル良好ナリシカ其結果粟蠶ノ第二回發生ニ好都合ナリシヲ以テ八月中旬ニ至リ著シク發生シ來リ粟、高粱、玉蜀黍、稗、蔬菜等ニ大ナル被害ヲ與フル原因トナレリ粟蠶ノ發生ナカリセハ氣候其順ヲ得タルヲ以テ本年ノ作物ハ平年作以上ニ達セシコト疑ナシ五月初旬ヨリ九月末ニ至ル積算溫度ハ約二千七百八十度ニシテ之ヲ昨年ノ同期ノ積算溫度二千五百九十六度ニ比シ約二百度高キヲ見ル

第三章　普通作物栽培成績

第一節　主要作物播種期試驗

主要作物中粟、大麥、小麥及高粱ノ四種ニツキ播種期早晩ノ影響ヲ試驗センカ爲メ各作物一畝歩ノ區割ヲナシ毎回ノ栽培坪數ヲ五坪トシ畦幅二尺トセリ粟ハ無肥料ナリシカ他ノ作物ハ肥料トシテ一反歩當堆肥一二〇貫重過燐酸石灰六貫人糞尿六十貫ヲ施セリ

其成績ハ次ノ如シ（一反歩換算）

一、粟　（播種量一反歩當一升二合）

播種期	發芽期	中耕期	間引除草期	出穗期	開花期	收納期	稈長	穗長	稈量	一反歩收量	一升重量
五・一〇	五・九	六・二三	六・一七 七・二〇	八・三	八・一〇	九・三〇	尺 四・二〇	寸 七・五	貫 一〇四・四〇〇	石 一・三八〇	〇・三一〇 匁
五・五〇	五・一七	六・二三	六・一七 七・二〇	八・三	八・一〇	九・三〇	四・一〇	八・〇	一二六・〇〇〇	一・一二二	〇・三一〇
五・一〇	五・一八	六・二三	六・一七 七・二〇	八・三	八・一〇	九・三〇	四・一〇	八・〇	一二〇・〇〇〇	一・二六〇	〇・二九九
五・一五	五・二三	六・二三	六・一七 七・二〇	八・八	八・一〇	九・三〇	四・三〇	八・〇	一一九・四〇〇	一・四七〇	〇・二九三
五・二〇	五・二九	六・二三	六・一三 七・二〇	八・八	八・一〇	九・三〇	四・二〇	六・五	一三六・二〇〇	一・三九八	〇・二七〇
六・六〇	六・一四	七・九	七・一七	八・八	八・一〇	九・三〇	三・七〇	六・〇	一〇六・二〇〇	一・〇二〇	〇・二九九

之ニ依テ見レハ五月一日ヨリ五月二十日ニ至ル間ニ於テ播種セルモノハ其成績ニ於テ俄ニ優劣ヲ比較スヘカラサルモノアリ六月ニ至レハ既ニ播種期ノ後レタルヲ見ル

二、大　麥　（淀橋）播種量一反歩當六升

播種期	發芽期	中耕期	間引除草期	出穗期	開花期	收納期	稈長	稈重	一反歩收量	一升重量
月 五・〇一	月 五・〇九	月 六・二三	月 六・一七 七・二〇	月 六・二〇	月 六・〇六	月 七・二五	尺 二・三〇	貫 四七・二〇〇	石 二・四六〇	匁 〇・二五六
五・〇五	五・一七	六・二三	六・一七 七・二〇	六・二七	七・〇四	七・二五	二・三〇	三二・〇四〇	一・八〇〇	〇・二六八
五・一〇	五・一八	六・二三	六・一七 七・二〇	六・三〇	七・〇八	七・二五	二・一三	三一・八〇〇	一・四五二	〇・二六九
五・一五	五・二三	六・二三	六・一七 七・二〇	七・〇四	七・一二	八・〇五	二・二〇	三一・〇二〇	一・二五四	〇・二三九
五・二〇	五・二九	六・二三	六・一三 七・二〇	七・〇七	二・一六	八・〇五	二・一〇	四四・五八〇	〇・四四四	〇・二三八
六・〇六	六・二四	七・〇九	七・一七	出穗ニ至ラス						

本試驗ニ用ヒタル大麥淀橋ハ昨年東京ヨリ輸入セルモノニシテ日本内地種輸入ノ嚆矢ナリ以上ノ成績ニヨレハ大發ノ播種期日ハ早キ程成績良好ナリト云フヘシ

三、小　麥　（間島種）播種量一反歩當四升五合

播種期	發芽期	中耕期	間引除草期	出穗期	開花期	收納期	稈長	稈重	一反歩收量	一升重量

五・〇一月	五・〇五	五・一〇	五・一五	五・二〇	六・〇六
五・一二月	五・一八	五・一八	五・二三	五・二九	六・一四
六・二三月	六・二三	六・二三	六・二三	六・二三	七・〇九
六・一七月 七・二〇	六・一七 七・二〇	六・一七 七・二〇	六・一七 七・二〇	六・一三 七・二〇	七・一七
六・二六月	六・二九	七・〇四	七・〇五	七・〇八	七・一九
七・〇二月	七・〇六	七・〇八	七・一五	七・一七	八・〇二
八・〇二月	八・〇二	八・〇二	八・〇五	八・〇五	八・一五
三・三五尺	三・四〇	二・六〇	三・〇〇	二・八五	二・〇五
四八・三〇〇貫	四五・〇〇〇	四八・七二〇	四四・七〇〇	四二・六〇〇	一八・七八〇
〇・七二〇石	〇・六〇〇	〇・七二〇	〇・五三四	〇・五一〇	〇・〇四八
〇・三六三匁	〇・三六六	〇・三二八	〇・三二六	〇・三二〇	〇・二二五

之レニヨレハ小麥ハ五月十日前ナレハ成績ニ優劣ヲ認メ難シ收量ノ比較的少ナキハ雀害甚シキニヨルモノニシテ豫防法ヲ講シタルモ尚實收ヨリ三割以上ノ減收アリタルモノヽ如シ

高梁 (間島種) 播種量一反步當一升五合

播種期	發芽期	中耕期	間引除草期	出穗期	開花期	收納期	穗長	稈長	稈重	一反步收量	一斗重量
五・〇一月	五・一二月	六・二三月	六・一七月 七・二〇	七・三一月	八・一五月	九・二四月	七・五寸	六・八〇尺	二四九・〇〇〇貫	三・九〇〇石	〇・三四〇匁
五・〇五	五・一八	六・二三	六・一七 七・二〇	七・三一	八・一五	九・二四	七・〇	六・九〇	一八〇・〇〇〇	三・〇〇〇	〇・三一六
五・一〇	五・一八	六・二三	六・一七 七・二〇	八・〇三	八・一五	九・二四	八・五	六・二〇	一六八・〇〇〇	二・七八四	〇・二九一

播種期	發芽期	中耕期	間引除草期	出穗期	開花期	收納期	穗長	稈長	稈重	一反步收量	一升重量
月五・一五	月五・二三	月六・二三	月六・一七 七・二〇	月八・〇三	月八・一五	月九・二四	寸八・〇	尺七・五〇	貫一六八・〇〇〇	石二・六四〇	匁〇・二九三
五・二〇	五・二九	六・二三	六・一七 七・二〇	八・〇五	八・一五	九・二四	八・〇	八・〇〇	一六八・〇〇〇	二・五二〇	〇・二七〇
六・〇六	六・一四	七・〇九	七・一七	八・〇八	八・一五	九・二四	八・〇	六・四〇	―	―	―

右ニヨレハ高粱モ亦播種期ノ早キ方可ナルカ如シ然レトモ五月中旬マテハ大ナル差異ナキモノノ如ク六月ニ至レハ既ニ晩シ

第二節　粟施肥試驗

粟ハ清韓人共無肥料ニテ栽培スレトモ之カ施肥ノ効果如何ヲ驗センカ爲メニ行ヒタルモノニシテ次ノ成績ヲ得タリ

而シテ前作ハ甘藍及菉豆ヲ栽培セル跡地ニシテ土地ハ農園中肥沃ナル部分ニ屬ス

右試驗區中第一區及第二區ハ一畝歩トシ第三區以下第八區迄ハ栽培面積ハ六坪七合弱ナリ

耕種法梗概

整　地　　四月二十七日牛耕、五月十八日整地

播種期　　五月二十日

播種法　畦幅二尺トシ一反歩當一升五合ノ割合ニテ條播セリ

害虫　八月中旬ヨリ下旬ニ至ル間粟蠶夥シク發生シ隣圃ヨリ襲來シ來リシニヨリ毎日二回乃至三回箕ヲ以テ拂ヒ落シテ捕殺セシカ尚二割内外ノ被害ヲ蒙レリ

其他ニ於テハ粟ノ髓虫ノ發生シ白穗ヲ見シカ害大ナラス

收穫期　九月二十七日

成績

區別	肥料	穗長	稈長	一反歩換算 稈重	一反歩換算 收量	一升重量
第一區	堆肥一二〇貫 人糞尿六〇貫 重過燐駿八貫	寸 七・五	尺 四・八五	貫 一七〇・〇〇〇	石 一・七八〇	〇・三〇一 匁
第二區	無肥料	七・五	四・七五	一六〇・〇〇〇	一・七八〇	〇・三〇二
第三區	重過燐酸一〇貫	七・〇	四・二〇	一二八・七〇〇	一・五九〇	〇・三〇八
第四區	堆肥一二〇貫	八・〇	四・九五	一四〇・〇四〇	一・七四〇	〇・三〇三
第五區	人糞尿一二〇貫	八・五	四・三〇	一三二・〇〇〇	一・八七五	〇・三〇七
第六區	堆肥八〇貫 人糞尿八〇貫	八・〇	四・四五	一三三・五〇〇	一・九五〇	〇・三〇四
第七區	人糞尿八〇貫 重過燐酸八貫	七・五	四・五〇	一五〇・〇〇〇	一・七四〇	〇・三〇八
第八區	堆肥八〇貫 重過燐酸八貫	七・〇	四・五〇	一四一・〇〇〇	一・四四〇	〇・三〇六

以上ノ成績ニヨレハ有肥料區ハ無肥料區ニ比シテ大ナル良成績ヲ認ムルコト能ハス各種肥料ノ配合中重過燐酸石灰ノ効果著シカラサルハ最モ注意スヘキ事項ナリ然レトモ肥料試驗ノ如キハ前作物及氣候ノ影響ヲ受クルコト大ナレハ一ケ年ノ成績ヲ以テ直ニ判斷ヲ下スコト能ハス尙周密ナル注意ノ下ニ繼續試驗ヲ要ス

第三節　品種試驗

一、水　稻

間島ニ於ケル水稻ノ品種改良ヲ行ハンカ爲メニ水原勸業模範場ヨリ同場產ノ早生種、大場、高宮、日ノ出、出雲、豐後ノ五種及咸興種苗場ヨリ昨秋北海道ヨリ輸入セル赤毛種ノ配布ヲ受ケ間島在來種ト共ニ栽培ヲ試ミタリ

耕種梗概

一、水田ノ位置　水田ハ龍井村ヲ距ル南ニ二十町大敎洞ノ一韓人ノ所有地ニシテ一反步ヲ區劃シ用水溝及排水溝ヲ設ケ一區劃ヲ一畝步トセリ

一、苗代　間島ニ於テハ北韓方面ト同樣ニ苗代ヲ設ケス水田ニ直播スル慣習ナルカ試ミニ農園ノ井戶側ニ幅四尺長六尺ノ苗代ヲ設ケタリ

一、播種　四月二十日ヨリ水ニ浸シ同三十日之ヲ引上ケテ藁中ニ寢カシ五月五日大場、豐後、日ノ出出雲及北海道赤毛種ヲ區分シテ播種セリ

一、肥料　水田ニハ堆肥百五十貫重過燐酸石灰五貫ヲ施セリ

一、水田ノ整地及灌漑　五月十五日牛耕シ六月四日灌水シテ整地ヲ行ヒ六月八日各品種ヲ直播セリ

一、移植　苗代ニ下種セルモノハ六月三十日移植セリ

一、除草　七月十七日第一回七月二十九日第二回八月十五日第三回ノ除草ヲ行フ

一、害虫發生及驅除　七月下旬「ドロコムシ」盛ニ發生セルヲ以テ二十三日及二十九日石油乳劑ヲ以テ驅除シテ撲滅セシメタリ

生育情況　間島種ハ生育ノ情況最モ良好ニシテ八月二十日頃出穗シ北海道赤毛種亦八月二十五日頃出穗スルニ至リシカ水原ヨリ輸入セシモノハ草生繁茂セルノミニテ二三ノ抽穗スルアルノミニテ遂ニ開花結實スルニ至ラスシテ不成績ニ歸セリ

結實スル間島種及北海道赤毛種ノ比較成績ハ次ノ如シ（一反歩換算）

種別	一穗粒數	穗長	莖稈長	一反歩換算 稈量	籾收量	籾一升重	玄米收量	玄米一升重	籾ト玄米ノ割合
間島種（直播）	五四	五・〇寸	二・七尺	一四〇、三〇〇貫	一、八二〇石	二五八匁	〇、九四〇石	三七二匁	五二%
北海道赤毛種（直播）	五〇	四・八	二・一	五〇、〇〇〇	〇、八九〇	二六三	〇、四六〇	三六九	五二
同上（移植）	五二	五・五	一・七	五四、二六〇	〇、九〇〇	二五二	〇、四四八	三七四	五〇

之レニヨレハ間島種最モ良成績ニシテ赤毛種ハ劣レリ

又移植セルモノハ直播セルモノヨリ成績不良ナル結果ヲ見タリ

二、陸稻

陸稻ハ東京ヨリ熊本、大畑早生、信州早生、仙臺及熊本半田ノ五種、水原勸業模範場ヨリ交附セラレタル「オイラン」及「フンヂー、チャンゴミー」ノ二種ヲ栽培セリ

耕種梗概

種別	栽培面積	前作物	下種期	播種法	發芽期	間引及除草	中耕	基肥	追肥
熊本	〇・一〇歩	葉菜類	五月三日	畦幅二尺ニ條播	五月三十一日	六月七日 同十九日 七月一日 八月十日 四回	七月一日 八月十日 二回	堆肥一二〇貫 重過燐酸八貫	七月一日及八月十日二回 人糞尿八十貫
大畑早生	〇・一〇		同	同	同	同	同	同	同
信州早生	〇・一〇		同	同	同	同	同	同	同
仙臺	〇・一〇		同	同	六月一日	同	同	同	同
熊本半田	〇・一〇		同	同	五月二十三日	同	同	同	同
フンヂー チャンゴミー	一・〇〇		五月五日	同	五月三十一日	同	同	同	同
オイラン	〇・一〇		五月十三日	同	六月四日	同	同	同	同

五月ハ上旬以來氣候順ヲ得降水量比較的多ク氣溫亦高ク作物ノ生育ニ良好ナリシニ拘ハラス陸稻

ノ發芽ハ頗ル遲緩ニシテ最モ早キ熊本半田及「オイラン」ハ三週間ヲ要シ他ハ四週間ニシテ初メテ萠芽セリ

八月中旬粟蠶ノタメ蝕害ヲ蒙リ被害アリタレトモ驅除シ得タリ九月中旬ニ至リ二三ノ抽穗ヲ見タルノミ

遂ニ開花結實スルニ至ラスシテ悉ク枯凋セリ

間島ニ於ケル陸稻ノ栽培ハ僅カニ銅佛寺附近、天寶山口子及朝陽河八、道溝ノ淸人カ小面積ヲ栽培セルニ過キス

本年ノ結果ハ昨年及一昨年ニ比シ良好ニシテ種子ハ吉林及南滿州方面ヨリ輸入シタリト云フ要スルニ日本及南韓地方ノ陸稻ハ間島地方ニ栽培セルニ適セスト云ヘシ

三、大　麥

本年日本內地及北海道ヨリ新タニ二三ノ新種ヲ輸入シテ栽培ヲ試ミ尙間島產ノ各品種ノ優劣ヲ比較セリ

日本種ハ東京農科大學產ノ埼玉半芒、魁及北海道產ノ二角シバリーノ三種ニシテ其耕種梗概ハ次ノ如シ

種別	栽培面積	前作物	下種期	發芽期	間引及除草	中耕	基肥	追肥	播種法	開花
日本種二角シバリー	一・〇歩	葉菜類	五月七日	五月十四日	六月廿二日一回	六月廿二日一回	堆肥一二貫 過燐酸八貫	六月二十二日人糞尿六十貫	畦幅二尺一反歩當六升ノ割二條播ス	七月一日
埼玉半芒	一・〇		同	五月十五日	同	同	同	同	同	同
魁	一・〇		同	同	同	同	同	同	同	同
間島種鍾尖子	一・七坪	甘藍	五月十九日	五月廿七日	六月廿三日一回	六月廿三日一回	同	六月二十三日人糞尿六〇貫	同	七月十三日
傑満堂	一・七		同	同	同	同	同	同	同	同
西涼水泉子	一・七									
西南岔	一・七									
河東	三・三	甘藍	同	同	同	同	同	同	同	同
農園産南坪	三・三									
同七道溝中村	三・三									
同龍井村	三・三									
同北獐洞	三・三									

日本種中埼玉半芒及魁ハ分蘖ノミ多クシテ七月ニ至リテ莖葉黄變枯凋シテ遂ニ抽穗スルニ至ラズ北海道産ノ二角シバリーハ生育ノ狀況良好ニシテ六月初旬家畜ノ侵入ニヨリ莖葉ヲ蝕害セラレタ

ルコトアリシカ良好ナル成績ヲ擧クルヲ得タリ七月十五日雀害ヲ避ケンカ爲メ案山子ヲ設ケ且ツ屢々鐵砲ヲ以テ威嚇セリ

成績ハ次ノ如シ（一反歩換算）

品種		稈長（平均）	稈重	收量	一升粒重	摘要
北海道二角シバリー		尺 二・二〇	貫 五七・六〇〇	石 一・四六七	匁 二七五	
埼玉半芒		—	—	—	—	出穂ニ至ラス
魁		—	—	—	—	同
間島種	鍾尖子	一・九〇	四九・一四〇	一・九八〇	二四八	
	傑滿洞	二・一二	五六・一六〇	一・六二〇	二五三	
	西涼水泉子	二・一〇	三六・〇〇〇	一・八七〇	二四七	
	西部古洞河西南岔	一・九五	四一・三〇〇	二・二二〇	二二三	
	河東	二・二二	一九・三五〇	〇・七二〇	二六六	農園產
	南坪	二・一九	三〇・六〇〇	一・四八五	二三八	同
	七道溝中村	二・一八	三四・六五〇	一・〇八〇	二二五	同
	龍井村	二・〇七	四四・一〇〇	一・六二〇	二九六	同

品種	稈長(平均)	稈重	收量	一升粒重	摘要
北猶洞	尺 二・四八	貫 三九・一五〇	石 一・七一〇	二四二匁	農園産
間島種平均	二・一四	四一・四四五	一・五八九	二四九	

要スルニ北海道産二角シバリーハ間島種ヨリモ品質優良ニシテ收量亦之ニ讓ラス有望ナル品種ト云フヘシ

四、小麥

（イ）日本種

日本東京ヨリ輸入セル種類ハ金玉及三尺ノ二種ニシテ耕種法梗概及生育情況ハ次ノ如シ

栽培面積　十歩
前作物　葉菜類
播種期　五月七日
播種法　畦幅二尺一反歩當四升五合ノ割合ニ條播ス
發芽期　五月十三日
間作及中耕　六月二十二日一回

中　耕　六月二十二日
肥　料　基肥トシテ堆肥一二〇貫重過燐酸八貫ノ割合ニ播種ノ際施シ追肥トシテ人糞尿六十貫ヲ三倍ノ水ニ稀釋シテ施セリ
成　績　分蘖ノミ多クシテ遂ニ抽穗スルニ至ラスシテ葉莖黃變シ不結果ニ終ハレリ

（ロ）間島種

間島種ハ元來一種ニシテ有芒ニシテ穗長短カシ

栽培面積	六坪七合
前作物	甘藍
播種期	五月十九日
播種法	畦幅二尺一反步四舛五合ノ割ニ條播ス
發芽期	五月二十七日
間引及除草	六月一回
中　耕	七月十三日一回
抽　穗	七月九日
開花期	七月十二日
收穫期	八月十一日

肥料　基肥トシテ堆肥百二十貫重過隣酸八貫ノ割合ニ播種ノ際施シ追肥トシテ人糞尿六十貫ヲ六月二十三日施セリ

成績ハ次表ノ如シ但シ雀害ノ為メ收量ヲ著シク減セリ

小麥成績　（一反歩換算）

地名	稈長	稈量	收量	種實一升重量
土門子	尺二・一五	貫五二・七四〇	石〇・四五〇	三一六匁
大百草溝	二・三一	三六・〇〇〇	〇・一四四	三八三
西部大沙河子	一・九〇	六一・二〇〇	〇・一九八	三九一
葦子溝	二・一二	五二・二〇〇	〇・四六八	三九二
花田坪	二・四〇	四三・二〇〇	〇・三六〇	三八〇

五、稞麥

稞麥ハ昨年膝八一種ヲ輸入栽培シテ成功シタルカ本年ハ更ラニ鬼稞及埼玉鬼稞二種ヲ輸入シテ栽培ヲ試ミタリ

栽培面積　一畝歩

前作物　葉菜類

播種期　五月七日
播種法　畦幅二尺一反歩當六升ノ割合ニ條播セリ
發芽期　膝八、埼玉鬼稞五月十二日、鬼稞五月十五日
間引及除草　六月二回
中耕　六月二十三日一回
抽穗期　膝八、六月二十七日
開花期　七月一日
收穫期　七月二十三日

本年輸入ノ鬼稞及埼玉鬼稞ハ抽穗スルニ至ラス不結果ニ歸セリ獨リ昨年輸入ノ膝八ハ結實ヲ見ルニ至レリ其成績ハ次ノ如シ(一反歩換算)

品名	稈長	稈重	收量	一升重量
稞麥　膝八	尺 一・八〇	貫 二三・五五〇	石 〇・八五五	三五四匁
同種　四十一年成績	一・九〇	一〇・四八四	〇・二四〇	三五三

之レヲ昨年ニ比スルニ稈長ハ稍々短ナレトモ稈量及收量ニ於テ大ニ優レリ但收量ハ雀害アリタルヲ以テ實收ヨリ約三割少シ

六、燕麥

燕麥ハ本年ハ東京農科大學ヨリゴールデン及ブラックタータリアン二種北海道ヨリ興農園改良種ヲ取寄セ間島在來種ト共ニ栽培セル成績ハ次ノ如シ（一反歩換算）

號名	產地	栽培面積	前作物	播種期	播種法	播種量	肥料	中耕
ゴールデン	東京駒場	五歩	葉菜類	五月九日	畦幅二尺條播	一反歩六升	堆肥一二〇貫 重過燐酸 石灰八貫 人糞尿六〇貫	六月廿四日一回
ブラックタータリアン	同	五		同	同	同		
札幌興農園改良種	北海道	一〇		同	同	同		
間島種	龍井村附近	一〇		同	同	同		

生育及收穫表

號名	發芽期	開花期	收穫期	一反步當收量	同上稈長	同上稈量	一斗重量
ゴールデン	月日 五、一六	月日 七、一〇	月日 八、一一	石 二・五五〇	尺 二・四〇	貫 四四・七〇〇	匁 一九九
ブラックタータリマリ	五、一六	七、一〇	八、一一	二・四九〇	二・五〇	四六・〇二〇	一八二
札幌興農園改良種	五、一八	七、一〇	八、一一	二・二八〇	二・九四	四五・〇〇〇	二一六
間島種	五、一八	七、一〇	八、一一	三・一五〇	二・六五	七九・五〇〇	一九九

之レニヨレハ種實ノ收量及稈量ニ於テハ間島種最モ優レリト雖モ種實ノ品質ニ就テハ札幌興農園改良品最モ良好ナリ要スルニ本年日本ヨリ輸入セル燕麥ハ全部栽培ニ適セルヲ見ル

七、黑　麥

黑麥ハ本年初メテ東京駒場ヨリスプリンク及ホワイト、ウインター二種ヲ輸入シ五月九日下種シ同十五日發芽シタレトモ抽穗スルモノ甚タ少ク且結實スルニ至ラス不成績ニ歸セリ

八、粟

間島種各地產ノ粟品種試驗ヲ行ヒタルニ次ノ結果ヲ得タリ

耕種一般及生育情況

栽培面積　一畝步

土質　埴質壤土

前作物　甘藍

肥料　堆肥百二十貫重過燐酸六貫人糞六十貫(追肥)

播種期播種量及播種法　五月十九日畦幅二尺ニ一反步一升二合ノ割合ニ條播セリ

發芽　五月十七日頃ヨリ發芽シ始ム

間引及除草　六月十八日

中耕　七月五日
開花期　八月二十日
收穫期　九月二十四日
害虫發生　八月中旬ヨリ粟蠶夥シク發生蝕害ヲ逞フセルニヨリ箕ヲ以テ掃ヒ落シテ捕殺スルコト毎日二回乃至三回之ヲ驅除シ八月下旬ニ至リ漸ク其跡ヲ斷チタリ他ニ粟ノ螟虫ノ發生ヲ見タレトモ大ナル被害ナシ

品種	穗長	稈長	一反歩換算 稈重	一反歩換算 收量	一升ノ重	
頭道溝	寸 七・〇	尺 四・四七	貫 一七五・三二〇	石 一・九四四	匁 二六八	農園產
敦臺溝	六・〇	四・七三	一四九・〇四〇	一・一三四	二九二	同
官廳尾	五・五	四・八七	一四二・二〇〇	一・二二四	三〇一	同
江開德	五・〇	四・七〇	一六二・九〇〇	一・〇九八	三二五	同
防川頃	六・五	五・二三	一四七・〇六〇	一・〇〇八	三〇五	同
壹兩溝	六・〇	四・五七	一三二・一二〇	〇・九五四	三〇二	同
大百草溝	五・五	五・八三	一三二・三〇〇	一・一七〇	三一三	同

毆呀河口	五・〇	四・六三	一三一・四〇〇	〇・九〇〇	三一六	同
英葦甸子	七・〇	四・八〇	一一六・六四〇	一・〇二六	三〇七	同
葦子溝	七・〇	四・九五	一五四・八〇〇	〇・九〇〇	三一六	同
傑滿洞	六・五	四・六七	一一八・二六〇	一・二二四	三二五	同
訓戒	七・五	五・〇五	一四六・七〇〇	一・六二〇	三〇一	同
大廟溝	六・〇	四・七五	一三八・七八〇	一・〇二六	三一六	同
土門子	五・五	四・三三	一四〇・九四〇	〇・九〇〇	三四〇	同
泉水洞	八・〇	四・六三	一一三・〇四〇	〇・四五〇	二八〇	同
張三溝	五・六	五・〇三	一三六・八〇〇	〇・六三〇	三〇三	同
小營子	六・五	四・二七	一三三・五六〇	一・〇八〇	二九八	同
花田坪	種子劣惡ナリシ爲メ生育不良出穗セルモノ甚タ少シ					
平均	六・二	四・七四	一三九・五二〇	一・〇七六	三〇七	
昨年平均	八・〇	四・〇〇	九六・五二〇	一・三六二	三〇〇	

之レニヨレハ昨年ニ比シテ稈長稈重共ニ優レトモ收量ノ少キハ粟蟲ノ蝕害ニ歸スルモノナリ

九、其他各種作物栽培成績表

作物種類	號名	種子產地	栽培面積	土質	前作物	播種期	播種法	肥料
黍	花田坪	花田坪	一〇・〇	植質壤土	菜豆	五月二七日	畦幅二尺一反步三升ノ割ニ條播	堆肥一二〇貫 重過燐酸六貫
	鐘尖子	鍾尖子						
	六道溝	當園產						
蜀黍	六道溝(赤)	同	一五・〇	砂質壤土	粟	六、〇四	畦幅二尺五寸一反步當一升採間一尺ニ點播ス	堆肥一二〇貫
	龍井村(黑)	同						
大豆	五道溝	當園產	二六・七	埴質壤土	菜豆	五、二七	畦幅二尺一反步當四升五合ノ割合ニ條播ス	堆肥一二〇貫 重過燐酸六貫
	草坪	當園產						
	訓戎	韓國訓戎						
	西凉水泉子	西凉水泉子						
	龍井村	當園產						
	鐘尖子	鐘尖子						
	黑大豆	當園產						
	同	城廠溝						

綠豆	小粒種	當園產	三・三	埴質壤土	菜豆	五・二七	畦幅二尺一反歩當三升ノ割ニ條播ス	堆肥一二〇貫 重過燐酸六貫
	大粒種							
小豆	新村	六道溝新村	三・三					
	龍井村	當園產	三・三	埴質壤土	菜豆	五・二七	畦幅二尺一反歩當三升ノ割ニ條播ス	堆肥一二〇貫 重過燐酸六貫
	局子街							
	黑小豆							
鶉豆	間島種	當園產	九・〇	砂質壤土ニシテ礫ヲ混ス	西瓜	五・三〇	畦幅二尺一反歩當播種量二升	無肥料
菜豆	日本種	當園產	二四・〇	同	西瓜	五・二〇	同上	無肥料
	間島種							
豌豆	一寸	東京產	七・五	砂質壤土ニシテ礫ヲ混ス	西瓜	五・一九	畦幅二尺株間七寸播種量一升	無肥料
	早生					五・二〇		
十六紅豆	日本種	同上	一〇・〇	砂質壤土	粟	五・一九	畦幅二尺ト三尺採間七寸	無肥料
藤豆	白花	同上	五・〇	同上	同上	五・一九	同上	
	赤花							

作物種類	號名	發芽期	開花期	收穫期	一反歩換算 莖稈量	一反歩換算 收量	種粒一升ノ重量	稈長	穗長	一穗ノ粒數
黍	花田坪	六、〇二 月日	八、〇九 月日	八、二六 月日	五・八〇〇 貫	〇・二〇〇 石	三〇〇 匁	四・一〇 尺	八・〇〇 寸	—
	鍾尖子				八六・四〇〇	〇・五〇四	三三三	三・三五	七・五〇	—
	六道溝				一五二・一〇〇	〇・八一〇	二八二	四・一〇	一一・〇〇	—
蜀黍	六道溝(赤)	六、一三	八、二〇	九、二九	二二〇・〇〇〇	二・四〇〇	二四八	八・六〇	一三・〇〇	一、九七四
	龍井村(黑)				一〇五・〇〇〇	一・八〇〇	二六九	六・八五	一三・〇〇	二、〇三二
大豆	五道溝	六、〇二	七、二八	九、二一	五八・五〇〇	一・三八六	三五一	—	—	—
	草坪				五八・四〇〇	一・三一四	三五三	—	—	—
	訓戎				四四・一〇〇	一・四四〇	三三八	—	—	—
	西凉水泉子				四七・七〇〇	一・六二〇	三三九	—	—	—
	龍井村				九八・一〇〇	一・二九六	三六〇	—	—	—
	鍾尖子				五〇・〇四〇	一・一七〇	三三四	—	—	—
	黑大豆(一)				九〇・〇〇〇	一・三五〇	三五三	—	—	—
	同(二)				四八・七六〇	一・〇四四	三四五	—	—	—

綠豆	小粒種	六、〇三	七、一四	九、二五	四三・二〇〇	〇・四〇五	四〇〇	—	—	—
	大粒種				七八・三〇〇	一・一二五	四〇八	—	—	—
小豆	新村	六、〇二	七、二五	九、二七	四二・〇〇〇	一・五三〇	三九二	—	—	—
	龍井村				七七・四〇〇	一・二六〇	三六八	—	—	—
	局子街				八六・〇四〇	一・三〇五	三八六	—	—	—
	黑小豆				五六・二五〇	一・〇二六	三九五	—	—	—
鵲豆	間島種	五、三一	七、〇五	九、一九	二五・六六七	〇・六六七	三五三	—	—	—
菜豆	日本種	五、三〇	七、〇五	九、一九	一八・四〇〇	〇・七四〇	三六五	—	—	—
	間島種				三五・三三〇	一・一六七	三四二	—	—	—
豌豆	一寸	六、〇九	七、〇六	一〇、〇九	五三・〇〇〇	〇・三五〇	二七一	二・一〇	—	—
	早生				四七・〇〇〇	〇・五〇〇	二八〇	二・二〇	—	—
十六紅豆	日本種	五、三〇	—	八、二四	六二・〇〇〇	〇・七七〇	三七三	—	—	—
藤豆	白花	五、二八	—	九、〇一	一三二・〇〇〇	〇・三二〇	三五五	—	—	—
	赤花				六八・八〇〇	〇・三六〇	三二七	—	—	—

第四節　牧草栽培成績

本年輸入セル牧草ノ種類ハ
荳科レツドクロバー、ホワイトクロバー、アルファルファー
禾本科チモシー、ケンタツキーブリユーグラス、パールミレツト、エンマー
ノ五種ニシテ耕種法ハ左ノ如シ

栽培面積　二畝十二歩
土質　砂質壌土ニシテ礫ヲ混ス
前作物　大豆
整地　犁耕シタル後土塊ヲ砕破シ幅四尺ノ高畦ヲ作リテ均平セリ但シ「エンマー」ノミハ幅二尺ノ畦ヲ作レリ
播種　五月十二日撒播ス但シエンマーハ條播
除草　六月二回七月一回
成績　（一反歩換算）

	青草重量	乾燥重量	乾草歩合	收穫期
エムマー	二六一・〇〇〇貫	五七・〇〇〇貫	二二%	七月十三日

アルファルファ	六一・八七五	一六・七七〇	二七	同
パールミレット	一八四・五〇〇	三〇・〇〇〇	一六	七月二十三日
レッドトップ	二〇一・〇〇〇	二九・七〇〇	一五	七月二十二日
ケンタッキーブリユウグラス	四八〇・〇〇〇	七五・〇〇〇	一六	七月三十日
チモシー	—	—	—	收穫スルニ至ラス
ホワイトクロバー	—	—	—	

乾燥歩合甚タ少キハ乾燥ノ際遺脱アリシニ歸ス

第四章　特用作物栽培成績

一、甜菜（又ハ菾菜）

本年ハ勸業模範場大邱出張所ヨリ一種及日本ヨリ北海道岩見澤産ノモノ一種ヲ輸入シテ栽培セル成績ハ次ノ如シ

一、耕種梗概

栽培面積　二畝歩

土質　砂質壤土

前作物　罌粟及花椰菜
播種　五月二十二日畦幅二尺株間七寸ニ一反歩當一升五合ノ割合ニ點播ス
肥料　基肥トシテ一反歩當堆肥百二十貫重過燐酸八貫ノ割合ニ施セリ
發芽期　五月二十八日
間引及除草　六月二回七月一回
中耕　六月一回七月一回
收穫期　十月十一日
病虫害　ナシ

成績

	一反歩收量	平均一本重	最大一本重
大邱種	八五三・〇〇〇貫	三七〇	五六〇匁（二一〇〇瓦）
北海道岩見澤産	五七八・〇〇〇	三一〇	五七八（二一六七）
前年日本種	三〇七・五〇〇	—	一八〇（六七五）

即チ昨年ニ比シ大邱種ノ如キハ二倍ノ收量ヲ得、最大ナルモノハ三倍ノ大ニ達セリ之ヲ韓國各試驗

地ノ成績ニ比スルニ收量ニ於テ毫モ遜色ナシ含糖量ハ水原勸業模範場ニ於テ分析ノ結果ニヨレハ次ノ如シ

	一個平均重量	汁液含糖步合	純糖率
大	七一二瓦	一七、七五九%	八二・〇%
中	五九六	一六、〇四一	八四・〇
小	三二五	一六、九五七	八四・〇
平均	五四四	一六、九一九	八三・三

備考　根ハ病根ナク形狀正シク根冠部モ亦短シ
但シ凍結ノ爲メ全體軟化セルヲ以テ新鮮ナルモノト多少ノ相違アルヲ免レス

之ヲ明治四十一年水原勸業模範場報告ニ對照スレハ左ノ如シ

水原勸業模範場產（普通栽培地）十月三十一日收穫ノ分

	一個平均重量	汁液含糖量
大	三一一・八瓦	一六・五三%

	一個平均重量	汁液含糖量
中	二〇五・〇瓦	一五・八一%
小	一三四・〇	一五・八七
平均	二一六・九	一六・〇七

平壤出張所産（十一月二日收穫ノ分）

大	七六二・〇	二三・一〇
中	二一二・〇	二三・一〇
小	八一・〇	二〇・九〇
平均	三五一・七	二二・九〇

大邱出張所産（十一月十五日收穫ノ分）

大	一、二一七・〇	一七・六〇
小	八七七・〇	一七・六〇
平均	一、〇四七・〇	一七・六〇

即チ重量ノ點ニ於テ相若キ汁液含糖量ニ於テ平壤產ニ劣ルノミ大邱產ト略相等シク水原產ニ比シテ遙カニ優良ナルヲ見ル間島ニ於ケル甜菜栽培ノ前途有望ナリト云フヘシ

二、煙草

本年東京ヨリ秦野一種水原勸業模範場ヨリ國府達摩及神奈川ノ三種各若干ノ配布ヲ受ケ間島種ト共ニ栽培ヲ試ミタリ間島種及達摩種ハ發芽步合最モ惡シク數本ノ生育アルノミ成績ヲ擧クル能ハス

耕地梗概

栽培面積　一反步

土質　砂質壤土

前作物　高粱

整地　一般作物ニ同シ

播種　日本種ハ五月十四日普通苗床ニ下種シ水原ヨリ交附セラレタル三種ハ五月二十日溫床ニ下種セリ

移植　六月二十七日本圃ニ畦幅二尺五寸株間一尺ニ移植ス

肥料　本圃ニハ基肥トシテ一反步當堆肥百二十貫重過燐酸石灰八貫ヲ施ス

摘心及摘芽　八月下旬ヨリ九月上旬ニ至ル間數回之ヲ行フ

除草　二回
中耕　七月十七日一回
收穫　九月十日下葉ヲ收納シ初メ九月二十五日ニ至リ全部收納ス
收納セル葉ヲ聯干トナシ收納舍內ニ懸ケ置キ自然ノ乾燥ニ任セ十月二十五日秤量スルニ一反步換算收量ハ次ノ如シ

國府	四二・二五〇貫
神奈川	五七・五九〇貫
秦野	三九・〇〇〇貫

病害蟲トシテハ八月中蚜蟲ノ發生アリシカ石鹼水ニ除蟲菊粉ヲ混シタルモノニテ驅除シ得、被害アルニ至ラサリキ要スルニ本年成績ニヨリ日本ノ優良種ノ栽培ニ適スルコトヲ確メ得タルヲ以テ製造法ヲ改良スレハ有望ナル製煙ヲ得ルモノノ如シ

三、落花生

落花生ハ清人ノ最モ嗜好スルモノニシテ從來間島ニテ一二ノ栽培スルモノアルヲ見タレトモ未タ成功セスト云フ、本年日本ヨリ二種水原ヨリ義州產ノモノ一種及局子街ヨリ清國種一種ヲ求メテ栽培ヲ試ミタリ
一、耕種梗概

栽培面積　二畝歩
土質　砂質壤土ニシテ少シク礫ヲ混ス
前作物　高粱
整地　一般作物ニ同シ
播種期　五月十八日
播種　畦幅二尺八寸置キニ二粒ツツ下種ス
肥料　堆肥百二十貫及重過燐酸八貫ヲ基肥トシテ施ス
發芽　六月三日
除草　六月十九日、七月四日
土寄　八月八日ニ至リ根際ニ土寄ヲ行フ
收穫　十月二日

一、成績　（一反歩換算）

日本小粒種	九・一〇〇貫
日本普通種	一七・九〇〇貫
義州種	二〇・〇〇〇貫
淸國種	七・〇〇〇貫

日本小粒種ハ草生最モ良好ナリシカ結實少シ日本普通種及義州種ハ收量多カリシカ要スルニ結實充分ナラサルノ憾アリ

四、棉

水原勸業模範場ヨリ陸地「棉シャインス」及韓國在來種ノ種子配付ヲ受ケ五月十七日下種シ、六月五日發芽、八月中屢々摘芽ヲ行ヒ八月二十五日頃ニ至リ韓國在來種ハ開花シ初メ「シャインス」モ八月三十日ニ至リ開花シ初メタレトモ開絮スルニ至ラスシテ全ク不成績ニ終ハレリ

藍、大麻、靑麻、瓢簞等ノ成績ハ略ス

第五章　蔬菜栽培成績

蔬菜ノ栽培ハ昨年ノ繼續トシテ日本種ノ各優良ナル品種ヲ多ク輸入シテ栽培セル成績ヲ左ニ表示ス

耕種一覽表

春蒔ノ部

作物	種類	栽培面積	土質	肥料一反歩當 基肥	肥料一反歩當 補肥	播種期	植付法	移植期	摘要
	（マウンテンスイート）								

西瓜	アイスクリーム 赤早生	七・二四畝	埴質壤土	馬糞 一六〇貫 過燐酸 九	人糞尿 四〇〇 水 一二〇〇貫	五・二五月	畦幅四尺 株間五尺
甜瓜	金 銀 鳴子 ミニークリーム 梨	三・一二	埴質壤土	馬糞 一六〇 過燐酸 九	人糞尿 一〇〇 水 五〇	五・二六	四尺 一尺五寸
越瓜	早生 黒門 青大	一・〇〇	埴質壤土	馬糞 一二〇 過燐酸 八	ナシ	五・二七	四尺 一尺五寸
胡瓜	ロンググリーン 白節成 青大長 札幌早生 清國三尺	二・〇〇	埴質壤土	馬糞 一二〇 過燐酸 八	人糞尿 四〇〇 水 一二〇〇	五・二〇	二尺 一尺

作物	種類	栽培面積	土質	肥料一反歩當 基肥	肥料一反歩當 補肥	播種期	植付法	移植期	摘要
茄子	早生節成千成 巾着 佐土原 大丹 山茄子 間島種 ブラックビユーチー	三・〇〇畝	埴質壤土	馬糞 一二〇貫 過燐酸 八	ナシ	溫床蒔 四月・一四 直蒔 五・二五	二尺五寸 一尺五寸	苗床蒔ハ 六月・〇九	
萵苣	間島種 玉 チリメン ロヤデルロヤアーリーホワイト	〇・二五	埴質壤土	ナシ	ナシ	四・三〇	二尺 條播		
里芋		〇・〇五	埴質壤土	馬糞 一二〇 過燐酸 八	ナシ	ナシ	二尺 一尺		
蕃椒		〇・〇六	同	同	同	五・二七	二尺 一尺		

五二四

胡麻		〇・一九	同	同	人糞尿四〇 水一二〇	一	二尺四寸	
荏		〇・〇五	同	同	ナシ	五・二七	二尺三寸	
茼蒿		〇・二五	同	同	同	四・三〇	二尺條播	
菠薐草	間島種 內地種	〇・一三	同	同	同	五・〇一	同	
三ツ葉		〇・一〇	同	同	同	五・〇二	散播	
セルリー		〇・一〇	同	同	同	五・〇二	同	
アメリカ防風		〇・一〇	同	同	同	五・〇二	同	
甘藍		二・〇〇	同	同	同	五・一七	二尺五寸一尺	溫床播五・一七 苗床蒔六・一二
花椰菜		一・〇〇	同	同	同	五・一七	二尺五寸一尺	同上
大根	夏 赤二十日 於多福 時無 龜井戶	二・二七	同	同	同	五・一〇	二尺四寸	

作物	種類	栽培面積	土質	肥料一反歩當 基肥	肥料一反歩當 補肥	播種期	植付法	移植期	摘要
蕪菁	小蕪菁 時無 ホール コールデン ホワイト エッグ	一・〇〇畝	埴質壤土	馬糞 一二〇貫 過燐酸 八	ナシ	五・一〇月	二尺 四寸		
牛蒡		二・一二	同	同	人糞尿 四〇 水 一二〇	五・三〇	二尺五寸 六寸	二條播	
胡蘿蔔		二・一二	同	同	ナシ	五・三一	二尺五寸		
南瓜	ペツパート 菊形	二・一二	同	同	人糞尿 四〇 水 一二〇	五・二三	七尺 五尺		
菜豆		一・一八	同	ナシ	ナシ	五・一九	二尺 五寸		
蠶豆		〇・一五	同	同	同	五・一九	二尺 三寸		
鶉豆		〇・〇九	同	同	同		二尺 五寸		
小松菜		一・〇〇	同	堆肥 一二〇 重過燐酸 六	同	五・一一	二尺 三寸		
京菜		二・〇〇	同	同	同	五・一一	同		
葱		三・〇二	同	同	同	五・一三	二尺 三寸	七・〇八月	

大根	宮重尻細	五・〇〇畝	埴質壌土	馬糞一二〇貫 過燐酸四	人糞尿四〇〇貫 水一二〇〇	八月・〇七	三尺 六寸
	美濃早生九日						
	練馬秋					八・一二	
	早生櫻島						
	聖護院						
	練馬尻細					八・〇五	
	方領						
	宮重尻丸					八・〇七	
蕪菁	長	二・〇〇	同	同	同	八・一三	同
	天王寺					八・一三	
山東白菜	內地種	〇・一五	同	同	同	八・一四	
山東菜	同	〇・一五	同	同	同	八・一四	
體菜	同	〇・一五	同	同	同	八・二六	
京菜	同	〇・一五	同	同	同	八・二六	
高菜	同	〇・二五	同	同	同	八・二六	

生育及收穫成績

春蒔ノ部

作物	品種	發芽期	間引及除草	中耕	摘心	開花期	收穫期	一反歩收量	適否	摘要
西瓜	マウンテンスイート	月 六・〇四	四回		月 七・〇一	月 七・〇三	月 八・一九	貫 八七・三六〇	適	最大一個 貫 二・四七〇
	アイスクリーム							一六七・三七〇	同	同 二・二〇〇
	赤早生							八五・七一〇	同	同 〇・九四〇
甜瓜	金	六・〇三	一回	月 七・一五	四回	七・〇三	九・二二	二九七・六三三	同	
	銀							二七八・〇六四	同	
	鳴子							一三・三三二	同	
	シラーフリーム							四〇・八六〇	同	
	ナシマクワ							二六一・五〇四	同	
越瓜	早生	六・〇八	二回		四回	七・〇四	八・二五	一九〇・六三三	同	
	黑門							三八五・〇〇〇	同	
	青大							一九九・五〇〇	同	

胡瓜	ロンググリーン	六・〇二	三回	七・〇四	七・〇五	七・〇八	七・一七	四八六・八〇〇	同	中 一五〇匁
	白節成							三八一・二八〇	同	大 九〇〇匁 中 七〇〇匁
	青大長							六六六・七二〇	同	大 一七〇〇匁 中 一〇〇〇匁
	札幌早生							六三六・〇〇〇	同	大 一二〇〇匁 中 七〇〇匁
	清國三尺							五九二・八〇〇	同	大 一八〇〇匁 中 一二〇〇匁
	早成節成	—	二回	六・二九	七・〇五	—	七・二三	—	同	
茄子	千成	六・〇二	二回	七・〇二	—	七・一九	八・〇五	二四九・〇四一	同	
	巾着							二七二・六一三	同	
	佐土原							八一・四七九	同	
	大圓							三六七・五四〇	同	
	山茄子							二〇一・四四六	同	
	間島種							二八一・六三〇	同	
	ブラックビューチ							八二・五六〇	同	
里芋	內地種	六・二七	二回	八・二五	—	—	—	二二五・〇〇〇	稍適	一個平均一二〇匁 最大一個一七〇〇匁
蕃椒		六・〇七	三回	—	—	七・二五	一〇・〇六	(間島種)七九・二〇〇 (內地種)一五七・五〇〇		

作物	品種	發芽期	間引及除草	中耕	摘心	開花期	收穫期	一反歩收量	適否	摘要
胡麻	內地種	月 六・一五	三回	月 —	月 —	月 七・二八	月 九・二六	貫 〇・一一三 (白)〇・六〇〇	稍適	
荏		五・一四	同	八・一〇	—	七・二六	九・二五	〇・一〇三	適	
萵苣	間島種	五・〇二	二回	六・〇一	—	八・〇五	七・〇八	一九〇・〇〇〇	同	
	玉							二一三・〇〇〇	同	
	チリメン	五・一二				八・一九	自六・二三 至七・〇三	一一〇・〇〇〇	同	
	ヒアーリーホワイト							三一五・〇〇〇	同	
茼蒿	內地種	五・一二	二回	六・〇一	—	八・〇五	自六・二九 至七・〇三	九五・六〇〇	同	
菠薐草	間島種	五・一三	一回	一回	—	八・〇五	六・一七	八〇・〇〇〇	同	
	內地種							一一〇・〇〇〇	同	
三ツ葉	內地種	五・一五	一回	—	—	—	七・二五	—	同	
	同							—	同	
セルリー		五・一五	一回	—	—	—	七・二五	—	同	
アメリカ防風		五・一〇	一回	—	—	—	八・〇四	五八二・〇〇〇	同	最大一個 六五匁 平均 二八匁

甘藍		六・〇三	二回	—	—	—	八・〇七	—	成績ハ後ニ記ス
花椰菜		六・〇三	二回	—	—	六・二七	七・一三	—	同上
大根	夏	五・一七	三回	—	—	—		三二四・〇〇〇	適
	赤二十日	五・一九	二回	—	—	—	七・〇五	二八八・〇〇〇	同
	於多福							—	虫害ノ爲消滅
	時無	五・一八	三回	—	—	—	七・二五	二九二・五〇〇	適
	龜井戸						七・〇五	—	虫害ノ爲消滅
蕪菁	小蕪菁	五・一五	七・〇一				七・二五	六〇・〇〇〇	適
	時無ゴールアンボール	五・一七		—	—	—	七・二九	二九七・〇〇〇	同
	ホワイトエッグ							三〇〇・一五〇	同
牛蒡		六・一五	二回	—	—	—	八・〇八	—	成績ヲ後ニ記ス
胡蘿蔔		六・一八	二回	—	—	—	八・一八	—	同
南瓜	バツパート菊形	六・〇三	三回	—	八・〇三	七・一三	自九・二〇 至一〇・〇五	七五九・二〇〇 六九七・八〇〇	適
菜豆	間島種	五・三一	二回	七・二五	七・〇五	七・一五	—	一・一六七	同
	內地種					九・一九	—	〇・七四〇	同

五三一

作物	品種	發芽期	間引及除草	中耕	摘心	開花期	收穫期	一反歩收量	適否	摘要
蠶豆	一寸早生	月 六・〇九	二回	月 —	月 七・〇六	月 七・二九	月 —	石 〇・三五〇 〇・五〇〇	適	
鵲豆	間島種	六・〇三	同	—	—	七・一四	七・二五 九・二五	〇・六六七	同	
小松菜	內地種	五・一八	同	—	—	—	七・二五	五〇・〇〇〇	同	
京菜	同	五・一七	同	—	—	—	七・二五	四五・〇〇〇	同	
葱	同	五・二七	同	八・二五	—	—	九・一二	五二七・〇〇〇	同	白根長六寸五分 全長二尺三寸

秋蒔ノ部

作物	品種	發芽期	間引及除草	中耕	摘心	開花期	收穫期	一反歩收量	適否	摘要
大根	宮重尻細	八・一三	一回	—	—	—	—	五〇〇・〇〇〇	適	本數二、八〇〇本 一本最大三三〇匁
	美濃早生尻丸	八・一七						四〇〇・〇〇〇	同	同二、五〇〇本 同二七〇匁
	練馬秋	八・一八						四六五・〇〇〇	同	同二、七〇〇本 同二五五匁
	早生櫻島	八・一八						二九〇・〇〇〇	同	同二、六〇〇本 同一三八匁
	聖護院	八・一一						•四四〇・〇〇〇	同	同三、六〇〇本 同二二三匁
	練馬尻細							五七〇・〇〇〇	同	同三、五〇〇本 同三二五匁
	方領	八・一二						四二〇・〇〇〇	同	同二、六〇〇本 同二四〇匁
	宮重尻丸	八・一三						三九五・〇〇〇	同	同二、三〇〇本 同二六五匁

蕪菁	長	八・一八	八・二〇	｜	｜	｜	｜	二六・一〇〇	同	一本ノ重 三〇匁
	天王寺	八・一八						一七・七〇〇	同	同 三六匁
山東白菜	內地種	八・二〇	八・三〇	｜	｜	｜	｜	四八・六〇〇	同	一株重 五三匁
山東菜	同	八・二〇	八・三〇	｜	｜	｜	｜	四四・〇〇〇	同	同 七〇匁
體菜	同	八・二九	八・三〇	｜	｜	｜	｜	三四・二〇〇	同	同 五三匁
京菜	同	八・二九	八・三〇	｜	｜	｜	｜	九・六〇〇	同	同 一一匁
高菜	同	八・二九	八・三〇	｜	｜	｜	｜	一二・三一五	同	同 一一匁

右ノ表ニヨレハ本年輸入ノ右蔬菜ハ全部栽培ニ適シ花椰菜ノ如キモ昨年ハ一種ノミニシテ不成績ナリシカ本年ハ六種ヲ栽培セルニ其四種ハ結花セリ

害虫トシテハ葉菜類ノ幼時ニ於ケル強敵タル「さるはむし」ハ本年モ猛烈ニ發生シ京菜、小松菜ノ如キハ石鹼水ト除虫菊粉ノ混合劑ニテ二三回驅除セルモ遂ニ全滅シ二回下種ノモノ稍發生セルノミ蕪菁菔亦タメニ大ナル蝕害ヲ被レリ

蚜虫ハ各種ノ蔬菜ニ發生シテ被害アリシカ西瓜最モ其害ヲ被リ爲メニ枯死スルモノアリ昨年ニ比シテ成績劣レリ甘藍及花椰菜ニ「もんしろてふ」ノ幼虫盛ニ發生セシカ殆ント隔日ニ捕殺シ亦木灰ニ除虫菊粉ヲ混シタルモノヲ驅除劑トシテ良好ナル成績ヲ得タリ

豌豆ニ八月中旬一種ノ甲虫盛ニ發生シテ蝕害ヲ逞ウセシカ捕殺セリ甘藍及花椰菜ノ各品種成績ハ次ノ如シ

甘藍

品種名	一個ノ平均重	最大一個重	一反歩收量
札幌	六五六匁	九八〇匁	三〇八・〇〇〇貫
アーリーサムマー	四〇五	九一〇	二七三・〇〇〇
サクセッション	五〇〇	六六〇	三〇〇・〇〇〇
オールシーズン	四六〇	八三四	二六七・〇〇〇
オータムキング	五六〇	六一〇	三九〇・〇〇〇
パリスマーケット	結球セス	—	—

昨年栽培ノ一個最大ノモノハ一貫百五匁ニシテ本年ノ最大重ニ優レトモ平均及收量ニ於テハ本年ハ昨年ヨリ良成績ナリ

品種名	平均一個重	最大一個重	一反歩收量
アーリーパリス	七〇匁	一四〇匁	四二・〇〇〇貫

花椰菜				
ジヤイアント	六五	一〇〇	三五・〇〇〇
ベツチスオータム	六七	九〇	三九・二〇〇
アーリースノウボール	九〇	一八〇	二八・〇〇〇
パーピースペストアーリー	結花セス	—	—
ドルエフルエフリドーリーア	同	—	—

花椰菜ハ品質良好ナルモノヲ産セス且ツ結花歩合モ劣リシカ漸次栽培法ヲ改良シ行カハ優、良ナルモノヲ産スルニ至ラン

牛蒡及胡蘿蔔ハ栽培成績良好ニシテ昨年ニ比シ成績遙ニ良好ナリ

	品種名	平均一本ノ大サ 長サ	平均一本ノ大サ 重量	最大ナルモノ一本ノ大サ 長サ	最大ナルモノ一本ノ大サ 重量	一反歩収量
牛蒡	大浦	一・三〇尺	三一匁	一・四二尺	七〇匁	五六七・〇〇〇貫
	梅田	一・五〇	三八	一・六〇	八八	七八八・四〇〇
	砂川	一・二〇	二〇	一・四三	五〇	六五五・二〇〇
	瀧ノ川	一・三五	三四	一・五五	八三	六七六・八〇〇

品種名		平均一本ノ大サ 長サ	平均一本ノ大サ 重量	一反歩收量	昨年一反歩收量
胡蘿蔔	札幌大長	尺 一・二五	匁 六四	貫 一、二四八・〇〇〇	貫 一、一八九・四五五
	東京大長	一・一〇	四〇	一、一三六・〇〇〇	六一〇・四一八
	三寸	〇・五〇	一〇五	一、五六八・〇〇〇	—
	金時	〇・八〇	五五	八〇〇・〇〇〇	五四七・三一〇

第六章　果樹及樹苗栽培成績

第一節　果樹苗ノ經過

昨年輸入ノ果樹苗ハ越冬ノ結果根際ヨリ一尺乃至二尺以上ハ枯死シ且ツ秋芽ハ悉ク寒害ヲ蒙リタレトモ根ノ防寒設備充分ナリシ爲メ五月ニ至リテ新タニ丈夫ナル萌芽ヲ生シ六月下旬ニ至ルマテ絕エス剪定ヲ行ヒテ強壯ナル枝ノ發育ヲ計リシカ七月上旬以來漸次強盛ナル樹勢ヲ呈シ來レリ本年ハ樹枝ノ速成ヲ防ンカ爲メ全ク肥料ヲ施サス又葡萄ヲ除クノ外ハ移植セス

葡萄ハ五月十日畦幅六尺株間四尺ニ本圃ニ移植シ肥料トシテ堆肥及重過燐酸若干ヲ施セリ

生着ハ頗ル良好ニシテ僅ニ二三ノ枯死セルモノアルノミ「アジロンダック」及「コンコード」ノ二種ハ若干ツヽ既ニ結顆セルヲ見タリ害虫トシテハ葉虫卷、林檎帖蜥蛾其他二三ノ發生ヲ見タルノミニテ被

害大ナラス

本年ニ至リテ現存セル果樹苗ハ次ノ如シ

種類	品種名	四十一年輸入本數	四十一年生着數	四十二年現在數	枯死數
梨	世界一	一〇	八	七	三
	早生赤	一〇	一〇	一〇	〇
	太平	一〇	一〇	一〇	〇
	長十郎	一〇	一〇	一〇	〇
	明月	一〇	一〇	一〇	〇
	バートレット	一〇	一〇	一〇	〇
	キファー	一〇	七	七	三
	計	七〇	六五	六四	六
苹果	倭錦	一〇	七	七	三
	紅魁	一〇	一〇	一〇	〇
	蝦夷衣	一〇	九	九	一

種類	品種名	四十一年輸入本數	四十一年生着數	四十二年現在數	枯死數
	祝	一〇	一〇	九	一
	國光	一〇	九	九	一
	鳳凰印	一〇	六	六	四
	柳玉	一〇	一〇	一〇	〇
	計	七〇	六一	六〇	一〇
桃	天津水蜜	一〇	一〇	一〇	〇
	アムスデンジユーン	一〇	一〇	一〇	〇
	アーリーリバース	一〇	一〇	一〇	〇
	早生水蜜	一〇	一〇	一〇	〇
	計	四〇	四〇	四〇	〇
榅桲	越後丸カンタン	五	三	二	三
	長カンタン	五	三	一	四
	計	一〇	六	三	七

櫻桃	ベルテオルアンナ	五	五	五	〇
	ガバーナーウード	一五	一四	一四	一
	計	二〇	一九	一九	一
葡萄	ベーコン	一〇	八	八	二
	ハーバート	一〇	一〇	一〇	〇
	アヂロンダック	一〇	一〇	一〇	〇
	アタヒ	一〇	五	四	六
	マンコート	一〇	一〇	一〇	〇
	キャンベルスアーリー	一〇	九	八	二
	チャンピヨン	一〇	六	六	四
	ブラックハンブルク	一〇	二	二	八
	計	八〇	六〇	五八	二二
梅	増井	五	五	五	〇
	白加賀	五	五	三	二

種類	品種名	四十一年輸入本數	四十一年生著數	四十二年現在數	枯死數
計		一〇	一〇	八	二

本年輸入ノ果樹ノ生着歩合ハ次ノ如シ

種類	品種名	輸入本數	生着本數	枯死本數
葡萄	アヂロンダック	一〇	九	一
	ハーバアート	一〇	一〇	〇
	カールマン	一〇	一〇	〇
	アムスダイヤ・モンド	一〇	一〇	〇
	アカワム	一〇	九	一
	チヤンピヨン	一〇	一〇	〇
	ナイヤガラ	一〇	一〇	〇
	ブライトン	一〇	七	三
	パートフートフロリフイック	一〇	九	一

	計	八〇	七四	六
苹果	満紅	一〇	九	一
	紅魁	一〇	九	一
	青龍	一〇	九	一
	國光	一〇	九	一
	赤龍	一〇	一〇	〇
	祝	一〇	一〇	〇
	柳玉	一〇	一〇	〇
	計	七〇	六六	四
梨	幸藏	一〇	一〇	〇
	獨逸	一〇	七	三
	キーファー	一〇	一〇	〇
	上花	一〇	九	一
	早生赤	一〇	九	一

種類	品種名	輸入本數	生着本數	枯死本數
梨	衣通姫	一〇	九	一
	赤龍	一〇	九	一
	バアートレット	一〇	九	一
	計	八〇	七二	八
桃	アレキサレダー	一〇	一〇	〇
	アムスデンチユーン	一〇	一〇	〇
	アーリーリバース	一〇	一〇	〇
	天津水蜜	一〇	一〇	〇
	離核水蜜	一〇	七	三
	計	五〇	四七	三
櫻桃	エルトン	一〇	五	五
	エロースパニツシユ	一〇	三	七
	ガバーナアウート	一〇	一〇	〇

	ナポレオンビローカー	一〇	一〇	〇
	レーンホルテンス	一〇	一〇	〇
	計	五〇	三八	一二
李	發李	一〇	一〇	〇
	神産李	一〇	八	二
	壯丹杏	一〇	一〇	〇
	計	三〇	二八	二
榲桲	越後丸カンタン	五	一	四
	アンカス	五	三	二
	チャンピヨン	五	二	三
	リアスマンモース	五	三	二
	オレンヂ	五	一	四
	計	二五	一〇	一五
胡桃	鬼	一〇	五	五

種類	品種名	輸入本數	生着本數	枯死本數
胡桃	姫	一〇	七	三
	計	二〇	一二	八
栗	丹波	一五	一	一四
	盆	一五	一一	四
	咸従	五	五	〇
	計	三五	一七	一八
梅	豊後	五	二	三
	太平	五	四	一
	計	一〇	六	四
須具利	黒房	一〇	一〇	〇
	白房	一〇	一〇	〇
	米國	一〇	一〇	〇
	計	三〇	三〇	〇

本年ノ防寒設備ハ昨年ト同様ニシテ高サ六尺ニ高粱稈ヲ以テ四圍ニ高垣ヲ造リ苗木ハ根際ヨリ一尺以上厚ク土ヲ盛リ幹ハ藁ヲ以テ被ヒタリ

第二節　樹苗移植經過

昨年輸入セル桑苗ハ枝ハ寒害ノ爲メ枯死セシカ根ノ丈夫ナリシ爲メ五月ニ至リ强盛ナル萠芽ヲ生シ數回剪定ヲ行ヒ七八月ニ至リ發育頗ル盛ニシテ結果良好ナリ

然レトモ養蠶ヲ行ハント欲セハ桑ノ發芽晩クシテ五月上旬ニ至リ氣候ハ俄ニ溫暖トナルヲ以テ蠶種ハ急ニ孵化スル恐アリ故ニ適當ノ冷室ヲ備ヘサルヘカラス

梧桐ハ昨年ノ輸入ニカカルモノヲ各地ニ移植セシカ防寒設備ナカリシ爲メ悉ク凍死セリ

ポプラハ樹枝ハ枯レタルモノ多ケレトモ根部ノ丈夫ナリシ爲メ今春ニ至リ强壯ナル萠芽ヲ生シ盛ニ發育シテ丈八尺餘ニ達セルモノアリ

本年輸入セル樹苗ノ生育歩合ハ次ノ如シ

	輸入本數	生着本數	枯死本數	備考
梧桐	二〇〇	一六二	三八	苗床ニ大部分ヲ植エ他ヲ各所ニ定植ス
桐	一〇	九	一	

	輸入本數	生着本數	枯死本數	備考
枳殼	二〇	一九	一	
羅漢柏	二〇	一一	九	
チャボヒバ	二〇	一八	二	
ポプラ	六〇〇	五七三	二七	苗床ニ大部分ヲ植エ他ヲ各所ニ定植ス

北海道ヨリ取寄セタル「アカシヤ」及落葉松ノ種子ハ苗圃ヲ作リテ下種シタルガアカシヤハ發芽歩合良好ニシテ八月ニ至リ高キモノハ二尺餘ニ伸長セリ落葉松ハ發芽ノ歩合不良ナリ

第七章　盆栽及草花栽培成績

昨年輸入セル盆栽ハ悉ク鉢植トナシ溫突室ニ入レテ越冬セシメタルカ其成績ハ次ノ如シ

	四十一年輸入數	四十二年現存	枯死數
躑躅	五〇	一一	三九
薔薇	二五	八	一七
槭	二五	一三	一二

本年輸入ノ分ハ次ノ如シ

種名	品種名	輸入本數	生着本數	枯死本數
躑　種	絞琉球	二〇	一五	五
	雲龍獅子	二〇	二〇	〇
	赤八重	二〇	一七	三
	藤万重	二〇	一二	八
	大島紫	二〇	一五	五
	計	一〇〇	七九	二一
槭	カキリ	一〇	九	一
	羽團扇	一〇	七	三
	奥州紅	一〇	八	二
	繁辰	一〇	八	二
	織殿錦	一〇	一〇	〇
	計	五〇	四二	八

種名	品躅名	輸入本數	生着本數	枯死本數
薔薇	月宮殿	五	五	〇
	鶴頂紅	五	五	〇
	鶏冠	五	三	二
	星月夜	五	三	二
	金光殿	五	五	〇
	紅牡丹	五	三	二
	日ノ司	五	三	二
	計	三五	二七	八

躑躅及薔薇ハ本年開花シ殊ニ薔薇中月宮殿、鶏冠、星月夜、日ノ司等最モ美花ヲ開ケリ

本年ハ盆栽ノ防寒室ヲ設ケタリ其設計ハ幅一間半長四間トシ地下六尺堀下ケ地上軒下マテ四尺トシ南方ノ一側ニ三尺高ノ無双窓ヲ設ケ入口ハ二重戸トシ壁ヲ厚ク塗リ地下ノ一側ニ温突ヲ設ケ極寒時用ニ供スル設備ニシテ盆栽ノ越冬ニ充分ナリト信ス

二、草花ハ昨年栽培ノ草花種子ニ加フルニ更ニ三十餘種ヲ加エテ昨年ト同様ニ苗床ヲ設ケテ四月二十日ヨリ下種シ二三ノ者ハ温床内ニ四月十四日ヨリ下種セリ温床蒔ノ分ハ下種後一週間乃至二週

間ニシテ發芽シ苗床蒔ノ分ハ下種後三週間ニシテ發芽セリ六月上旬ヨリ漸次花壇ニ移植シ六月下旬昨年栽培ノ石竹及「カーネーション」先ツ綻ヒ矢車花之ニ亞キ漸次咲キ來リ八月ニ至リテ花壇一面ノ美花爛熳トシテ咲キ匂ヒ農園爲メニ光彩ヲ生セリ

本年栽培セシ重ナル種類ハ左ノ如シ

ダーリヤ	萬壽菊	コスモス	コレオポチス
ヂキタリス	貝細具	矢車草	松葉牡丹
小町櫻	ヒゲナデシコ	撫子	水蝶花
金鷄草	アウヒ(蜀葵)	金魚草	スウヰートピー
百日草	和蘭千日草	蝦夷菊	ペチニヤ
飛籠草	鳳仙花	菊形日廻草	朝顔
孔雀草	カーネーション	チヤボケートウ	フレジヤ
マロベクランヂイフロラー	フロックスドラモンド	虞美人草	

等ニシテヂキタリスヲ除ク外何レモ開花セリ

コスモスハ九月下旬ニ至リ漸ク開花シ今正ニ滿開ナラントスルニ際シ九月三十日ノ强霜ニ會シテ空シク枯凋セリ然レトモ要スルニ草花ハ大抵間島ニ於テ栽培シ得ルモノト云フヘシ

第二編　地質及鑛產調查書

第二編　地質及鑛產調查書目次

第三章　地質　二五

間島産業調査書

第二編　地質及鑛産調査

第一章　位置及廣袤

東間島ハ韓人ノ北墾島又ハ北間島ト稱スル地方ニシテ大約北緯四十一度五十五分ヨリ四十三度五十分ニ至リ東經百二十六度五十分ヨリ百三十度十分ニ至ル地域ニシテ清韓兩國國境ノ間曠地帶ノ北半ナリ

該間曠地帶南部ノ境界ハ姑ク之ヲ措キ其北部即チ現稱間島ノ境界ハ南ハ白頭山東ノ定界碑ヨリ起リテ松花鴨綠兩江ノ分水界ニ沿ヒ南行シ折レテ小臙脂峯ヲ經テ東北東ニ向ヒ豆滿松花兩江ノ分水界ニ沿ヒ赤峯ニ至リ其北ナル圓池ヨリ豆滿江水源紅土水ニ沿ヒテ下リ豆滿江幹流屈曲シテ東北行シ茂山會寧ノ西ヲ過キテ穩城ニ至ル間咸鏡北道ニ接ス

其西界ハ定界碑ヨリ發源スル土門江ニ沿ヒテ東北東ニ向ヒ老嶺ノ西ニ沿ヒテ北折シ娘々庫ニ至リ西折シテ清人ノ所謂二道江ニ沿ヒ頭道江ノ合流點ヨリ松花江ノ東源流ニ沿ヒ再ヒ北折シテ松花江ノ西源流タル輝發河即チ古ノ粟末河トノ合流點ヲ過キテ松花江幹流ニ沿ヒ右岸ノ支流大木旗河（大

穆禽河叉大木欽河大木箕河)ノ合流點ニ至ル

其北界ハ大木旗河ヲ溯リ東行シテ福嶺ヨリ富爾哈河ト北部諸水トノ分水界ニ沿ヒ牡丹嶺哈爾巴嶺ヲ經テ東北行シ牡丹江ト布爾哈通河嘎呀河諸水トノ分水界ニ沿ヘリ

其東界ハ嘎呀河ト大綏芬河及琿春河トノ分水界ニ沿ヒ南行シテ穩城ノ東ナル美占附近ニ至ル

東間島ハ松花江ト海蘭河ノ分水界タル老嶺ニヨリ分レテ東西二部トナリ嶺東ヲ東間島東部トシ嶺西ヲ東間島西部トス

東間島ノ廣袤ハ東西約八十里南北約六十里ニ亙リ東間島東部ハ東西平均二十五里南北平均四十里ニシテ其面積約千三十方里東間島西部ハ東西平均二十五里南北平均二十里ニシテ其面積約五百三十五方里アリ東間島ノ總面積ハ約千五百六十五方里ナリ

第二章　地勢

東間島東部ハ中央平坦ニシテ四邊皆ナ山岳地アリテ之ヲ圍繞シ其地勢宛モ四川省ノ如ク豆滿江ハ楊子江上流ト同シク峽谷ヲ成シ山岳ノ間ヲ蛇行シテ流レ其支流タル海蘭、哈爾巴通、兩河ノ流域ノミニハ平地及ヒ邱陵地アリテ尚ホ成都平原ノ如シ此ノ地勢ノ成因ヲ考フルニ共ニ比較的新期ノ岩層カ古期岩層ヨリ成レル山岳間ノ窪地ヲ充塡セルモノニシテ四川平原即チ紅窪地ト同シク東間島東部ノ中央部ハ中生紀層ノ沈積セル一窪地ニシテ山間ニ沃饒ノ地方ノ現存スルハ偶然ニ非サルヲ見ル山地ハ一部高原ニシテ頂上ニ平坦面ヲ有スルコトアルモ其溪谷ニ向ヘル傾斜常ニ急峻ナリ之ニ反シテ邱陵地ハ時ニ河流ニ沿ヒテ低キ斷崖ヲ成スノ外緩慢ナル斜面ヲナシテ溪谷ノ平地ニ漸移スルヲ常トス平地ハ布爾哈通、海蘭兩河及其支流ニ沿ヒテ最モ廣ク豆滿江二三ノ支流ニ稍廣キ平地アルニ止マレリ山間ノ狹隘ナル平地ハ多ク茅草ヲ生セル沮洳ノ沼澤地ヲ成セリ

第一節　河流

東間島東部ヲ灌流スル水系ハ豆滿江ヲ幹トシ海蘭河、布爾哈通嘎呀三河ヲ支トシテ白頭山ノ東北北甑山ハ松花江ト此三河トノ分水界ノ標點タリ而シテ此地方ノ地形ハ松花江ノ東支流ナル黃口(荒溝)古洞ノ諸水ハ北甑山ノ西ヨリ出テ豆滿江ノ上流左岸最大支ナル烏鳩江(即チ於伊後江)ハ其南ヨリ出テ海蘭河ノ上流三道溝及二道溝ハ其東北ヨリ出ルモノナリ而シテ海蘭、布爾哈通兩河ハ合シテ韓國古圖ニ所謂分界江ヲ成シ嘎呀河ニ合シテ穩城ノ西ニ於テ豆滿江ニ注ク

東間島西部ノ水系ハ松花江ノ東流源タル土門江即チ二道江ヲ幹流トシ定界碑ヨリ出テテ北流葦棚水、黃徒水、石耳洞水、黃口水等ノ諸支流ヲ容レ上兩江口ニ至リ牡丹嶺南及老嶺ヨリ來ル富爾哈河ヲ併セテ西流シテ下兩江口ニ至リ頭道江ニ會シテ松花江ノ東源流トナリ北流シテ西源流タル輝發河ニ會シ以テ松花江ノ幹流ト成リテ大木旗河ヲ容ル

古今紀錄及最近日本探檢者ノ調査圖ヲ參照シテ豆滿松花兩江ノ水系ト其古今異稱トヲ記述スヘシ

(一)豆滿江

豆滿江又豆漫、統門、圖們等ノ文字ヲ用ヒ清國地誌地圖等ニハ往々松花江上流ノ土門江ヲ誤認シテ豆

滿江ノ上流トシ混同シテ土門江ト記セルモノアリ然レトモ豆滿又ハ豆漫ノ字ヲ以テ正シトス豆漫トハ女眞語萬又ハ萬戶(大部落ノ酋長)ノ義ナリ昔時此江北ノ住民ノ大酋長ニ幹朶里豆漫、火兒阿豆漫托溫豆漫アリ小酋長ニハ海洋猛安阿都哥猛安等アリ猛安トハ千夫長ニシテ豆漫ハ萬夫長ノ義ナリ故ニ豆漫江トハ蓋シ萬水ノ主長即チ大河又ハ幹流ノ義ナリトスヘシ往昔ハ鐘城以下ノ名稱ニシテ是ヨリ以上ハ於伊後江ト稱セリ於伊後江ハ元明一統志ノ阿也苦江ニシテ韓國ノ古誌ニ又タ兀口江等ノ文字ヲ用ヒタルモノアリ現ニ烏鳩江 Orkukang ト稱シ清人ハ紅旗河又ハ紅溪河ト呼フ

豆滿江ノ水源ハ白頭火山分水嶺定界碑ノ東ヨリ發源スル土門江ト全ク別殊ノ地點ニ在リテ定界碑ノ東約八里ナル赤峯(紅土山)ノ北ナル圓地(因池)ト赤峯ノ南ヨリ發スル兩水ヲ併セタル紅土水其一ナリ小白山ノ東北麓ヨリ發源スル石乙水其ノ二ナリ虛頂嶺ノ北ヨリ發源スル大紅湍水其三ニシテ左岸ノ長山嶺河、大箕溝河外七道溝河(淸稱)ヲ容レ烏鳩江ハ北甑山ノ南ニ起リ外馬鹿溝河、石人溝河ヲ容レテ西北ヨリ來リ會シ是ヨリ屈曲北流シテ外六道溝河枇杷溝河、輝風洞河(外五道溝河)石洞溝河ヲ容レ柳洞(外四道溝河)ハ太平溝河樺樹號子河小外四道溝河ヲ容レ河鹻廠溝河楡樹條子河ヲ容レテ之ニ注キ又北流シテ廣浦河ヲ容レ又東北流シテ金沙溝河ヲ容レ東流シテ會寧ノ西ヲ過キ北流シテ杉松背河達呼哩溝河石門溝河馬平河始建坪河(大花尖山河ヲ容レ又タ海蘭河ハ西北ヨリ來リ布爾哈通河嘎雅河ヲ容レテ來リ會ス

豆滿江ハ白頭山ヲ中心トセル白頭火山彙高地東部ノ諸水ヲ集メテ東北流スルモノニシテ右岸ノ西

頭水下面江ノ諸流南ヨリ來リ會シ初メテ水量ヲ增シ茂山ニ至リ是ヨリ屈曲シテ北流ス烏鳩江柳洞河廣浦河ヲ以テ間島ノ側ヨリ流ル、著シキ支流トナス屈曲東北ニ流レテ防川ニ至リ更ニ東流シテ會寧ニ至リ更ニ轉シテ北流シ穩城ニ至リ更ニ轉シテ東南ニ流レテ日本海ニ注ク其屈曲ノ甚シキハ河口ヨリ茂山ニ至ル直經約三十里ニ過サルモ延長約九十里ナルモノ事實ニヨリ亦明ナリ

水量ハ季節ニヨリテ增減アリテ秋季即チ北韓降雨期後及ヒ春季即チ融雪期ニ於テ最モ多量ナルモ茂山ヨリ會寧ニ至ル間ニハ徒渉シ得ヘキ處少クモ三處アリト云ヒ茂山ノ北六里ナル樺坪ニ於テ十月十五日徒渉セル際ニハ水深約二尺五寸ノ處全河幅ノ約半即チ二十間乃至三十間ニ過キサリキ會寧ノ北ナル渡船場ニ於テ明治四十年十一月中旬河水一部氷結スル際車馬ノ徒渉自由トナリ渡船ノ必要ナク全部氷結シテ氷上ヲ通行シ得ルハ例年十二月初旬ナルモ同年ハ十一月下旬既ニ全ク凍合シテ通行シ得ルコト、ナレリ豆滿江ノ水量增減ノ觀測ト河床深淺ノ錘測トハ將來此ノ河運利用上ニモ架橋其他ノ工事上ニモ頗ル重要ナルヘク就中可航ノ延長ヲ知ルハ北韓及間島ノ將來施設上ニ資スルコト大ナルヘシ

(二) 海蘭河

海蘭河及布爾哈通河ハ東間島ノ主要ナル河流ニシテ就中海蘭河ハ歷史上ニ著名ニシテ古ハ孩瀨水曷瀨水ト云ヒ今又駭浪河トモ云ヒ韓國古書ニハ割難ト又長江ト呼フ海蘭ノ語源ハ未タ詳カナラサルモ水獺即チ海狽ノ多ク此河邊ニ產スルニヨリ海狽ヨリ轉化シテ此名アリト云フ

海蘭河ノ水源ハ長白山系ノ東北ナル北甑山(大秣稽粱山)ノ東ヨリ發シ東流シテ牛心山ノ西北ヲ經テ北流シテ三道溝河ヲ成シ三道溝平地ニ出テ北流シテ更ニ山岳間ノ峽流ヲ成シ土山子ノ小平地ニ出テ再ヒ屈曲シテ邱陵ノ間ヲ流レテ西崗即チ頭道溝ノ大平地ニ出テ二道溝西ヨリ來リテ之ニ會ス

二道溝河ハ北甑山ノ東北ヨリ發シ三道溝河ノ西北ノ山間ヲ北流シテ二道溝ノ平地ニ出テ蜂密溝窩集嶺ノ山間ヨリ流出スル一支流(茲ニ名ケテ北二道溝ト云フ)ヲ併セ東北ニ流レ山間ヲ出テ東流シテ西崗平地ニ出テ三道溝河ニ合ス

是ヨリ東々北ニ流レテ頭道溝市街附近ニ至リテ高麗威子嶺ノ北ニ發源シテ三道溝ト並ヒ北流スル四道溝ヲ合セ市街ノ東南ニ於テ頭道溝河ヲ容ル

頭道溝河ハ二道溝ノ北ノ山間ヨリ發源シ東流シテ濶キ邱陵間ノ平地ニ出テ其延長流域共ニ二道溝及三道溝ヨリ遙ニ小ナリ

海蘭河ノ名ハ蓋シ此四河ノ合流點以下ニ附スヘク其幹流トシテハ延長最大ニシテ流域最モ廣キ三道溝河ヲ推スヘク吉林通志ノ三道溝河ヲ幹流トセルハ是ニ近カルヘキナリ

海蘭河ハ頭道溝平野ヲ東流スルコト約二里半ニシテ五道溝ノ細流ヲ集メ關門嘴ニ至リテ峽流ヲ成シ之ヲ過キテ南崗ノ平地ニ出テ六道溝河ヲ容ル六道溝河ハ杉松背嶺火葫蘆溝嶺(韓稱兀良哈嶺)北ノ諸水ヲ集メ七道溝河小七道溝河ヲ合セテ來リ會ス其水量ハ三道溝及二道溝ニ及ハス是ヨリ馬鞍山及帽兒山ノ南麓ニ沿ヒ東々北ニ流レ墩臺溝河八道溝河ノ諸水ヲ集メ北ニ折レテ山間ヲ流レ布爾哈

通河ニ合ス

(三)布爾哈通河

布爾哈通河ハ古書ノ伐加土河ニシテ又分界江ト呼フ河名ノ語源ハ女眞語ニシテ金史ニ據レハ完顏部ニ僕幹水アリ即チ滿州語ノ布爾噶ニシテ叢柳ノ義ナリ今ノ柳樹河ハ原ト其源流ト看做サレシモノナラン源ヲ哈爾巴嶺南ニ發シ東南ニ流レテ頭道溝、北頭道溝、二道溝、北二道溝、蘼廠溝、糧米臺河、廟兒溝、小廟溝、柳樹河ノ諸流ヲ受ケ北崗平地ノ西端ニ出テ天寶山ノ近傍ヲ流ルル胡仙洞河西南ヨリ來リテ之ニ合シ東流シテ細林河(又細麟河、錫林河トモ記ス)西南ヨリ來リ太平溝、朝陽河、烟集河(延吉河)北ヨリ來リ之ニ入リ局子街ノ東ニ至リテ海蘭河之ニ會ス

是ヨリ屈曲シテ東北ニ流レ依蘭溝河、葦子溝河ヲ容レテ艾河(噶雅河)ニ會ス

(四)嘎呀河(又タ噶雅河、艾河)

嘎呀河ハ即チ噶哈哩河ニシテ源ヲ大綏芬河及琿春河ノ上流大土門河トノ分水界ニ在ル土門子山(又小土門山)ノ西ニ發シ西流シ三岔口ニ至リ老爺嶺山脈ノ老松嶺ノ南ヨリ出テ南流スル薩奇庫河ヲ合セ南流シ大小旺清河東ヨリ來リ之ニ入リ牡丹江西ヨリ來リテ之ニ入リ屈曲シテ山間ノ峽谷ヲ流レテ布爾哈通河ニ會シ東南流シテ豆滿江ニ入ル其流域三河ニ冠タリ

以上三河ノ中何レヲ以テ幹流トスヘキヤハ一考スヘキ問題ナリ高麗朝ニハ布爾哈通河ヲ以テ分界江ト呼ヒ韓國古圖皆ナ之ヲ沿用シ吉林通志ニハ嘎雅河ヲ以テ幹流トシ清韓各稱呼ヲ異ニセリ今按

スルニ海蘭河ハ歷史的ニ最モ著名ニシテ且ツ其流域最モ樞要ノ地區ヲ占ムルモノナレハ三河ノ全流域ヲ海蘭河トシ北甑山東ノ水源ヨリ豆滿江合流點ニ至ル間ヲ海蘭河ト命名スルヲ以テ妥當トス茲ニ記シテ他日ノ參考トス

(五) 松花江

松花江ハ魏朝ノ速末水南北朝及唐朝ノ粟末水遼ノ鴨子河ニシテ遼聖宗太平四年詔ヲ出シテ改メテ混同江トス金史ニハ「混同江亦號黑龍江」ト云ヒ契丹國志ニハ「長白山黑水發源於此舊云粟末河太宗(聖宗ノ誤)破晉改爲混同江」ト云ヒ當時黑水及黑龍江ノ名ハ或ハ尙ホ現今黑龍江幹流ヲ指サスシテ支那本部ニ最モ近キ現今ノ松花江ヲ指シタルモノナルヘシ而シテ松花江ナル名ハ金ニ至リテ宋瓦江ト呼ヒタルニ初マリ元一統志ニ「混同江俗呼松阿哩江源出長白山」ト云ヒ明一統志ニ初メテ松花江ノ文字ヲ見ル滿州語ニテ松阿哩烏拉 Sungari-ula ト云ヒ「天河」ノ義ナリ

松花江ノ源流ヲ見ルニ二源アリ一ハ白頭山北部ノ諸水ヲ集ムル二道江頭道江ト呼ヘルモノノ合流セルモノニシテ一ハ古ノ速末河又ハ粟末河ト呼ヘル輝發河ニシテ蘇密城ノ古趾ノ近傍ヲ流レ現ニ蘇密河又ハ蘇墨溝ナル名ハ輝發河ノ一支流ニ存シ吉林通志ハ蘇密ヲ以テ粟末ノ轉音ナリトセリ古代ハ此河流ヲ以チ幹流トセルモノナリ輝發河ハ一名柳河ト云ヒ頭道江又ハ二道江ヨリモ延長大ニシテ且ツ廣濶ナル溪谷ヲ流レ海龍城朝陽舖寬街等ノ大都邑ハ皆其流域ニ在リ二道江又頭道江ノ如キ山間ノ峽流トハ大ニ趣ヲ異ニセリ現ニ最近ノ實測ニ係ル某地圖ニ松花江ノ名ヲ輝發代ニ記シ歷

史上ヨリ推スモ寧ロ松花江ノ源流トシテハ西源流タル輝發河ヲ擧クヘキモノトス
西間島ノ西南界ハ松花江ノ東流源タル二道江ニシテ其一源流ハ天上水ヨリ起リ二道白河トナリ其東ニ四道白河アリ更ニ其東ニ分界碑ノ東北ヨリ起ル一水アリ康熙五十一年建ツル所ノ定界碑ニ記スル「西爲鴨綠東爲土門」ノ土門江ニシテ間島ト清國吉林省トノ西南界ハ此土門江ニ順ヒテ下リ二道江ニ入リ之ニ沿ヒ頭道江トノ合流點ナル兩江口ヲ經テ樺樹林子ノ南ニ至ルモノナリ康熙定界碑ヨリ起リ東北ニ向ヒ溪谷ニ沿ヒテ土推石推相連リ約一里半ニシテ兩岸ニ百米ノ斷崖アリ削立シ其下初メテ一細流涓々トシテ流下ス是ヨリ屢々火山砂礫ノ河床中ニ伏流シ或ハ森林中ニ入リテ大砂川トナリテ流水ヲ見サルコトアルモ終ニ八九里ノ下ニ於テ河床二十米以上ノ河流トナル此最近ノ調査ニ依リテ得タル事實ハ康熙定界ノ後穆克登ノ通牒ニ「立碑後從土門源審視至數十里不見水痕從石縫暗流至百里方現巨水」トノ記事ニ符合セリ無頭峯東ヨリ發シ神武城(董棚)ヲ總テ東流スル董棚水ハ一旦消エテ伏流トナルモ再ヒ地表ニ現出スルモノノ如ク杉浦(盆葛浦)附近ノ北流ノ諸細流ハ之ニ合シテ北流シ土門江ノ幹流ニ合スルモノナラン更ニ溪ニ順ヒ下レハ黃徒水(裒馬鹿溝)南東ヨリ來リ之ニ會シ石耳洞水ハ東ヨリ來リ之ニ會スルモノトス此兩水ハ共ニ長山嶺ノ山地ニ發源ス此ノ河流ハ白頭山北ノ裾野森林ヲ過キテ北ニ流レテ初メテ娘々庫河(吉林通志尼雅穆尼雅庫河ト記ス)ノ名アリ北甑山ノ西ヨリ發スル荒溝河(又黃口嶺水ト云フ)ヲ容レテ屈曲西流シ更ニ四道、三道及二道白河ヲ容ル此三水ハ共ニ白頭山北ヨリ發シ露圖ニ依ルニ天上水ノ下海ハ三道白河ニシテ吉林通志附圖ニハ吊天水ヨリ二道白河トナルモノトセリ蓋シ二道白河及三道白河ノ兩河ハ淸朝一統輿圖及吉林通志ニ安巴圖拉庫河即チ大瀑布河及阿濟圖拉庫即チ小瀑布河ト呼フモノナルヘク白頭山北ノ裾野ニ屹立シテ孤峯ヲナセル來頭山ノ兩側ヲ經テ流下スルモノナリ小砂河ハ三道白河ノ合流點ニ在リ上兩江口(兩江口ナル地名ハ更ニ下流頭道江ノ合流點ニモ之アリ區別ノ爲メ玆ニ前者ヲ上兩口トシテ後者ヲ下兩江口ト呼フヘシ)ニ至リテ富爾河一名富太河北ヨリ來リテ之ニ會ス

富爾哈河ノ上流二支アリ其最モ長キ河流ハ北甑山ノ西北麓ヨリ出テテ老嶺ノ西麓ニ密接シテ北流スル古洞河(吉林通志附圖沽洞河ト記セリ)ニシテ窩集岺ノ西ヲ過キ迂回シテ西北ニ向ヒ又タ西南ニ轉シテ大沙河口子ニ至リ富爾哈河北ヨリ來リ大沙河東ヨリ來リ之ニ會シ上兩江口ニ至リテ二道江ニ入ル(吉林通志附圖甚タ杜撰ニシテ富爾哈河ノ流路ハ全ク誤レリ)最大河流ニシテ其流域北ハ牡丹江トノ分水界ナル牡丹岺ニ達シ其流域東間島西部ノ大部分ヲ占ム二道江ハ是ヨリ屈曲シテ西北ニ流レテ金銀別子ニ至リ西南ニ轉シテ下兩江口ニ至リ頭道江ニ合ス

兩江相合シテ松花江ノ東源流トナリ屈曲シテ北流シ西南ヨリ來レル西源流ナル輝發河ニ會シ其北ニ於テ福岺ノ東ヨリ發スル大木箕河(又大木旗河即チ吉林通志ノ大木欽河淸一統輿圖ノ穆禽河)西流シテ之ニ入ル

第二節　山嶽

東間島ノ山嶽ハ我日本群島ノ如キ褶曲山嶽ニ非スシテ主トシテ古期岩層カ水蝕作用ヲ被リテ成レ

ル凹凸ナリ故ニ其大勢ヲ概括スルコト難キモ主要ナル山嶽ハ白頭火山ト睿特阿林ヨリ西南行スル牡丹嶺ノ二ヲ推シ東間島東部ノ南部ニ於テ海蘭河ト豆滿江幹流トノ間ノ分水界ニハ黑山嶺(兀良哈嶺)アリ松花江ト海蘭、布爾哈通兩河トノ分水界ニハ老嶺アリ白頭火山ノ東南裾野ノ東北ニ長山嶺アリテ北甑山(淸稱大秫稭朶山)ニ連リ其一支北甑山ヨリ西北ニ走ルハ吉林通志尼雅勒堪哈達ト呼フモノニシテ四方頂子平頂山等ノ稱アルモノ即チ是ナルヘシ老爺嶺ハ東々北ヨリ西々南ニ走リ哈爾巴嶺ノ西ニ於テ松花江上流ト牡丹江トノ分水界ヲ成シ其東ニ於テ布爾哈通河及其支流ハ牡丹江トノ分水界ヲ成シ其東間島ノ北界ハ之ニ沿ヒテ走リ西端ニ至リテ其支脈ニ從ヒ下雨江口ニ達ス此他黑山嶺ノ東端ヨリ豆滿江ノ左岸ニ沿ヒテ南北ニ走ル古生層及片麻岩ノ一山地アリ湖川街ノ西北ニ連ル之ヲ大花尖山嶺ト呼ハントス西崗南崗間ニハ橫ハレル關門嘴山亦南北ニ走ル古生層及片麻岩ノ一山嶺ノ北端ナレハ之ヲ關門嘴山嶺ト呼フヘシ

海蘭河、布爾哈通兩河ノ中間ヲ東西ノ方向ニ走ル邱陵地ハ間島中部ニ於テ最モ著シキモノナリ玆ニ之ヲ三崗邱陵ト呼ハントス

二

長山峯ノ西南小丘ヨリ白山盧頂峯ヲ望ム

（一）白頭火山（第三圖第四圖第九圖參照）

白頭山ノ附近ハ鴨綠、豆滿、松花三江ノ水源地ニシテ其地形ハ一大高原狀ヲ呈シ大部分ハ玄武岩質熔岩流ノ古期岩層上ヲ被覆セル所謂熔岩席 Lavadecken ヨリ成レリ而シテ其地勢ハ白頭山ヲ中心トシテ四邊緩斜シテ廣大ナル裾野ヲ成セルモノトス其廣袤南北東西各四五十里ニ及ヒ咸鏡兩道ノ北部ヨリ起リテ老爺嶺ニ至ル間ニ海拔千米乃至二千米ノ高地ノ大部分ハ皆ナ同一ノ熔岩席ヨリ成レル高原ナリ邊緣ニ於テハ古期岩層ノ山嶽ノ上ニ山砦狀又ハ城壁狀ヲ成シ東「シベリア」山地ニ見ル所ノ所謂「ゴルチ」Goltsi ニ類スルモノアリ北韓ニ於テハ此種ノ高原ヲ呼ヒテ德 Theki ト云フ蓋シ漢字ヲ以テ韓語ヲ示スモノニシテ又坪ト謂フ北路紀略ニ「豆里（甲山ノ東二百韓里ニ在リ）左右嶺峯頂上高平皆爲大坂、北人以平坂爲德、北路諸山多以德名者此也」ト云フモノ即チ其一ナリ

白頭山及ヒ其附近高地ハ清韓文書ト近時旅行者ノ報告トニヨリテ左ニ其地勢ノ概要ヲ記セン

茂山ヨリ虛頂嶺ヲ越エテ惠山鎭ニ至ル街道ノ狀況ハ茂山ヨリ農事

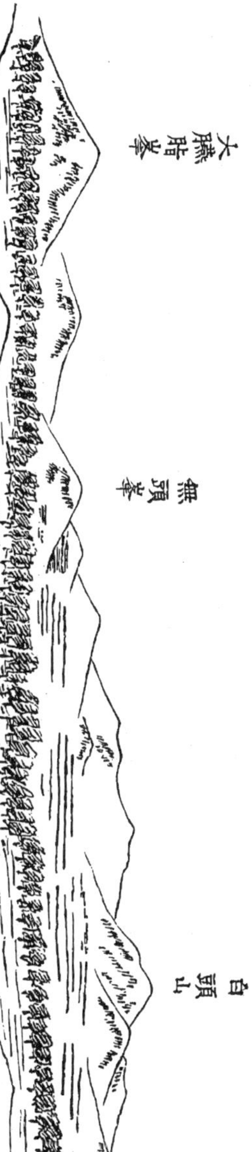

神武城ノ南方ヨリ白頭山、小白山ヲ望ム

洞ニ至リ豆滿江ヲ離レテ西南ニ向フニ歩々漸ク上リ高原ニ上リ矮少ナル落葉松林ニ入リ數多ノ濕地ヲ横リテ高原上ヲ行キ虚頂嶺上ノ三池淵ニ達ス海拔約千五百米ニシテ池ヲ隔テテ白頭山ヲ望ミ得ヘシ(見取圖參照)是ヨリ急斜面ヲ降リテ長大ナル森林ニ入リ普臺山村落ニ至リ惠山鎭ニ達スヘク又タ豆滿江ヲ溯レハ天秤里アリ是ヨリ漸次緩斜面ヲ昇リ濕潤ナル荒野ノ中ヲ進ミ森欝ナル長山嶺(二二九〇米)ヲ越ユレハ少シク空濶トナリ西南遙ニ虚頂嶺小白山脈ヲ望ムヘク(見取圖參照)赤峯ノ西南密林ノ中ヲ過クレハ近ク西北ニ白頭山ヲ望ミ得ヘシ(見取圖參照)神武城ニ至レハ甲山ヨリ杉浦(即チ韓稱「イカルカイ」清人ノ所謂松花甸子)ヲ經テ白頭山北ノ來頭山(韓人村落アリ)ニ通スル道路アリ森林帶ヲ離レテ無頭峯アリト雖トモ地形上著シク凸起セルモノニ非ス

白頭山ハ山巓ニ火口湖ヲ有スル缺頂圓錐形ノ一大火山ニシテ周邊ニハ輕岩 Pumice 質火山砂堆積シ裾野性高原上ニ突起スルコト約五百米ニシテ海拔二千七百三十米(露人アーネルト氏二六〇〇米グルド、アダムス氏八千九百呎即チ二七一三米)ニ達シ滿洲ノ最高峯ナリ「如覆白甕於高俎」ノ一句ハ此火

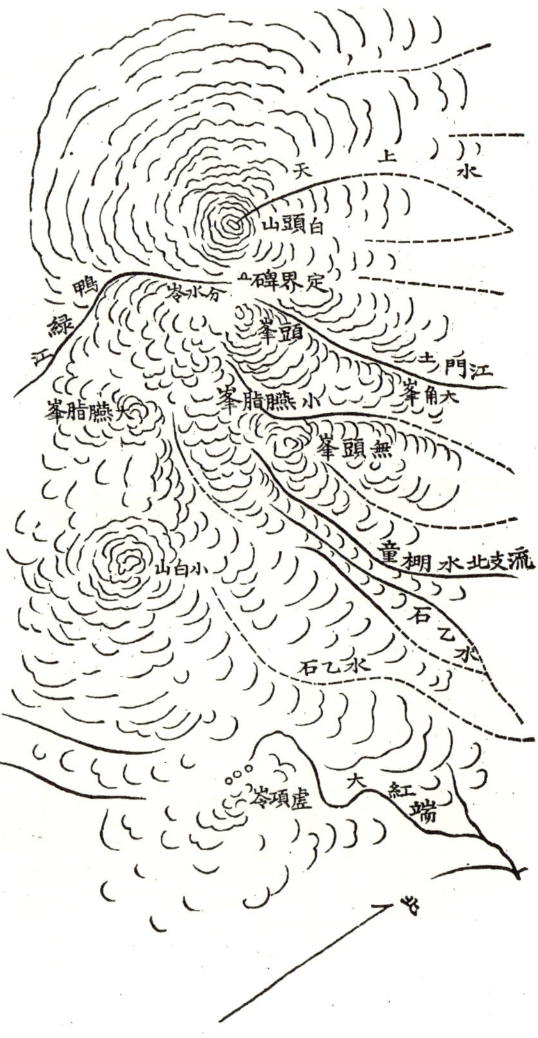

山ヲ形容シ得テ妙ナリ而シテ中央ノ火口湖ハ曲玉形ヲ成シ之ヲ闥門池ト呼ヒ韓稱亦タ龍王潭ト云フ火口壁ハ少クモ百米以上ノ斷崖ヲ成シ熔岩其他ノ噴出物層狀ヲ成シテ露ハレ殆ント直立セル所アリ周壁ノ山ハ著シキモノ五峰アリト云フ左ニ北路紀略ニヨリテ周壁ノ名稱ヲ記スヘシ北ニ白巖アリ之ヨリ東ニ廻リテ其南ニ兵使巖アリ更ニ南ニ桃仡伊側其アリ其西ヲ摩天巖ト云ヒ是ヨリ北ニ廻ルヲ小項トシ又東北ニ廻リテ層巖アリ白巖ト對立シ其間ニ一溝アリ松花江ノ水源ト認メラレタル天上水ハ是ヨリ流出スト假定セラル此溝ニ對シテ南ニ湖中突出セル一嘴アリ而シテ兵使巖ヨリ東ニ連レル山腹ノ枝脈ハ所謂分水嶺ニシテ定界碑ノ立ツ處ナリ(附圖白頭山參照)白頭山ハ韓稱ニシテ清國側ニ於テハ長白山ヲ以テ知ラレ滿洲語果勒珊延阿林ハ之ニ相當ス(即チ果勒ハ「長」珊林ハ「白」阿林ハ「山」ノ義ナリ)山海經晋書通典等ニ肅愼ノ山トシテ擧ケタル不咸山後漢ノ單々大嶺、魏ノ蓋馬大山後魏ノ太白山又タ徒太山、従太山太皇ト云フモノハ皆此山ヲ指スモノナリト云フ長白山ノ名ハ金代ニ初マリ其發祥地ノ大嶽ナルヲ以テ長白山神ヲ封シテ興國靈應主トシ山北ニ廟宇ヲ建テ册文ヲ獻シ其位ヲ公侯ノ上ニ置キ春秋二仲祭ヲナスコトトナリ後又册シテ開天宏聖帝ト爲セリ元一統志其頂ニ潭アリ南ハ鴨綠江ニ流レ北ハ混同江即チ宋瓦江ニ流レ東流シテ阿也苦江トナルコトヲ記ス明朝洪武三年(西歷一三七〇年)嶽鎭封號ヲ去リ止タ稱シテ神ト爲ス清朝亦タ其發祥地ナルヲ以テ康熈十七年(西歷一六七八年)再ヒ尊テ「長白山之神」ト爲シ祭ヲ致スコトトセリ

白頭山ニ登レル記事中最モ古キハ祭祀ノ前年康熈十六年(西歷一六七七年)內大臣覺羅吳木納ヘ耀色

等ノ奏文滿洲源流考ニ見エ額赫訥陰ヨリ登リ森林中ヲ行クコト八日ニシテ山腹ニ達セリ其山頂ノ記事ニ曰ク

山高約有百里山頂有池五峯圍繞臨水而立碧水澄清波紛蕩漾池畔無草木臣等所立山峯去池水約有五十餘丈周圍寬濶約有三四十里池北岸有立熊座之甚小其繞池諸峯勢若傾頹頗駭膽視正南一峯較諸峯稍低宛然如門池水不流山間處々有水田左流者則爲松阿哩烏拉右流者則爲大訥陰河小訥陰河繞山皆平林遠望諸山皆低

其後三十五年即チ康熙五十一年(西暦一七一二年)即チ朝鮮國肅宗三十八年清韓勘界使ノ立會アリ烏拉總管穆克登韓國譯官金應濾金慶門ノ登山アリ此時ノ登山ノ狀況ハ北路紀略洪世泰著柳下記ヨリ其登山ノ記事ヲ揭ク

克登來定界我國遣接伴使朴權咸鏡監司李善溥佳遇克登於三水府之蓮囦克登俱與譯官金應濾金慶門同上山上自掛弓亭下、沿五時無人居、北度栢德七十里、釼門二十五里、昆長隅十五里、有大山當前、乃西渡江、斫木緣岸、行五六里、路斷復從、山坡名樺皮德、元峻、行八十餘里、有一小澤、又東行三十餘里、登韓德立支當行、數十里、樹漸疎、山漸露、自此山皆純骨、色蒼白、東望一峰揷天、即小白山也、迤過山趾十餘里、至山頂尙有二三十里、稍東有一嶺、小白之支也、陟其上脊、望白頭山、雄峙千里、一蒼頂、如覆白甆、干高俎、從嶺底行數里、山皆童濯、行五六里、山忽巾陷成塹、橫如帶、深無底、廣僅二尺、或躍過、或接手以度、四五里又有塹、劈木作架以度、稍西數百步、行至山頂、有池、如顋穴、周可三十里、深不可測、四壁削立、若糊丹埴、圻其北數尺、水盛溢出、為黒龍江源、東有石獅色黄尾鬣欲動、中國人謂望天孔云、從岡脊下三四里、有泉出、數十百歩峽坼為大壑、中注又東、踰一短岡、得一泉二派、其流甚細、克登坐沒水間、顧慶門曰、此可名分水嶺、遂勒石為記」

近時ニ至リ内外旅行者此山ヲ探檢スル者少カラスカメル Cambell ゲルド、アダム Goold-Adams ハ南麓惠山鎮ヨリヤングハスバント Young hasband ハ湯河口ヨリ林學士今川唯市ハ同ジク帽兒山ヨリ西大嶺ヲ經テ西麓ヨリ登リアーネルト氏ノ一行ハ茂山ヨリ天坪里ヲ經テ東麓ヨリ登リ杉浦(松花甸子)内頭山ヲ經テ頭道江ニ降リ其我探檢者亦タ西麓ヨリ登リテ松花江流域ニ降リ工學士太田篤ノ一行ハ茂山ヨリ天秤里ヲ經テ東麓ヨリ登レリ

白頭山ハ滿韓交界地ノ最高標點ナルモ上述ノ如ク一消火山ニシテ宛モ我富士山ノ甲駿國界ニ挺立スルカ如ク其周圍ニ向ヘル斜面皆緩傾斜ノ裾野ナレハ山頂ヨリ放射狀ニ流下スル河流ニ就テ三江流域ヲ劃スル分水線ヲ求ムルコト容易ナラス南々東ニ向ヒテハ臙脂峯小白山枕峯虛頂嶺寶髢會山相連リ稍明カニ西亦タ納嗅窩集ヲ成シテ二道江ト二道溝(鴨綠江)ノ間ノ分水界ヲ成スモ東北ニ向ヒテ北甑山ニ至ル間ハ神武城ヨリ杉浦(松花甸子)ニ通スル線路ニ於テ明白ナルカ如ク分水嶺トシテ著シキ地形ヲ認メサルナリ然レトモ分水線ハ屈曲シテ東北ニ走リ白頭火山ノ東北ニ著シク隆起セル北甑山ニ達スルハ事實ナリトス

(二)長山嶺

長山嶺ハ前記ノ地形上不分明ナル分水嶺ノ名稱ニシテ癸未(明治十六年)六月韓人此地方ヲ探究セル

モノノ記事ニ曰ク

碑前峯東爲間峯、其東爲大角峯(中略)大角峯東前有種々十餘峯起立、其前脈隱、伏東去爲六七十里、爲長山嶺、嶺後東邊豆滿江源地也、長山嶺左右八字皆爲長嶺也、正脈東北向疊々起峰、幾近二百里、有北甑山突起也、

白頭山東ニ於テ最モ高ク東北ニ向ヒ陵夷シ杉浦ノ附近ニ於テ海拔千四百米トナリ荒溝嶺(江溪河嶺)ニ至レハ千八十五米ニ過キス

(三)兀良哈嶺山脈

兀良哈嶺山脈トハ豆滿江海蘭河間ノ分水界ニシテ地圖上往々黑山々脈ト名クル北甑山ヨリ東走スルモノナリ然ルニ黑山ハ原ト清一統志ニ北甑山四近ノ鬱蒼タル森林ヲ戴ケル海拔千米以上ノ高原性山嶽ノ全部ヲ指セル名ナレハ之ヲ北行スル老嶺ト區分シテ東行スルモノノ總名トシ此地方古住民ノ名ニシテ今尙ホ其一部分ノ地名タル兀良哈嶺ノ名ヲ採ルヘシ

北甑山ヨリ東走シテ漸ク陵夷シ牛心山(海拔一〇五〇米)トナリ黑瞎子嶺(四道溝嶺海拔七七一米)トナリ北ニ折レ沙松頂子山(一一〇五米)トナリ再ヒ東走シテ高麗歲子嶺(海拔七五〇米)東梁嶺(又門岩嶺海拔八四〇)米トナリ咸朴洞嶺(海拔八三七米)トナリ杉松背嶺(西里洞嶺海拔八七五米)トナリ兀良哈嶺(火胡蘆嶺六八五米)トナリ分水界ハ多少屈曲シツツ東西ノ方向ニ走ルモ千米以上ノ峯巒處々ニ崛起シ大水雷峰(海拔一三二四米)ヲ以テ其東部最秀點トス又豆滿江ニ沿ヒテ七八百米ノ大德高原アリ會寧

附近ニ至リテ海拔四五百米ノ德狀ノ山頂アリ五國城遺址及對岸諸山是ナリ其六七百米以上ノ山間ニハ往々森林ヲ存シ千米以上ノ高處森林最モ多シ

(四) 老嶺山脈

北甑山ヨリ起リテ北走シテ哈爾巴嶺ニ至ル分水界ヲ成スモノニシテ韓人ノ下畔嶺山脈ト稱スルモノナリ北甑山ハ清人ノ所謂大秫稭垜山ニシテ平頂山トシテ諸地圖ニ示セルモノ亦之ト同一ナルヘク窩集嶺モ亦此山脈ノ總稱ナルヘク海蘭河ノ上流及古洞河娘々庫河ノ水源ヲ成シ森欝タル深林ヲ以テ蔽ハレタル高原性山嶽ニシテ東北ヨリ之ヲ望メハ宛モ卓狀ヲ呈シ玄武岩ノ熔岩流ニ蔽ハレタルモノト推測セラル海拔千六百八十七米アリテ北ニ走リテ漸ク低ク窩集嶺(一二一一米)ノ北ナル黃溝嶺(一一七四米)ノ北ニ千三百九米ノ一秀點アルモ其北ニ於テ千米以下ニ降リ哈爾巴嶺ノ附近ニ至レハ七八百米ノ山嶽地トナル

壬午(明治十五年)勘界ノ爲メニ韓人ノ烏鳩江ヨリ北甑山ニ登レル記事アリ曰ク

絕壁十里稍平地、則東南翼也、有大小兩地絕妙、北向十里上々角、絕壁五里、其上廣一里、許北向長五里許、高與白山齊、有石礌礧、四望則西南白山寶髻而已、正西一望無際、西北麓落去百里許、如有甑山形山、即四方鄧子(頂子)其北有花發嶺(哈爾巴嶺)分界江源也、清人僞名曰坪下通水(布爾哈通河)(以下中略)大抵北甑山之南流爲兀口江、東流爲恒引江(又タ長引江ニ作ル即チ海蘭河)西流三大水入于土門江、其山麓之疊々、水谷之深々、不知幾千萬矣、此所謂億千古万古億万古英雄處也、其上穢蠅如雲如霧人之耳目口鼻、不

能掩之、遍爲咀嚼、

此記事中ノ四方頂子ハ即チ古洞河ト娘々庫河トノ間ノ尼雅穆尼雅庫哈達(吉林通志)ナルヘク娘々庫ノ名亦タ之ヨリ出タルヘシ同シク海拔千二三百米ニ達スル高山ニシテ其地勢ハ同シク高原狀ヲ呈シ西間島東部ノ最モ隆起セル部分ヲ占ムルモノトス

(五)牡丹嶺山脈

內外數多ノ滿州地圖ニ老爺嶺山脈トシテ示セルモノ二アリ一ハ牡丹江ト其西ナル松花江ノ諸支流トノ間ノ分水界ノ一部分ニ用ヒラレ一ハ牡丹江及穆稜河ト綏芬河及嘎呀河其他諸河トノ分水界ニ用ヒラレ骨特阿林ノ一支脈タリ蓋シ老爺嶺老嶺等ノ名ハ支那到ル處ノ土人ノ通シテ呼フモノニシテ頗ル混雜ノ惧アリ況ンヤ吉林一省ニ東西二處ニ之アルニ於テヲヤ之ヲ東西老爺嶺トシテ區別セハ稍可ナランモ東老爺嶺ナルモノ亦タ露圖ノ如キハ穆稜河ト綏芬河トノ分水界ニ限ルモノアリ是レ寧ロ黃窩集山脈ト呼フヲ可トス今東間島北部境界ノ分水界ノ總稱ニシテ姑ク牡丹嶺山脈ノ名ヲ冠シテ此混雜ヲ避クヘシ

牡丹嶺トハ牡丹江上流ト東間島西部トノ分水界ニ於テ用ラレタル名ニシテ其地勢ハ未タ明白ナラス富爾哈河ノ上流福嶺ニ於テ海拔約七百七十米ニシテ東走シテ廟嶺ヲ經テ哈爾巴嶺ニ連ル哈爾巴嶺ノ東ニ於テハ青背嶺トナリ東北ニ走ルモノノ如ク更ニ東ニ轉シテ老松嶺トナリ骨特阿林ト黃窩集山脈トハ北及東ヨリ來リテ之ニ會シ西南ニハ穆稜河水源ノ穆稜窩集アリ東老爺嶺山脈ノ名ハ寧

ロ之ヨリ南ニ延ヒタル嘎呀河ト琿春河トノ分水界ニ命スヘキモノトス

東間島東部布爾哈通河北ノ山嶽ハ此ノ哈爾巴嶺ト老松嶺間ノ分水界ヨリ南ニ延ヒタルモノニシテ其地勢ハ北甑山ノ附近ト同シク最高處ハ平頂ニシテ玄武岩ノ熔岩席ナルヘシ嘎呀河上流ノ西部ニ於テハ其最高點海拔約千米ニ達シ四方臺山（八二一米）ハ延吉寧古塔敦化ノ境界標タリ

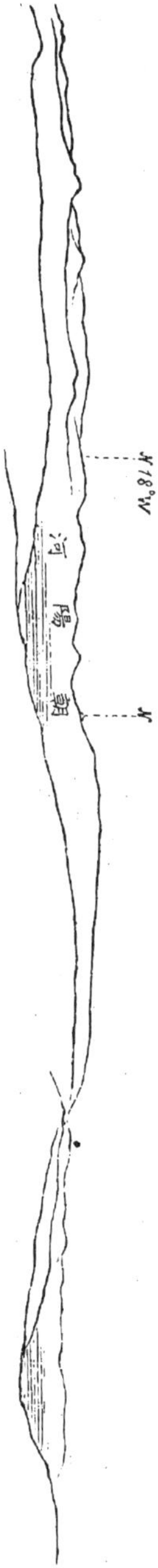

馬鞍山上ヨリ北西、北、東北展望略圖

（六）大花尖山々脈

黑山嶺ノ東端ハ鍾城間島ノ南ニ至リテ盡キ之ト邱陵地ヲ隔テテ其北ニ兄弟峯突起シ上中下國師嶺ニ連リ北走シテ三崗邱陵ノ東邊緣山嶽タリ北ニ向ヒテ漸ク高ク其幅亦タ漸ク廣ク海蘭、布爾哈通河之ニ衝突シテ峽谷ヲ成シ屈曲シテ合流シ更ニ之ヲ横リテ嘎呀河ヲ容レテ豆滿江ニ注ク其間全ク峽谷ヲ成セリ

大花尖山ノ西ニ當リ邱陵トノ間ニ別ニ稍低キ山岳アリテ海蘭河北ニ於テ三崗邱陵ノ東ニ稍隆起セルモノト相連レリ是ヲ西花尖山々脈トシテ前者ニ附隨セシムヘキモノトス

大花尖山々脈ハ更ニ北ニ延ヒテ艾河ノ兩岸ニ亘リ其左岸ノモノハ艾河ト琿春綏芬兩河トノ分水界

ヲ成スモノノ如キモ未タ踏査ヲ經サル地方ニシテ且ツ憑據スヘキ地形ノ詳圖ナケレハ姑ク疑ヲ存ス

第三節　邱陵地、平地及沼澤地

邱陵地及平地ハ豆滿江ノ流域ニ甚タ少ク主トシテ布爾河通、海蘭兩河ノ並流スル三崗地方ニ發育シ其上流及支流ニ於テモ中生紀層ノ發育セル所ニハ小區域ノ邱陵地及平地アリ

三崗邱陵ノ主脈ハ海蘭河ノ上部支流ナル頭道溝及海蘭河幹流ト布爾哈通河ノ老頭溝以下トノ間ニ横ハレル東西ニ延ヒタル狹長ノ邱陵ニシテ馬鞍山、帽兒山等ノ孤峯ハ之ニ貫通セル新期ノ火山岩ヨリ成レル山塊ニシテ之ヲ除キテハ一般ニ河床ヨリ百乃至百五十米ニ過サル波狀ノ邱阜ノミヨリ成リ頭道溝ノ上流及海蘭布爾哈通兩河合流點近傍ニ於テ古期岩層ヨリ成レル山岳ノ稍急峻ナル斜面ニ連續ス

頭道溝二道溝ノ間ニ小ナル邱陵アリ三道溝四道溝五道溝ノ海蘭河ニ向ヘル斜面ニモ各小ナル邱陵アリ之ヲ總稱シテ西崗ト云フ

三道溝ニハ南北ニ延タル狹長ナル邱陵及平地アリ玆ニ之ヲ三道溝崗ト呼ヒ之ヨリ三道溝口ニ至ル間ノ小平地及邱陵地ヲ土山子崗ト呼ハントス

西崗ト南崗トノ間ニ邱陵ノ支脈アリ西下關門嘴子ト呼ヒ西崗境界タリ其南ハ片麻岩ノ山陵ニシテ海蘭河ハ之ヲ横リテ峽流ヲ成セリ

六道溝大碯子墩臺溝八道溝ノ諸河流ニ沿ヒ亦海蘭河ニ向ヒテ緩斜セル邱陵地アリ之ヲ總稱シテ南崗ト云フ

大碯子河ノ上流大碯子(大拉子)附近ハ別ニ小ナル邱陵及平地ヨリ成レル窪地ヲ成セリ今假ニ之ヲ大碯子崗ト呼ハントス

布爾哈通河ノ北ニ太平溝朝陽河烟集河ノ諸支流ニ沿ヒ幹流ニ向ヘル斜面亦陂陀タル邱陵地ヲ成シ之ヲ總稱シテ北崗ト云フ是レ寧古塔方面ヨリ來リシ清人ノ嘗テ南崗又ハ烟集崗ト呼ヘルモノナリ」

鍾城間島ノ中央部ナル湖川街附近亦タ中生紀層ヨリ成レル邱陵地及平地アリ今假ニ之ヲ湖川崗ト呼ハントス

會寧間島ノ地ニハ小區域ノ邱陵地及平地アリ茂山間島ニハ下廣浦及上廣浦ニ邱陵地及平地アリ

山間ノ谿谷ニシテ比較的緩傾斜ノ溪水ノ灌流スル處ニハ屢々沮洳地アリ此ノ如キ沼澤狀平地ハ亞細亞北部及東北部又ハ中央及西歐羅巴ノ北部ノ沼澤地即チ「ツンドウ」Tundra及ヒ「モール」Moorト成因ヲ同クシ主トシテ季候濕潤ニシテ寒冷ナルカ爲メニ生セルモノニシテ北滿洲ニ多ク之アリ「シベリア」地方ノ「ツンドラ」及之ニ類似ノ沼澤地ニ漸移スルモノナリトス

平地ノ面積ヲ地圖上ニ於テ推算セル概數左ノ如シ

(一)海蘭河流域
- (一)西崗　一二、三方里
- (二)南崗　五、〇方里

(二)布爾哈通河流域	(三)北崗	二一、五方里
(三)嘎呀河流域及海蘭布爾哈通兩河合流點以下	(四)嘎呀河流域及壹兩溝葦子溝	一〇、二方里
(四)豆滿江左岸	(五)茂山間島	二、三方里
	(六)會寧間島	一、四方里
	(七)鐘城開島	一、五方里
	(八)穩城間島	三、〇方里
合計		五七、二方里

即チ平地ノ面積ハ東間島ノ全面積ニ比シテ約百分ノ五乃至六ニ過キス然レトモ若シ邱陵地及比較的緩斜面地ヲ合算スレハ全面積ノ二割乃至三割ニ上ルヘク其内耕耘ニ堪ユル部分ハ少クモ一割五分乃至二割ヲ下ラサルヘキナリ

東間島ノ地勢ヲ通觀スルニ北部ハ布爾哈通河ト牡丹江ノ上流トノ間分水界タル牡丹嶺ハ最高部高原ヲ成シ之ヲ截リテ數多ノ河水南流シテ布爾哈通河ニ入リ其間ノ山岳ハ南ニ陵夷シテ北崗ノ邱陵地トナリ西部ハ布爾哈通河海蘭河ト松花江東部諸支流トノ分水界タル老嶺及其支脈ノ山地ニ屬シ其最高部ハ北甑山ニシテ亦タ最高部高原狀ヲ成シ北甑山ヨリ東々北ニ黑山嶺アリ其東端ヨリ北ニ向ヒテ走レル大花尖山嶺アリ以テ豆滿江ト海蘭河トノ分水界ヲ成シ三崗地方ハ此等諸山嶽ニヨリ

テ周邊ヲ圍繞セラル周邊ノ山岳地ハ急峻ナル斜面ト狹隘ナル溪谷トヨリ成リ其高處ニ限リ森林及雜木ノ疎立林アルニ止マリ中央ノ邱陵及之ニ連續セル山岳ノ邊緣ニハ緩斜面及平地多クシテ農產地トシテ最モ富饒ナル地域タリ豆滿江ハ山地ヲ流ルルヲ以テ其沿岸ハ會寧鍾城ノ對岸ニ稍大ナル邱陵及平地アルニ止レリ

東間島西部ハ松花江ノ上流水源地ニシテ白頭山ノ裾野ヨリ下畔西南部ノ地方ニ亘リテ森林ヲ以テ蔽ハレタル山地ニシテ其東北部及北部古洞河富爾哈河ノ流域ニ溪谷間ニ小平地アルニ止マリ頭道江ノ沿岸亦タ開放セル平地ニ乏シ

第三章　地　質

第一節　總　說

東間島ノ地質ハ北韓及滿洲ト同シク單調ニシテ片麻岩ヲ主トシ花崗岩花崗斑岩等之ヲ伴ヒ純然タル水成岩ハ比較的ニ乏シク之ヲ分類スレハ左ノ諸岩層ヨリ成ル

- (一)變成岩類
  - (一)片麻岩　Gneiss
  - (二)千枚岩　Phy llite
- (二)水成岩類
  - (三)粘板岩　Metamorphosed clay slate
  - (四)侏羅層　Iurassic strata
  - (五)第四紀層　Diluvium and Alluvium

(六)花崗岩及花崗斑岩 Granite and Granite Porpyry
(三)火成岩類 (七)玢岩 Porphyrite
(八)安山岩 Andesite
(九)玄武岩 Basalt

此等ノ諸岩層ノ相互ノ關係ヲ見ルニ東間島ノ地盤ヲ成セル岩層ハ片麻岩及千枚岩ニシテ片麻岩ト花崗岩及花崗斑岩トハ互ニ遷移スルノ觀ヲ呈シ變性古生層ハ花崗岩及花崗斑岩ノ接觸作用ニヨリ變性ヲ被レルモノナリ即チ片麻岩モ亦古生層ヨリモ後期ノ噴出ニ係ルモノノ如キハ頗ル注意スヘキ點ナリ

水成岩類ニ於テ主要ナル部分ヲ占ムルハ中生代ニ屬スル珠羅層ナリ其關係甚タ簡單明瞭ニシテ各種古期岩層ヲ被覆シ其己ニ浸蝕削剝ヲ被リタル地形ノ凹凸ニ隨應シテ略ホ平坦ニ之ヲ被覆セリ近生代ニ屬スル岩層ハ片麻岩其他ノ古期岩層ハ勿論珠羅層ノ浸蝕削剝セラレテ谿谷ヲ生シタル後堆積シタル第四紀層ニ係リ谿谷ノ底部及側邊ノ段階地ヲ成スニ止レリ

珠羅層第四紀層ハ共ニ陸成層ニシテ滿韓ノ他地方ト同シク侏羅紀以後ノ海成岩層ヲ缺如スルニ著シキ事實ナリ

玢岩ハ片麻岩花崗岩及變性古成層ヲ貫キテ噴出セルモノナリ

玄武岩及安山岩ハ新期即チ第三紀以後ノ噴出岩ニシテ就中玄武岩ハ分布ノ大ナル片麻岩侏羅層ニ

亞キ長白山系ノ白頭山附近ヨリ起リ窩集嶺牡丹嶺等ノ高原狀ノ山嶽ヲ成シ又豆滿江沿岸ニモ其熔岩流ヲ認メ間島山嶽ノ最最部ヲ成スモノタリ

(一) 片麻岩花崗岩及花崗斑岩

片麻岩花崗岩及花崗斑岩ハ錯綜シテ現出スルヲ常トシ共ニ最古噴出岩ノ岩相トシテ一岩漿ヨリ分化セルモノト看做スヲ妥當トス

其岩種ヲ列擧スレハ左ノ如シ

(一) 花崗岩　長石石英黑雲母角閃石ヲ主成分トシテ石理ハ粗粒乃至中粒ニシテ肉紅色ノ正長石最モ多量ナレハ多少紅色ヲ帶フルヲ常トス

此種ノ岩石ハ分布最モ廣クシテ豆滿江沿岸ノ斷崖ハ多ク之ヨリ成レリ

(二) 花崗斑岩　花崗斑岩ハ之ト相遷移スルモノニシテ同一ノ成分ヲ有シ肉紅色ノ正長石及輪廓不等ノ石英斑晶ヲ成シ其石基ハ細晶質ナルモ時トシテ全ク微晶質ノ石英斑岩ニ遷移スルヲ認ム

天寶山銀山ノ附近ニ多ク角閃石斜長石ノ多量トナリテ閃綠岩乃至閃綠玢岩質ヲ帶フルモノアリ

(三) 片麻花崗石　Gneiss-granite　即チ純正花崗岩 Ortho gneiss ハ前述花崗岩及花崗斑岩ト同一ノ成分礦ヨリ成リ多少片理ヲ有スルモノナリ

同シク紅色ヲ帶フルヲ常トシ片理ノ不充分ナルモノハ花崗岩ト區別シ難キモ片理著シク黑色ノ雲母及角閃石ノミヨリ成レル縞理發達セルモノアリ然レトモ紫黑色雲母ヲ有スル所謂領家片麻岩ノ

如キ岩種ヲ伴フコトナシ

(四)角閃片麻岩　角閃石多量ナルモノハ其排列ニ従ヒ片理ヲ生シ黯黒色乃至黯灰色ノ岩石トナリ角閃石及黒雲母ニ乏シキ灰色ノ部分ト交互シテ判然タル片理ヲ呈シ遙ニ其露頭ヲ望ミテ一見水成岩ノ層理ナルカノ感ヲ起サシムルニ至ル

又紅色ノ花崗片麻岩ハ時トシテ岩脈状ヲナシ略ホ片理面ニ幷行シテ角閃片麻岩ニ挿入セルコトアリ

片麻岩及花崗岩ノ分布ハ最モ廣ク豆滿江ノ沿岸ヨリ起リ長山嶺ノ分水界ニ於テ千米以上ニ達スル高峻ナル峯巒ヲ成シ西崗及南崗南方ノ山嶽地ハ殆ント全ク之ヨリ成レリ邱陵地ニ向ヘル斜面ハ緩漫ナレトモ溪谷ノ側腹ハ斷崖ヲ成スコト多ク又屢孤立セル巉巖トナリ一種ノ風景ヲ生ス六道溝ノ立岩關門咀子ノ峽谷等ハ何レモ片麻岩地ノ風景ナリ

(二)千枚岩

玆ニ千枚岩トシテ區別セルモノハ片麻岩ニ隨伴シテ現出スルモノニシテ東梁嶺(門岩嶺)ノ北ニ溪中ニ多量ノ流礫トシテ存セルモノト咸朴洞ニ於テ崖側ニ露出セルモノト稍著シトス

東梁嶺ノ岩石ハ綠黒色乃至黯灰色ニシテ片狀ヲ呈シ其劈裂面ニハ絹絲光ヲ有スル絹雲母ニ富メルヲ特長トシ本邦ノ所謂結晶片岩即チ三波川千枚岩ニ最モ類似セル岩相ナリ未タ顯微鏡下ニ檢定セサルヲ以テ姑ク千枚岩トシテ之ヲ區別ス

咸朴洞ニ露出スルモノハ石墨質千枚岩ニシテ石灰石ヲ夾ミ其走向ハ北十度西ニ走リ東ニ急斜シ東梁嶺ノ西ニ流礫トシテ存スルハ蓋シ該石層ノ尙此ニ延長セルモノナラン會寧、淸津間ノ街道ニ當レル茂山嶺ニ於テ之ト同一ノ結晶質石灰岩ヲ伴ヘル石墨千枚岩ヲ見タルコトアリ兩者ハ何レモ片麻岩及花崗岩ニ接觸シテ露ハレ其成因ハ接觸變性ニ在ルモノノ如シ

此他ニ結晶質石灰岩ハ四道溝ノ奥ナル黃坪六道溝ノ東梁谷口等ニ露出シ何レモ片麻岩及花崗岩ト厠雜シテ出ツ

天寶山銀銅礦床ノ母岩ヲ檢スルニ變性岩ニシテ黝色硅質岩「ホルンフェルス」灰色半結晶質石灰及白色糖晶質石灰岩等ヨリ成リ其走向ハ略ホ南北ナリ

(三) 變性粘板岩

前ニ述ヘタル千枚岩ト稍岩質ヲ異ニセル粘板岩砂岩ノ互層アリ會寧間島三屯近傍ニ露ハルルモノハ粘板岩ニシテ花崗岩ニ接觸シテ變性ヲ被レルコト顯著ナリ其走向ハ南北ニシテ豆滿江ニ沿ヒテ北ニ延ヒテ鍾城間島ニ及フモノノ如ク富世洞ニ變性ヲ被ラサル陸前三疊層ノ粘板岩ニ類スルモノヲ出ス

此等ノ變性岩層ノ地質時代ハ不明ナルモ其花崗岩及片麻岩ニ對スル關係ハ前ニ述ヘタル千枚岩ト同一ニシテ其接觸變性ヲ被レルノ形跡後者ニ比シテ一層明瞭ナリ三屯ニ露ハルルモノカ略ホ茂山嶺ノ石墨千枚岩ノ走向ニ當レルヨリ考察スルニ前ニ岩質上千枚岩トシテ區別セルモノト共ニ本層

モ相連續セル時代ノ岩層ニ屬シ且其接觸ノ程度ヲ異ニセルモノナルヤモ知ルヘカラス然レトモ岩質上之ト差異アリテ陸前北上地方並ニ「ウラジオストック」附近ニ露ハルル三疊層ニ比スヘキ點アルヲ以テ前者ト區別スルモノナリ

（四）侏羅層

侏羅層ハ東間島ノ中央凹部ヲ充塡セル分布地域最モ廣キ水成岩層ニシテ之ヲ組成スル岩種ハ砂岩頁岩礫岩ナリ

砂岩ハ中粒乃至細粒ノ石英及長石ヨリ成レル「アルニース」砂岩ナリ灰色乃至黃灰色軟弱ノ岩石ニシテ岩層ノ大部分ヲ占ム時ニ表部ハ水酸化鐵ノ爲メニ膠結セラレテ稍堅硬ナル岩石トナレルモノアリ

頁岩モ亦灰色乃至黃灰色軟弱ノ粘土質岩石ニシテ其板狀石理著シカラサルモ炭坑ニ於テ坑內ヨリ堀リ出セルモノニ至リテハ純粹粘土ヨリ成レルモノト共ニ葉片狀ニ薄ク剝離スルモノアリ砂粒ヲ含ミタル砂質頁岩ニ漸移ス

礫岩ハ砂岩ノ成分ト同一ノ石英長石粒ノ間ニ豆大乃至拳大ノ片麻岩花崗岩等古期岩層ノ礫ヲ含ミ上官道溝老頭溝ニ最好ノ露出アリ

該互層ハ其下底部ニ石炭床ヲ夾ミ之ニ接セル砂岩及頁岩中ニハ植物化石ヲ埋藏ス三道溝轉心湖炭坑ニ於テ採集セルモノハ最モ良好ニシテ其著シキモノハ亞細亞中生代ニ普通ナル

Cladophlebis whitbiense
Podozamites lanceolatus

ノ外ニ遼東侏羅層ニ出ツルト同種類ノ蘋類ヲモ含ムヲ以テ其侏羅紀ノ岩層タルハ判然タリ
各種岩石ノ累層ハ砂岩頁岩其大部分ヲ成シ下底部ニ石炭床ヲ夾ミ礫岩ハ其上部ニ現ハレ砂岩頁岩
ト互層ス全岩層ノ厚サハ二百米乃至三百米ヲ越エサルヘシ
其層位ハ稀ニ十度以下ノ緩慢ナル波狀褶曲ヲ成スニ止リ通常ハ殆ント水平ニシテ全體トシテ東ニ
五度以內ノ緩斜ヲ成スノミ片麻岩其他之ヨリモ古期ノ諸岩層ニ接セル邊緣ニ於テノミ擾亂ヲ被リ
急峻ナル傾斜ヲ成スコトアリ
侏羅層ノ分布地域ノ境界ハ布爾巴通河北三四里ノ處ヨリ起リ起リテ海蘭河ノ南三里乃至五里ニ及
ヒ東西約九里南北約八里ノ間ハ該層ヨリ成リ三道溝太拉子鍾城間島會寧間島ニ或ハ連續シ或ハ斷
絕シテ邱陵地トシテ存在シ尙東北ニ延ヒテ艾河及ヒ穩城間島ニモ小區域ノ露頭アリ
此ノ中央窪地ハ布爾巴通流域ヲ北崗ト呼ヒ海蘭河上流頭道溝附近ヲ西崗ト呼ヒ其下流ヲ南崗ト呼
フヲ以テ今全窪地ヲ總稱シテ三崗窪地ト呼フヘシ
西崗ノ侏羅層ハ四道溝口ノ河流ニ沿ヘル斷崖ニ砂岩頁岩及礫岩ノ互層露ハレ波狀ノ緩慢ナル褶曲
ヲ示ス外地形ニ從ヒテ其緣邊ノ境界ヲ知ルニ止リ之ヨリ片麻岩ノ邱陵ヲ隔テテ三道溝ノ土山峴ヨ
リ轉心湖ニ連レル小區域アリ石炭床ヲ夾ミ略ホ東西ニ近キ走向ヲ有シ層位ハ片麻岩ニ接近セル處

頗ル擾亂ヲ被リテ四十度以上ニ傾斜セル所アリ

三道溝靑山里ノ侏羅層ノ露出ハ河流ノ左岸ニ沿ヒタル段階狀邱陵地ノ斷崖南部ニ一露出アリ此東ニ向ヒ緩斜セリ該層ハ北部ニ於テ洪積層(?)ノ爲メニ被覆セラル

北崗ニ於テハ老頭溝炭坑ニ於テ東ニ十度計リ緩斜セル砂岩頁岩ノ互層アリ其上ヲ被覆シテ二十米以上ノ礫岩ノ厚層アリ銅佛寺ノ西北ナル河崖ニモ砂岩頁岩ノ互層東ニ緩斜セルモノ露ハレ邱隅地ハ北ヨリ流レ來ル太平溝朝陽河等ノ支流ニ横斷セラレツツ局子街ノ北ニ及ヘリ

南崗ハ東梁ノ北ヨリ關門咀子ニ至ル片麻岩ノ連嶺アリヲ西崗トノ間ノ境界ヲ成シ東盛湧街ノ西北ヨリ其東北ニ至ル間海蘭河左岸ノ斷崖ニ侏羅層ノ好露頭アリテ該層全體トシテ東ニ緩斜スル事實ヲ示セリ

南崗ノ南ニ延ヒタル太拉子(和龍峪)ノ北ニモ六道溝ノ右岸ニ殆ント水平ノ侏羅層ノ露頭アリ

會寧間島甑山洞ノ豆滿江岸ニ砂利層下ニ侏羅層存在シ石炭床ヲ夾メリ其傾斜緩漫ニシテ十度ヲ踰エス

侏羅ハ岩層此ノ如ク脆弱ニシテ殆ント水平層ヲ成スヲ以テ其結果トシテ該岩層ヨリ成レル東間島東部ノ中央部ニ緩漫ナル邱陵ト廣濶ナル溪谷ノ平地トヲ生シ邱陵亦タ陂陀トシテ波狀ノ平坦面及緩斜面ヲ有シ周圍ノ右期岩層ヨリ成レル連山列嶂波濤ノ如キ山嶽地ト全ク面目ヲ異ニシ會寧ヨリ豆滿江ノ峽谷ヲ涉リ兀良哈嶺ヲ踰エテ東間島ニ入ルニ當リ局面一變シテ開豁ナル地勢トナルヲ覺

ユルハ即チ此佚羅層ノ發育セルニ職因シ豆滿江ノ幹流ニ沿ヘル會寧穩城琿春等ノ比較的廣濶ナル平地ヲ有シ大都邑ノ發達セル處亦タ佚羅層ノ賜ニシテ間島ノ住民ノ該邱陵地ヲ呼レテ平崗ト云ヒ南崗西崗北崗ノ名稱ヲ生セルモ亦偶然ニ非ス

(五) 第四紀層

近生代ニ屬スル岩層ニハ第三紀層ヲ缺キ唯第四紀層アリ現時溪谷ノ底部幷ニ其段階ニ推積シテ平坦面ヲ作リ間島ノ農産ニ富ムハ該岩層ノ比較的ニ廣濶ナルニ因ル

第四紀層ハ主トシテ冲積層ニシテ礫砂利、細砂、粘土等ヨリ成リ其推積ノ狀態ヲ見ルニ大抵近傍山嶽邱陵ヨリ流レ出タル崩壞物ニシテ海蘭河溪谷西崗及南崗ノ如キ廣キ平地ニ在リテハ礫砂利少クシテ砂質粘土ヨリ成リ膏腴ノ土壤ヲ供ス但シ側邊ニ細流ノ注入スル所謂河扇ノ部分ニハ礫砂利ヲ雜ヘ現河床ニハ礫砂利多キハ勿論ナリ

三崗邱陵地ノ細流ハ時トシテ佚羅紀砂岩層ノ間ヨリ平地ニ出テ其崩壞セル砂ヲ流下セルモノアリ之カ爲メニ局部ニ多量ノ砂ヲ含ム處ヲ生スルコトアリ

冲積岩ノ成分ハ間島ヲ通シテ大差ナク片麻岩花崗岩等ノ溪谷ト佚羅層ノ溪谷トニ於テ略ホ同一ナリ是レ佚羅層亦古期岩層ノ崩壞物ノ推積層ニ外ナラサルニ因ル

表積層即チ現地推積層 Luvial Deposit ト看做スヘキモノ山嶽邱陵ノ半腹及麓ノ緩斜面ニ之アリ地盤ノ岩石破片其崩壞セル土壤ヨリ成リ片麻岩及花崗岩ハ殊ニ此種ノ推積物ニ富メリ雪崩ハ間島ノ山

獄地ニ於テ普通ノ現象ニシテ此ノ如キ表積層ノ崩落ヲ促スモノトス

(六) 玢岩

片麻岩及古期ノ岩層ヲ貫ケル脈岩トシテハ黯灰色乃至黯綠灰色ノ岩石アリ斜長石ノ斑晶ノ散點スルヲ認ム未タ顯微鏡下ニ檢定セサルヲ以テ姑ク玢岩トシテ之ヲ記載スヘシ

其天寶山ニ現ハルルモノハ黯灰色ノ石基ニ斜長石ノ斑晶ヲ散點スル堅緻ノ岩ニシテ閃綠岩質ノ花崗岩及變性粘板岩層ヲ貫通スルモノナリ

會寧間島上水衙ニ於テ豆滿江ノ河崖ニ露ハルルモノハ黯綠色緻密ノ岩石ニシテ肉眼ニテ斜長石ノ細晶ヲ僅カニ認メ得ヘシ輝綠岩又ハ輝綠玢岩ナルヘシ該岩石ハ石英脈及硫化鑛ヲ鑛染セリ

(七) 安山岩

間島ニ現ハルル新火山岩ニハ安山岩及玄武岩アリテ安山岩ハ比較的小區域ナリ

安山岩ハ灰色緻密ノ岩石ニシテ時ニ角閃石ノ柱狀斑晶ヲ散點ス

三道溝青山里ノ南ニ山塊ヲ成セルモノ最モ著シク牛心山ハ三道溝ニ於ケル最モ著シキ尖峰ニシテ恐ラクハ角閃安山岩ノ一山塊ナルヘク玄武岩ニ伴ヒテ之ト相前後シテ噴出セルモノナリ

長白山系ノ高原上ニモ角閃安山岩ハ無頭峯附近其他ノ地ニ現ハレ赤岩ノ紅色凝灰熔岩ハ同シク安山岩ナルヘク白頭山錐ヨリ噴出シテ周邊ニ散布堆積セル輕岩ハ亦安山岩質ナルヘク露人アーチルト氏ノ地質圖ニ白頭山四近ニ粗面岩トシテ描色セル數多ノ露出モ盖シ亦皆ナ安山岩ニ屬スヘシ此

ノ場合ヲ考フルニ安山岩ハ玄武岩ヨリモ後レテ噴出シ白頭山火山錐ハ亦タ該噴出ノ結果ニ外ナラサルヘキナリ

此他ニ灰色ノ火山岩アリ著シキ覆鍾狀又ハ鋭尖ナル火山岩塊ヲ作レルモノ三崗ノ中間馬鞍山、帽兒山等ニ現ハル未タ顯鏡下ニ檢定セサルヲ以テ其岩質ヲ詳ニセス恐ラクハ安山岩ナラン

帽兒山殆ト完全ナル覆鐘狀火山塊Cpnoltaヲ成シ南北ニ延長セル頂上鋭尖ナル峯ヲ成シ柱狀及板狀ノ節理ニ富メル灰色ノ岩石ヨリ成レリ其北ナル三山峰及銅佛寺ノ南方邱陵ニモ各同種ノ岩石ヨリ成レル山塊アリ何レモ柱狀石節理ヲ有セリ

此ノ火山岩ハ侏羅層ヲ貫キテ單調平滑ナル三崗邱陵ノ上ニ鋭尖ナル峰ヲ成シテ屹立スルヲ以テ其小山塊ナルニ關ハラス好目標トシテ附近ニ於テ著名ナリ

(八)玄武岩

北韓ヨリ滿洲東北部ニ彌リテ廣大ナル地域ヲ占ムル新火山岩ハ玄武岩ニシテ間島ニ於テモ其分布頗ル大ナリ

玄武岩ハ黯灰色乃至墨色緻密又ハ粗鬆ノ岩石ニシテ白色微細ノ斜長石晶體ハ辛フシテ肉眼ヲ以テ之ヲ認メ得ヘシ玄武岩現出狀態ハ熔岩流トナリテ臺地狀ノ地形チ成スヲ常トス北韓ニ於テ坪又ハ德ト呼フ形ハ主トシテ該熔岩原ナリ柱狀及板狀節完全ニ發達シ山上ニ河崖ニ河床ノ段階地ニ其露出常ニ良好ナリ

玄武岩ノ分布ヲ視ルニ茂山會寧兩間島ニ亘リテ豆滿江沿岸ニ多ク且上流ニ溯ルニ從ヒテ倍著シク長白山系ノ最高部タル白頭山方面ヨリ東北ニ向ヒ流レタル熔岩現レ豆滿江ト略ホ同一ノ經路ヲ有セル噴出當時ノ豆滿江溪谷ニ沿ヒテ流レタルモノト想ハシムルモノアリ而シテ該熔岩流ハ一回ニ非スシテ幾次モ長キ日月ヲ隔テテ流レタルモノナルハ江邊ニ數十米ヲ隔テタル段階地ヲ成セルニヨリ之ヲ推知スルニ足レリ一熔岩カ數十里ノ長距離ヲ流下シ得タルモノナルヤ否ヤハ一問題ニシテ或ハ噴出ノ中心必スシモ白頭山附近ニノミ限ラレタルニ非サルヘシトノ疑アルモ少クモ茂山ヨリ會寧ニ至ル間ノ玄武岩流ハ其根源ヲ近傍ニ求ムル能ハス大坪(即チ大德)ノ熔岩高原ハ海拔八百米ニ達シ豆滿江河床ヨリ約四百米ノ高處ニ位シ其延長數里ニ亘レル一望茫々タル平地ニシテ今回踏査セル熔岩流中最モ大ナルモノナルモ而カモ熔岩流出ノ中心又ハ根源ト認ム可キモノヲ看出サザリキ

玄武岩ハ白頭山ヨリ東北ニ延ヒテ平頂山ヲ成スルモノノ如ク又布爾巴通河以北ノ山地ノ平頂ナルモノモ亦玄武岩ヨリ成レル熔岩高原ナルヘシ

大坪高原ニ於テ觀察セル所ニヨレハ玄武岩ハ海拔約八百米ノ臺地ヲ成スモノ既ニ地味濕潤ニシテ森林并ニ耕作ニ適セス是ヨリモ高處ヲ占ムルモノニ至リテハ林木ハ若干年生長ノ後風ニ吹キ倒サレ大樹ニ生育スル能ハスト云フ平頂山ノ如キ其山腹ノ斜面ニ針葉樹ノ密生ヲ認ムルモ山頂ハ如何ナル林相ヲ呈スルヤ踏査ノ必要アルヘシ

第二節　地質ト地勢及地味トノ關係

間島ノ地勢ハ既ニ述ヘタルカ如ク地質ト密接ノ關係アリテ其中央部ノ廣濶ナル平地及邱陵地ハ主トシテ中世代侏羅層ニ屬スル地域ニシテ山間ニモ大拉子土山子三道溝ノ如キ耕作ニ適スル原野ハ亦侏羅層ノ露出アリ

此ノ如キ平坦ナル地勢ハ侏羅層カ原ト片麻岩ノ比較的低平ナル窪地ニ沈積シ其後大ナル變動ヲ受ケスシテ岩質ノ粗鬆輭弱浸蝕作用ヲ被リ易キニ因リテ生セルモノナリ而シテ其地味ハ通例粘土質壚埴質又ハ砂質ニシテ通例表土深ク溪谷ハ下底ニ礫層アリテ地下水ノ疏通良好ナルヲ以テ耕耘ニ適シ沃饒ノ耕地タリ

之ニ反シテ片麻岩其他ノ是ヨリモ古期ノ諸岩層ハ高峻ナル山嶽地ヲ成シ溪谷狹隘ニシテ且ツ河道ニハ其流礫多ク豆滿江ノ如キ大河流ト雖モ峽谷ヲ流レ平地及段階ノ面積甚タ狹少ナリ會寧鍾城穩城琿春等ノ地方亦皆ナ侏羅層ノ多少發育セルニ伴ヒテ存スル平地アルノミ

新期噴出ニ係ル火山岩亦タ特異ノ地勢ヲ呈シ安山岩ハ帽兒山馬鞍山牛心山等ノ尖峰ヲ作リ玄武岩ハ山嶽ノ最高部及ヒ豆滿江ノ流域ノ段階地ヲ蔽ヒテ高原及臺地ヲ成シ一種特異ノ平坦面即チ北韓ニ於テ所謂坪(又ハ德)ヲ成ス然レトモ此等ノ臺地ハ疏水不充分ニシテ地味劣等ナリ現ニ大德ノ如キハ會寧間島ニ於テ最大ノ平地ナルニ關セス全ク棄却セラレシ荒漠タル草原ナリ

第三節　地質ト鑛床トノ關係

間島ニ於テ現ニ知ラレタル有用鑛物ハ金銀、銅鐵石炭ニシテ金鑛床ヲ含有スル岩層ハ片麻岩花崗岩等ノ古期岩層ニシテ石英脈ヲナシ其崩壞セルモノ河流ニ礫砂利砂土等ト共ニ堆積シテ砂金鑛ヲ成スモノトス故ニ現ニ採取セラレタル外ニモ金鑛ハ尚ホ各處ニ現存スルモノナリ

銀銅鐵ハ何レモ主トシテ古期噴出岩ト古期水成岩トノ接觸部ニ存スルモノノ如ク其產地ハ比較的少量ナリ

石炭礦ハ侏羅層ノ下部ニ夾在シ現ニ開堀セルモノハ多クハ古期岩層ニ接セル狹隘ナル地形ノ處ニシテ炭質亦タ劣等ナリ將來更ニ開豁ナル邱陵地ニ於テ發見サルルニ非サレハ大炭用ノ發育ヲ望ムヘカラス侏羅層ニハ之ヲ貫通セル噴出岩ナク金屬鑛床ヲ含マサルモノノ如シ

玢岩ハ會寧間島ニ小露頭アリテ其溫泉作用ヲ被レル處ニ鑛脈ヲ胚胎セルヲ認メタリ該脈岩ハ注意スヘキ價値アルモ尙ホ其露頭ヲ發見スルコトノ稀ナル遺憾ナリトス

安山岩及玄武岩ハ之ニ反シテ共ニ溫泉作用ノ痕跡ナク侏羅層中ノ安山岩ノ如キモ鑛脈ヲ胚胎セス殊ニ玄武岩ハ大低遠隔ノ噴出中心ヨリ流下シ來レリ熔岩流ナレハ其露出ノ地ハ直接ニ地下深處ニ通スル裂罅アルニ非ス從テ岩脈鑛伴ハサルモノトス新期噴出岩トシテ最モ廣大ノ地域ヲ占ムル玄武岩ノ現出狀態旣ニ此ノ如ク最モ鑛床ヲ伴フコト多キ石英粗面岩石英安山岩等ニ至リテハ之ヲ發見スル能ハサルヲ以テ我邦ニ最モ普通ナル新期噴出岩ニ伴フ金屬鑛床ノ間島ニ於テ發見セラルル

ハ蓋シ稀ナルヘキナリ

附　地質圖解說（第一圖第二圖參照）

今回ノ調査ニ基キテ調製セル地質圖ハ圖上ニ示セル旅行線路以外ノ地方モ「アーネルト」氏滿洲地質略及金原信泰氏咸鏡道地質圖ヲ參照シテ其概略ヲ塗色セリ

圖上ニ點線ヲ以テ示セル地質境界及岩層符號ノ右ニ疑標（?）ヲ附セル部分ハ何レモ地形ニ又ハ推測ニ依リテ劃セルモノニ係リ實地ノ調査ニヨリテ確定ヲ要スヘシ

布爾巴通河ノ東北部ハ（アーネルト）氏ノ地質圖ニ據リタルモ其旅行線路附近ハ地形ニ誤謬アリテ本圖ト符合セサルモノアリシモ姑ク之ヲ塗色セリ

東梁及咸朴洞ノ千枚岩ハ花崗岩及片麻岩トノ區劃判然タラサルモノアルヲ以テ其概略ヲ圖シ咸鏡道地質圖ニ連接セシメタリ

此他地質境界ノ不明ナルモノアルハ初期豫察事業トシテ已ムヲ得サルモノニシテ今回調査ノ時日短ク十一月中旬以後積雪山野ヲ蔽ヒ野業ヲ中止セル事情アリ將來更ニ確定改訂ヲ要スルモノ多キモ姑ク本圖ニヨリテ岩層分布地域ノ大勢ヲ示サントスルモノナリ

第四章　鑛產

東間島東部ノ有用鑛物ハ左ノ諸種ヲ含メリ

金鑛

銀鉛銅鑛

鐵鑛

石炭鑛

石灰陶土甎土及石材等

其中最モ重要ナルモノハ金銀銅石炭ナレハ是等鑛物産ノ調査ヲ主トセリ

金ハ主トシテ砂金ニ屬シ其産額ハ今茲ニ窺知スルコト難カルヘキモ恐ラク年産額三萬圓乃至五萬圓ニ過キサルヘク銀ハ銅ト共ニ天寳山鑛山ヨリ之ヲ産シ鐵ハ二三ケ所ヨリ産シ農具及釜製造ノ原料タリ然レトモ其産額極メテ小量ナリ褐炭ハ老頭溝、土山子、轉心湖等ヨリ産出シ燐鍋(高粱酒即チ燒酎蒸溜用温突燃料ニ供セラルルニ過キス其需用遍カラサルヲ以テ年産額二萬圓内外ニ過キサルヘシ之ヲ要スルニ當時間島ニ於ケル鑛業ハ尤モ不振ノ狀態ニアリテ鑛産額ニ於テ僅々總額拾萬圓内外ニ過キサルモノト臆測セラル此ノ如ク鑛業ノ不振ナルハ清韓人共ニ間島ニ移住スルノ日淺ク有利ナル開墾耕作ニ從事スルモノスラ憂少ナル際ニシテ勞力ノ足ラサルコト其一ナルヘキモ間島鑛業權確實ナラスシテ清國官憲鑛山開掘ノ利ヲ壟斷セントシ外國人ハ勿論支那人ノ資金ヲ有スルモノモ容易ニ手ヲ下ス能ハサルノ事情モアルヘク、天寳山ノ如キハ幼稚ノ思想ヲ以テ資本ヲ投シ設備ヲ大ニシテ事業ニ失敗シ加フルニ明治三十三年義和團ノ兵亂明治三十七八年露軍ノ侵入暴掠等ニ人心尚ホ不安ノ狀態ニ在リ此等諸種ノ原因ヨリ鑛業ニ幼稚ナル支那人ノ射利心ヲ痲痺セシメタルモノ小ナラサルヘシ蓋シ鑛產ノ調査開發ト鑛業家ノ利益ヲ保障スヘキ行政組織ノ確定ト相俟タハ鑛業振興ヲ見ルヘキ望ナキニ非ルヘキナリ

第一節　金鑛

金鑛ハ鑛脈トシテ存スル山金竝ニ沖積層中ニ成層セル砂金ト共ニ之アリテ其產地ハ何レモ片麻岩花崗石千枚岩等ノ古期岩層ノ地域ニ限ラレタリ而シテ山金ハ從來發見セラレタルモノ少ク東間島東部ニテハ蜂蜜溝ニ止ルト雖モ該鑛床ノ性質片麻岩中ノ石英脈トシテ存スルモノナレハ之ト同種ノ鑛床ハ尙ホ其產地ニ乏シカラサルヘク此地ニ東間島西部ノ西界ニハ夾皮溝アリ松花江東支ノ上流諸河床ニ砂金鑛アリ左ニ調査セル產地ニ就キ實況及將來ノ見込ヲ報告シ此等未踏查地ニ關スル旅行者ノ所見ヲモ附記スヘシ

一、蜂蜜溝砂金地及金鑛(附圖第五圖參照)

東間島東部ニ於テ稍盛ニ稼行スル金鑛山ハ海蘭河上流ノ二道溝ヨリ其支流蜂蜜溝ニ至レル砂金鑛ナリ而シテ主要ナル部分ハ蜂蜜溝ニ在リ蜂蜜溝ノ名天寶山銀鑛ト共ニ東間島東部ニ於テ最モ著シキヲ以テ便宜上蜂蜜溝金鑛地ト呼フヘシ

一、位置及地勢　蜂蜜溝金鑛地ハ頭道溝街ヲ西々南ニ距ル約八里ニアリ二道溝河流ニ沿ヒ西スルコト約三里ニシテ狹隘ナル溪谷ニ入リ馬車ヲ通スル一條ノ道路ハ二道溝幹流ニ沿ヒ河流ヲ縫ヘル比較的ニ平坦ニシテ南ニ向ヒ轉シテ西南ニ向ヒ蜂蜜溝ノ溪ニ入リテ稍險惡トナル而シテ窩集岺ヲ踰ヘ

テ東間島西部ニ通スル道路ハ溪谷ノ方向南ニ轉スル地點ヨリ約一里ノ地ヨリ西ニ向ヒ分岐セリ
兩側ノ山嶽ハ河床ヨリ高キコト二百乃至三百米ニシテ急斜面ヲ以テ谷ニ向ヘルモ溪底ハ平坦ニシ
テ其幅五百米内外アリ耕作ニ適スル原野ナリ然レトモ現今ハ韓人及支那人家屋處々ニ點在スルニ
止リ過半ハ荒蕪地タリ近傍山岳ニハ主トシテ楢樹ヨリ成レル濶葉樹ノ疎立林アリ蜂蜜溝金鑛山ノ
邊ニ至レハ針葉樹（杉松即「樅」ノ一種）ヲ雜ヘ海拔千米以上ノ山上ハ針葉樹ノミノ森林アリ窩集岺ノ名
ノ由テ來レル是ニ在リ木材及薪炭ニ豐富ナリ

二、地質　附近山岳ハ花崗片麻岩Graniticgneissヨリ成リ黑色ノ角閃片麻岩之ニ交互シテ層理狀ヲ呈シ
其走向ハ北々西、南及東乃至西、々北東々南ニ走リ傾斜ハ北部ニ於テ南ニ二十度乃至三十度ヲ示シ蜂
蜜溝ニ於テハ北ニ三十度内外ノ傾斜ヲ示セリ
山麓ノ緩傾斜面及河床ハ其流礫岩屑及土砂推積層ヨリ成リ地形ニ從ヒ其厚サハ一樣ナラス

三、砂金鑛床　砂金ノ採掘ハ幹支合流點下約半里ノ處ヨリ始マリ合流點ヨリ蜂蜜溝河道ニ沿ヒ鑛務
局ノ所在地ヲ經テ更ニ其南約三百米ノ上流ニ至リ含金石英脈ヲ採掘セル舊坑ヨリモ尙半里餘上流
ニ及ヒ合流點附近ノ如キハ最モ豐富ナリシモノノ如ク採掘ノ跡ハ恰モ蜂巢狀ヲナシ當時ノ盛況ヲ
察知スルニ餘アリ
二道溝幹流ニアリテハ主トシテ其左側即西側山麓緩斜面ニ於テ採掘セル跡アリ蜂蜜溝溪谷ニ入リ
テハ河床ノ殆ント全幅ヲ掘リ返シ其全長約千米ニ及ヒ其幅ハ狹キ處百米内外ナルモ三四百米ニ廣

カル處アリ砂金採掘跡ハ面積十萬坪乃至十五萬坪ヲ下ラサルヘキナリ

砂金鑛床ハ現時ノ河床ヲナセル砂礫層及兩岸山腹ニ斷續シテ遺レル舊河床砂礫層ニシテ其底磐ハ主トシテ片麻岩ヨリナレリ

含金層ハ河床ヨリ掘下スルコト十二尺乃至二十五尺地下ニ於テ厚サ四五尺ニ達スル一層ニ掘リ當ルモノニシテ踏査ノ際稼行シツツアリシ鑛務局南ノ採掘地ニ於テハ約十五尺ノ礫層ヲ開掘セル斷崖面ノ下底ニ平均五尺ノ含金層アリ上部ノ礫層ハ岩層及流礫ヲ含メル黑色ノ土砂ニシテ多量ノ硫化鐵鑛及磁硫鐵鑛砂ヲ含ミ下部ノ含金層トシテ採掘スル部分ハ硫化鐵鑛ノ分解シテ褐鐵鑛トナレルモノ多クシテ黃褐色ヲ呈スル土砂ニ岩屑流礫ヲ含ムモノナリ

四、採取法　東間島東部ニ於テ行ハルモノ「岡掘」「橫掘」及「換掘」ノ三法アリ「岡掘」ハ河側ノ畑地沿岸砂礫地ニ見ルモノニシテ十尺乃至二十尺掘下ケテ含金層ニ達シ之ヲ開掘淘汰スルモノナリ而シテ孔內ニ湧出スル地下水ヲ排水スル爲メニ河ノ下方適當ノ地點ヨリ岡掘ヲ試ムル所ニ至ルマテ底幅二三尺ノ溝渠ヲ開掘シ其兩側ニ石垣ヲ積ミ兩側土砂ノ崩壞ヲ防ク排水溝ヲ作ルコトアリ是レ本邦內地ニ於テ所謂「尻拔」ナリ水量少キ處ニ於テハ之ヲ設ケスシテ孔內ヨリ汲上ケテ排水スルコトアリ

橫掘ハ「加背」ノ大サ四五ノ橫孔ヲ設ケテ含金層ヲ稼行スル方法ニシテ表土厚ク岡掘ニテ開掘シテ收支相償ハサルカ冬季氷雪ノ爲メ野外ノ採業ヲ試ミ能ハサル場合ニ行フモノニシテ含金層ニ達セル溝道ヨリ掘進ミ又斜坑若クハ竪抗ニ依リテ含金層ニ達シテ後之ニ沿ヒテ掘進スルモノナリ

換掘ハ河床ノ流礫ヲ利用シテ河床ニ積ミ堰ヲ作リ河水ヲ一方ニ流シ河床ノ砂金ヲ採取スル方法ナリ

三道溝二道溝等何レノ砂金採取ヲ見ルモ三法ヲ併用セリ現ニ採掘スル鑛務局ノ南ニ於テハ下流ヨリ次第ニ掘進シテ成レル深サ二十五尺ノ排水溝アリテ其上端ヨリ數十間ニ亘リテ採掘中ノ厚サ四尺乃至六尺ノ含金層露出セル深サ八尺乃至十尺ノ溝アリ調査ノ當時ハ十一月中旬ニシテ已ニ寒冷ナリシヲ以テ「横掘」ノミヲ行ヒツツアリ溝側ヨリ西々北ニ向ヒ掘進シ約五間ノ「引建」ヨリ土砂ヲ採リ二輪車ニテ之ヲ坑外ニ運搬シ幅四尺長サ八尺許リノ木板製臺上ニ積ミ溝底ニ通スル水流ヲ潴溜シ淘汰シツツアリキ

淘汰法　極メテ粗笨ニシテ水流ニ幅一尺五寸長六尺深サ六寸ノ木製筧狀ノ「流板」(一名斗ト稱ス)ヲ据エ水ヲ筧ノ上口ヨリ流シ含金土砂ヲ筧ノ上口ニ投入シ絶エス小把子大把子ト稱スル木製ノ熊手ニテ水流ト反對ノ方向ニ含金砂ヲ搔キ上ケツツ殘レル大礫ハ「熊手」ニテ溝側ノ中段ニ投ケ上ケ含金多キ重砂ヲ「流板」ノ底面上ニ沈澄セシメ後之ヲ淘汰盆(金兒簸箕第十三圖)ニヨリ砂金ヲ搖リ出スモノトス水流ヲ加減センタメ筧ノ上口ニハ草把兒(或ハ竹子)ヲ置キ絶エス水量ヲ適宜ナラシム

五、砂金鑛床採掘ノ沿革及現況　砂金鑛床ノ發見ハ光緒二十三年(明治三十年)ニシテ二道溝ノ下流ヨリ初マリ次第ニ上流ニ採掘シ同二十五年現詩鑛務局ノ所在地ナル蜂蜜溝ノ上流ニ達セルモノトス發見後一時盛況ヲ呈シ翌二十四年頃ニハ二千餘人ノ採金夫アリ二十五年ニハ一千餘人或ハ四千七百人アリ其ノ後年々減少セルモ今尙陰曆六七月ノ頃ニハ二三百人ノ採金夫アリ其全部ハ山東省ノ出稼人ニシテ陰曆十一月結氷後ハ去リテ鄕里ニ歸ルモノトス開始ノ當時ハ鑛務總辨ハ胡魁福ト呼ヒ統領胡殿甲ト同姓ナルヲ以テ魁總辨ト通稱セリ光緖二十七年ニ至リ程光弟ノ所管ニ歸シ現今ハ其派出セル梁輸ナルモノ在住監督ス採金夫ハ盛大ノ時ニハ三十人五十人八十人等ノ團體ニ一把頭アリテ採金夫ニ食料住居ヲ給シ其採取砂金ヲ集メ半ケ月每ニ精算シテ利益ニ應シテ分配スルモノナリ

砂金販賣地ハ頭道溝街及吉林省城ニシテ砂金一兩ノ價格明治三十九年ニハ百二十吊(四十八元)明治四十年ハ百吊(四十元)ナリ各個採金夫ハ每月稅金トシテ二吊文(八十錢)ヲ程光第ニ納ム

踏査ノ當時就職セル採金夫ハ鑛務局常傭抗夫ノミニシテ二三十人ニ過キス其一ケ月賃金ハ二十五吊文乃至三十吊文(十元乃至十二元)ニシテ傭主ノ給養ヲ受ク就業ノ時期ハ陰曆四月ヨリ九月マテ六ケ月ニ止リ十月ニ至レハ氷結スルヲ以テ淘汰ヲ休止スルモノニシテ雇人ハ十月ニ至リ解傭シ唯横坑々內ニ於テ每五人ヲ一班トシテ採金スルモ其收金一日僅ニ約五分(一兩ノ二十分ノ一)ナレハ唯食料ヲ購ヒ糊口ニ充ツルノミナリ

砂金標本ハ採金夫散亂ノ後ナリシヲ以テ之ヲ見サリシモ盛大時ニハ一個百七十匁ノ大塊ヲ出セルコトアリ

七、採掘衰頽ノ理由產額及將來ノ見込　三道溝砂金鑛業ノ一時盛大ニシテ多數ノ採金夫四方ヨリ集リタルモノ假ニ衰頽セル主要ナル理由ハ光緒二十六年(明治三十三年)義和團匪ノ亂ナリト云ヒ其後モ年々採金夫集リ來レルモ亦以前ノ景況ヲ恢復スル能ハス引續キテ露兵ノ占領地トナリ以テ今日ニ至レルモノトス然レトモ掘跡ヲ見ルニ下流ヨリ始メテ二道溝幹流ヨリ蜂蜜溝ノ溪谷ニ入リテ一時ニ好況ヲ呈シ採金夫四方ヨリ雲集セルモノニシテ有利ノ部分ハ一兩年間ニ掘リ荒サレタルヘク現今ハ亦舊時ノ如キ富有ナル含金層ニ掘リ當ラサルモノト推測セラル

現今ニ至ルマテノ産額ハ之ヲ詳ニシ難キモ採金夫ノ數ヨリ推算スルニ貳拾萬圓乃至四拾萬圓ニ達セルナラン

此砂金鑛床ハ現今既ニ良好部ヲ採リ盡セルモノニシテ其殘餘ノ部分ハ今後尚ホ少數採金夫ノ稼行ニ値スヘキモ再ヒ大規模ノ鑛業トシテ企劃スルニ足ラサルヘキナリ然レトモ地質及鑛床ノ關係上此附近ノ溪谷ニハ他ニ含金層ヲ有スル沖積層ノ發見セラルヘキ望アルヲ以テ廣ク探鑛スルノ價値アリトス

八、金鑛床ハ片麻岩中ニ存スル石英脈ニシテ其走向及傾斜片麻岩ノ片狀石理面ニ並行シ西々北東々南ニ走リ北三十度內外ノ傾斜ヲ示スモノノ如ク溪谷ノ西側ニ存在シ數條並走スルモノアリテ其二條ニ就テ開坑シタリ坑內下底水ニ沒シテ之ヲ窺フ能ハサルモ其厚サハ二尺乃至四尺ニ及ヘルモノノ如シ片麻岩中ニ存スル石英ノ常態トシテ其含金量ハ甚少クシテ廢鑛中ヨリ採集セル標本ニ就キテ分析ヲ施行セルニ金銀共ニ痕跡ヲモ發見セス唯舊精錬所鑛尾ノ黃鐵鑛及磁鐵鑛ヨリ成レルモノ

ヨリ左ノ成績ヲ得タリ

金	百分中	〇・〇〇七四	
銀	百分中	〇・〇〇五〇	

九、山金採掘法　溪谷兩側ニ於テ稼行セル狀況ヲ見ルニ横坑及坑井ヲ開キ殊ニ東側ニ於テハ約百米間ニ坑口及坑井ヲ六七ケ所開キ二條ノ鑛脈ヲ追ヘルモノニシテ上部ノ一條ハ下部ノ坑中ヨリ掘進シテ上部ノ横坑ノ下底部ニ貫通セリ西側ニ於テモ山麓ニ坑井アリテ淺キ支谷ノ上部ニ至ルマテ三四ノ坑口ノ跡アリ坑道ハ大約幅五尺高六尺ノ枠ニシテ天井及側壁ニハ板ヲ用ヒテ鏑押シニ屈曲シテ掘進シタルモノナリ東側上部ノ一坑ハ内部ニ於テ左ニ下ケ一支坑ヲ設ケ約六尺ノ下側ヲ並進シ採鑛セリ坑内土砂崩壞シ坑井水ニ沒シテ何レモ鑛脈ノ露出面ヲ窺フ能ハサリキ

十、精練法　北支那ニ行ハルル山金精練ノ常套ニ從ヒ脈石中ヨリ比較的良好ナル部分ヲ撰鑛シテ之ヲ焙燒熱灼シテ水ヲ注キテ脈石ヲ龜裂セシメ然ル後石磨ノ上ニ石ヲ碾轉シテ粉鑛トナシ之レヲ「ネコ」ヲ用ヒサル「流シ」ニ掛ケテ硫化鑛分ニ富メル重キ鑛砂トシ簸子若クハ金兒簸箕ト稱スル木製淘汰盆（第十三圖）ニテ淘汰シテ黄硫鐵鑛及磁鐵鑛ヲ夾雜セル金分約七十五ノ金砂ヲ得ルモノトス

精練法此ノ如ク甚タ幼稚ナレハ表部ノ硫化物ノ分解シテ金分比較的容易ニ分離シ得ヘキ部分ニハ或ハ相當ノ收金アリシナランモ「ネコ」ヲ用ヒサレハ金ノ微粒ハ淘汰ノ際ニ多ク流失スヘク混汞法其他ノ精練法ニ依ラサリシヲ以テ含金ノ大部分ハ流失セルモノト認メラル

該坑ハ程光弟ノ企業ニ係リ開掘ハ光緒二十七年ニ起リ二十九年ニ至リ收支相償ハスシテ中止セリ

稼行中ハ坑夫四十人乃至五十人ヲ使役セリト云フ

該金鑛床ハ前述ノ如ク鑛脈ノ含金率低クシテ稼行約三年ニシテ數百噸ノ鑛石ヲ精練セルモ收支ヲ償ハスシテ今ハ廢棄セリ蓋シ獨リ鑛脈含金率ノ低カリシノミニ非ラスシテ收金法ハ不完全ナルニモ職因セルナリ近傍ニハ此他ニ尙石英脈ノ露頭アリト云ヘハ探鑛シテ更ニ豐富ナル鑛石ヲ得テ進歩セル精練法ヲ用ヒナハ好結果ヲ得ヘケンモ現ニ採掘セル鑛床ハ多大ノ望ミヲ屬スヘキモノニ非ス

(二) 三道溝砂金地(附圖第六圖參照)

前述ノ二道溝河流東南ニ隣接シテ三道溝河流ニモ砂金地アリ

一、位置地勢及地質　頭道溝街ヨリ西々南約二里半ニシテ三道溝河流ノ邱陵地ヨリ峽流トナリテ平地ニ出ツル所ニ達シ是ヨリ河ニ沿ヒテ屈曲シテ峽谷ヲ過クレハ比較的開放セル土山幌ノ平地ニ出ツヘシ附近ノ山岳ハ海拔五百米內外河床ヨリ三百米以內ニ過キスシテ其一部ハ邱陵狀及段階狀ヲ呈セル侏羅紀夾炭層ヨリ成レルモ兩側ノ急斜面ヲ呈セル稍高キ山岳ハ片麻岩及花崗岩ヨリ成リ含金冲積層ハ主トシテ其流礫及土砂ヨリ成レルモノナリ

二、採堀地　ハ土山幌平地ノ北端迫リテ峽流トナル處ヨリ始マリ中央部ノ最モ幅廣キ處ニ至ルマテ約二千米ニ亘リ其幅ハ一定セサルモ二三百米ニシテ總面積約十萬坪ナリ土山幌ヨリ南ニ當リ河流ノ再ヒ峽流トナル處ニ亦採堀跡アルモ其面積ハ一萬乃至一萬五千坪ヲ出テス

尙三道溝溪谷ヨリ西シ張子溝ノ北ヲ越エ東南岔砂金地ニ出ル溪川ニ約二里余ノ間舊採金地散點セリ

踏査ノ際ハ採金夫ヲ見サリシモ蜂蜜溝ニ於テ聞ク處ニ依レハ三道溝土山子ニハ僅ニ三組(二十人内外)ノ採金組合アリト云ヘリ明治三十九年ハ蜂蜜溝ヨリ二三人ノ採金夫ヲ派出シテ淘金セシメ一日平均四五分ノ收金アリテ一兩内外ノ金塊ヲ獲タルコトアリ其好況ヲ呈セル際ニハ二兩ノ大塊ヲ出セルコトアリト云フ

三、採堀法及採堀沿革　採堀法ハ蜂蜜溝ト略ホ同一ニシテ光緒十九年(二十一年トモ云フ)程光弟監督ノ下ニ開始シ同二十四年ニハ採金夫四五千人アリ同二十六年北淸事變ノ際露兵ノ侵入ニ因リテ廢鑛セリト云フ

採金夫ハ把頭ノ下ニ五人十人若クハ二十人ノ一團ヲ成シテ採堀ニ從事シ衣食住居共ニ把頭ノ給養ヲ仰キ指揮監督ノ下ニ働クモノニシテ毎半ケ月ニ把頭ヨリ收金ニ應シテ利益ノ配當ヲ受ケ其額ハ含金層ノ良否ニ依リ一定セサルモ一人ノ食料大約七吊文餘ヲ扣除シテ各團十四吊乃至十五吊文ノ配當ヲ得タリ把頭ノ數盛時ハ二百五十人許ニシテ其建テタル家屋ハ尙土墻ヲ存シ一時隆盛ナリシ狀況ヲ追想セシム

採金夫ハ一人一ケ月一吊六百文(約八十四錢)ノ税金ヲ程光弟ニ納メタリト云フ

光緒二十三年頃英人廟嶺ノ麓ニ來リ水銀ヲ用ヒ混汞法ヲ講シ淘汰セルコトアリト稱セラル

四、砂金鑛ノ價格產額及輸出先　價格ハ約一兩八十吊文ニシテ吉林府城ニ輸出セリ產額ハ全ク不明ナルモ採金夫ノ數ヨリ推算スレハ蜂蜜溝ト同シク二十萬圓乃至四十萬圓ノ產額アリシモノト推測セラル

(三)咸朴洞砂金地

東間島東部ノ豆滿江岸ニ於テ砂金鑛ノ採堀セラレタルモノ甚タ少ク踏査セル所ニ依レハ茂山會寧兩間島ノ境界ナル咸朴洞ニ舊採堀跡ヲ見タルニ止レリ

一、地勢及地質　咸朴洞砂金鑛採堀跡ハ幅百米内外ノ狹隘ナル溪谷ニ在リテ其兩側ハ多峻ナル山岳ノ斜面多ク支那人家屋ニ於テ僅少ノ平地ヲ見ルニ止マリ近傍ノ山岳ハ千枚岩及石灰岩ヨリ成リ花崗岩ニ接シテ變性ノ狀アルモノトス

二、採堀　ハ全ク河床ノ礫層ヲ開堀セルモノニシテ幅約五十米長約五百米ニ亘リ十尺以上ノ深サニ堀下セル處アリ四五年以前支那人某ナルモノ韓人ヲ使役シテ採堀ヲ試ミタルモノニ係リ近傍現住ノ一老韓人ノ言ニ依レハ此外尚ホ咸朴洞溪流ノ一支流ニ於テ採金セルモ利益ヲ見スシテ廢業シ其最モ盛ナリシ時モ採金夫百人以上ニ達セサリシナリ

(四)東南岔砂金地

一、位置及地勢　蜂蜜溝ノ合流點ヨリ以南二道溝ノ幹流ニ沿フ一帶ノ地ヲ東南部砂金地ト稱ス本流ヲ溯リ幅五百米延長二十米ニ亘ル狹隘ナル荒蕪地ヲ過クレハ溪谷ノ右岸ニ砂金採取跡ノ散點セル

ヲ見ル一支谷ノ西セル所ヨリ約一里ノ間溪谷甚タ狹小トナリ沿岸砂礫ノ地砂金採取ノ跡ヲ見ル兩岸漸ク高峻ヲ極メ濶葉樹針葉樹等欝蒼トシ人馬ノ交通最モ至難ナリ

二、地質及鑛床　附近ノ山岳ハ花崗岩及片麻岩ヨリナリ溪間ノ平地ハ沖積粘土砂礫層ヨリナル而シテ砂金ハ該砂礫層及河床ヲナセル砂礫中ヨリ產ス

三、沿革　蜂蜜溝ノ發見ト相前後シ同シク程光第ノ所有ニ歸シ巡回ノ當時ハ五組ノ採金組合アリテ二三十人ノ勞働者採取ニ從事セリト云フ

五、下七道溝砂金地

位置地勢及地質　東梁口村ノ南下七道溝口ノ西北二里黑皮溝ヨリ繡紋浦ノ東端ニ至ル間約半里ノ間主トシテ溪谷ノ北側ニ砂金採取ノ跡ヲ散見セリ附近山岳ハ千枚岩花崗岩片麻岩玄武岩等ヨリナレルモノトス里人ノ言ニヨレハ約十年前韓人ニ依リ營マレシカ如ク規模最モ狹小ニシテ採取ノ跡五六ケ所ヲ見ルニ過キス

六、小百草溝砂金地

一、位置地勢及地質　百草溝平野ノ南河流甚タ狹小トナレル地點ヨリ西シ小百草溝ニ沿ヒ半ハ濕地ヨリナレル荒蕪地ヲ尙ホ西スルコト一里餘リニ在リ附近ハ花崗岩及片麻岩ヨリナリ含金層ハ主トシテ舊河床ノ砂礫層ニシテ其主要ナル砂金地層ハ深サ六尺乃至十二尺ノ下底ニアル基盤ノ表面上及之ニ接スル砂礫層ノ下部ニ在リ

二、沿革　砂金ノ採取ハ四十年前ヨリ支那人ニヨリ稼行セラレ踏査ノ際ハ舊採堀跡ヲ開鑿スルニ止リ僅カニ四五人ノ採金夫入込メリト云ヒ一採金夫ノ言ニヨレハ一日三匣ノ金ヲ採取シ得ト稱セリ尙ホ附近二三ノ溪流及王青地方ノ溪谷ヨリ砂金ヲ產出スト云フ

七、兒洞及水深浦砂金地

鍾城間島兒洞（下泉坪ノ南約二里）及水深浦（傑滿洞ノ北一里弱）ニ砂金地アリト云ヘトモ踏査ノ機ナク之ヲ審ニセス

八、烟芝江金鑛

一、位置地勢及交通　朝陽川八道溝ノ北約一里赤羅峴ノ南端ヲ經東北比較的急峻ナル丘陵ヲ越レハ一里餘ニシテ延吉河ノ一支流烟芝江ニ達ス溪谷ハ幅僅カニ數町ニ過キス濕地頗ル多ク車馬ヲ通スルニ困難ナリ溪谷ノ東側ハ急峻ニシテ西部稍緩ナリ附近人烟最モ稀薄ヲ極ム

二、地質及鑛床　露頭ハ道路ノ東側溪ヲ扱クコト二百米ノ斷崖ニアリテ花崗岩層中ノ含金石英脈ニ屬シ約西北ヨリ東南ニ走リ數寸乃至尺餘ノ數條ノ鑛脈ヨリナル附近尙ホ同種ノ鑛脈ノ存在スル見込アルヲ以テ合セテ小規模ノ鑛業ヲ營ムニ足ランカ尙八道溝ノ北方約半里七道溝及湖貴童ニ於テ嘗テ金鑛ヲ採堀シ赤羅峴ニ於テ砂金ヲ採取セリト云フモ其所在ヲ詳ニセス

九、東間島西部金鑛床

東間島西部ハ滿洲ノ產金地トシテ久シク著名ニシテ韓邊外ハ此地方ニ入リテ採金ニ著手シ吉林省

ノ南方間嶹地帶ニ大ナル勢力ヲ有スルニ至レルモノトス今回未タ踏査セサリシヲ以テ左ニ近時旅行者ノ見聞セル所ヲ綜合シテ産金ノ概況ヲ記ス

夾皮溝金鑛床及四近採金鑛床

夾皮溝ハ樺樹林子ノ東南約三十里ニ在リテ樺樹林子ヨリ松花江東源流ヲ溯ルコト百二十五清里(舟行四日行程)ニシテ葦河口ニ至リ是ヨリ陸行老金廠ヲ經テ線金鑛溪谷ノ夾皮溝ニ達スヘク陸行スレハ樺樹林子ノ南ヨリ大水旗河ヲ溯リテ長壽岑猴兒岑ヲ踰エテ色勒河葦沙河板廟子河ヲ渡リ老金廠ニ至リ東々南ニ向ヒテ夾皮溝ニ達ス此間山岳溪流多クシテ駄馬ヲ通スルコト亦困難ナリ老金廠ヨリ夾皮溝ニ至ル間ハ道路稍良好ナリ山岳ハ八九百米ニ出サルモ森林欝蒼トシテ繁茂セリ

夾皮溝ハ戸數八十餘(又二百トモ云フ)人口一千餘アリ山間ノ一村落ナルモ採金者及ヒ之ニヨリテ生計ヲ營ムモノ等ニシテ工場客店窒局煙館飯館商店等アリ東間島西部ニ於テ最モ大都邑タリ

一、金鑛床　ハ石英斑岩又ハ酸性火成岩中ニ脈狀ヲ成セル石炭脈ナルカ如ク其幅六七尺アリト云フ

二、採堀法　五六ノ加背ノ坑道ニシテ引建マテ約四百米ニ及ヒ火藥ヲ用ヒテ堀鑿スルモ坑道唯一條ニシテ通風坑ヲ設ケス且坑道ハ不規則ニシテ匍匐セサレハ通行シ得サル處アリ採鑛夫數十人運搬夫二百餘人ヲ使役シツツアリ

三、撰鑛及製錬法　極メテ幼稚ニシテ先ツ鐵槌ヲ以テ直徑一寸內外ノ大サニ破碎シ麥粉製造ニ使用スルモノト同一ノ石碾ニ載セテ牛馬ヲ用ヒテ壓碎シテ細粉トス而シテ此碎鑛用石碾ハ殆ントス夾皮

溝ノ各戸ニ之ヲ具ヘ其數百十五以上アリテ晝夜碎鑛シツツアリ
粉鑛ヲ集メテ淘金板ノ上ニ置ク板ハ幅五尺長二尺五寸許ニシテ長徑ノ方向ニ緩斜シ其上端ヨリ下端ニ水流ヲ通シテ之ヲ洗滌スルモ此裝置ニハ内地ニテ使用セル「猫流シ」ノ如ク毛織布等ヲ使用スルコトナシ此ノ淘金板ヨリ流下シタル泥土ハ混汞法 Amalgamation ニヨリ更ニ收金スルモノトス

四、採掘ノ沿革組織及現況　同治元年韓効忠來リテ老金廠ノ砂金鑛ノ採掘ニ著手シ次第ニ上流ニ溯リテ夾皮溝ニ至リテ鑛脈(支那人ノ所謂線金)ヲ發見セルモノトス最モ盛況ヲ呈セルハ光緒三四年頃ニシテ頭道岔地方ノ砂金採掘ノ時ニシテ坑夫三千餘名ヲ使役シテ一日平均三十餘兩(現價格ニ見積リテ約千圓)ノ採取額アリシト云フ線金開掘ノ何年前ニ在ルヤハ明ナラス明治三十八年春線金ヨリ收金セル一日ノ額三四兩ニ過キサリシト云フ坑夫ハ一種ノ組合組織ノ下ニ働キ韓登擧組合ノ主長ニシテ主要ナル組合員ハ其部下ノ勳勞アリシモノニシテ收金額ニ對シテ坑夫等ハ利益ノ分配ヲ受クルコトトナリ殆ント一家族ノ如ク團結セリ

明治三十八年春中和公司ヨリ旅行セルモノノ報告ニ依レハ一日ノ收金額僅ニ三四兩ニ過キサリシトエフ

五、露人ノ開坑　露人ハ義和團事變ノ際其討伐ヲ名トシテ當地ニ入リ下戯臺ニ開坑シ建築其他ノ設備ヲ起セルモ出水量多ク未タ好況ヲ見ルニ至ラスシテ日露開戰トナリ義軍ノタメニ破壞燒拂ハレタリ

夾皮溝及松花江流域ノ砂金鑛ハ盛ニ採掘セラレ採取ノ跡ハ到ル處ノ河床ニ存シ就中夾皮溝ノ如キハ一塊三百兩ノ大金塊ヲ出セルコトアリト云フ

此ノ如ク往時盛隆ヲ極メタル砂金坑モ其大部分既ニ廢坑ニ歸シ今日猶ホ繼續シテ其規模ノ稍々大ナルモノハ獨リ大沙河上流ノ金廠アルノミ

金廠ハ咸豐六年韓邊外創メテ開鑛シ其最モ盛大ヲ極メタルハ光緒十五六年頃ナリト云フ當時採金鑛夫ノミニテモ六七百人ヲ超エ此等ニ要スル糧食其他ノ供給物ハ皆敦化縣地方ヨリ運搬シ來リタルヲ以テ車馬ノ輻輳ハ勿論射利浮浪ノ徒多ク入リ込ミ山溪俄カニ熱閙セリ其人馬絡驛トシテ一時繁華ヲ極メタル狀ハ今日其附近ニ車廠子熱鬧街等ノ地名殘レルニ由リテ想察セラルヘシ其後産金ノ額減少スルト同時ニ此地方ノ開拓其緒ニツキ伐木事業及土地ノ開墾等ニ因リテ勞金ノ騰貴ヲ來シタル爲メ鑛夫ハ自然其方向ニ吸集セラレタル結果次第ニ衰微シ來リ現今ニ至リテハ事務員兵丁鑛夫等ヲ合セテ僅カニ百五十名ニ過キス此鑛ノ規則トシテ鑛夫一人ニツキ一ケ年砂金二匁四分ヲ韓家ニ納ムルヲ例トナスモ鑛夫ハ何レモ其收得ヲ秘スルノ狀アルヲ以テ其産出ノ實額ハ不明ナリ監督者ハ宋玉清ト稱スル當年六十七歳ノ老爺ニシテ韓邊外ノ時代ヨリ此地ニアリテ頗ル名望高シ其他磨石溝ニ採掘中ノモノ一ケ所アリト雖モ規模小ニシテ云フニ足ラス廢鑛ノ著名ナル者ハ漢窰溝、熱閙街小黄泥河、磨石溝、小嶺子等ニシテ就中漢窰溝ノ廢鑛ハ延長約二里アリ

之ヲ要スルニ東間島ニ於テ將來最モ有望ナル鑛産ハ砂金額及金鑛脈ニ在リテ就中砂金ハ東間島東

部ニ於テ尙ホ開掘セラレサル河床多カルヘキヲ以テ調査探求價値アルモノトス

附記　琿春砂金地

位置　琿春河ノ上流三道溝(琿春ヨリ七十淸里)流水河子五道溝等ヨリ產シ其沿岸延長七十淸里ニ及ヒ最モ盛ナルヲ三道溝トス

四十年前ノ發見ニ係リ始メ盜堀ニ任セタルモ目下ハ金局ノ管轄ニ屬シ四人ノ資本者アリテ納稅シ坑夫ヲ督シテ採金スト云フ現今流水河子ニ十五人乃至五十人五道溝ニ十人三道溝ニ二十人ノ採取夫入込メリト云フ

一日一人ノ採取高ハ淸一分ヨリ多キハ一兩ニ及ヒ明治四十年ノ如キハ一人平均一兩ヲ採金セルモノノ如ク採金夫ニハ一日一吊(持主賄)ヲ給シ採金ノ額ニ應シテ別ニ賞與ヲ與フ資本者ハ日々採金ヲ集メテ金局ニ納付ス金局ハ之ヲ時定相場ニテ買上ク價格一分(我約一匁)平均十三吊文(明治四十年ニハ九吊五百文ナリシト云フ)ニシテ更ニ之ヲ民間ニ拂下クルモノトス其價格ハ買上價格ト同樣ナリト雖モ量目ヲ減殺シ利純ヲ見ルト云フ而レトモ拂下量ハ頗ル僅少ニシテ市中ニ賣買シツツアルモノハ殆ント採金夫ノ竊カニ賣買シタルモノニ係ルト云フ

尙ホ琿春河五道溝ノ南方「シーペー」溝ニ金鑛アリト云フモ之ヲ審ニセス

第二節　銀鉛銅鑛

(一) 天寶山銀銅山　(第七圖參照)

一、位置地勢及交通　天寶山鑛山ハ布爾哈通河ノ一支流胡仙洞川ノ上流ニ在リテ銅佛寺ヨリ布爾哈通河ニ沿ヒ西行約二里ニシテ老頭溝ニ至リ吉林街道ヨリ分岐シテ胡仙洞河ニ沿ヒ屈曲西々北ニ向フコト四里ニシテ礦山ニ達ス胡山洞河ノ溪谷ハ下流二里半ノ間幅廣ク大半耕作セラレタル平地ニシテ其上流約一里半ハ人家ナク時ニ急峻ナル山麓ノ岩磈多キ礫地ヲ行クコトアルモ阪路ナケレハ車馬ノ通行ニ大ナル困難ヲ感セス銅佛寺街ノ西端ヨリ南西布爾哈通河ノ南岸ニ沿ヒ急峻ナル丘峻地ヲ越ユレハ天寶山溝口子ノ南約一里餘ノ本街道ニ合スル間道アリ雨季若クハ半ハ結氷セル際ヲ除テハ交通最モ便ナリ天寶山坑口ノ南火神堂ヨリ西北溪流ニ沿ヒ土門子ニ通スル道路アリ又同所ヨリ西丘峻ヲ越エ頭道溝ノ上流前柳樹河子ニ通スル間道アリト雖モ何レモ道路嶮峻ヲ極メ車馬ヲ通セス天寶山坑口ヨリ北方天寶山ノ東麓ヲ越エ土門子ヲ經テ吉林街道甕泉拉子ニ達スル道路モ亦漸ク騎馬ノ單行ニ適スルノミ

天寶山ハ海拔一、五四〇米ノ高峯ニシテ溪底ヲ拔クコト約六五〇米アリ其溪谷兩側ノ山地ハ急峻ナル傾斜ヲ成シ鑛山ハ天寶山東腹ヨリ流出スル一支谷ノ主谷ニ合スル處ニアリ原ト鑛務局ハ其下流ニ在リシモ義和團事變ノ際燒失シテ入口ノ兩房ノミヲ存シ其北ニ洋式製錬場ノ遺趾アリ是レ亦タ昨年春野火ノ爲メニ燒失シ合流點ノ北ニ青雲觀ト稱スル一道敎寺院アリ鑛山盛時ノ唯一遺物ニシテ現ニ中和公司ノ鑛山事務所アリ

二、氣候　氣候ハ盛夏華氏九十度ニ昇ルコトアルモ朝夕極メテ冷シ冬季極寒ノ候ハ華氏零度ヨリ零

下十五度ノ間（四十年十一月ヨリ翌四十一年三月ニ至ル五ケ月間ノ調査）ノ間ヲ昇降シ降雪ハ十月中旬ニ始マリ翌年五月ニ至リテモ尚之ヲ見ルコトアリ積雪量ハ平均二尺ニシテ冬季六ケ月間ハ坑外ノ操業ニ影響ヲ及スコト少カラサルヘシ

三、燃料ノ供給　薪炭及用材ノ供給ハ頗ル豐富ニシテ天寶山ノ西麓柳樹河子ヨリ之ヲ仰クコトヲ得汽罐ノ燃料トシテハ老頭溝、土山子轉心湖ヨリ石炭ノ供給ヲ仰クヘク又製煉用熔劑トシテ坑口附近ニ石灰石ヲ產出ス

用水ハ山林伐採ノ爲メ溪水頗ル減少セルヲ以テ撰鑛及精煉ニ使用スル用水ハ坑內ノ排水ニヨルカ或ハ溪水ヲ貯溜シテ使用スルノ外ナカルヘシ

四、沿革　天寶山鑛山ハ光緖十五年ノ開掘ニ係リ當時既ニ舊鑛坑口ハ支那人ノ私ニ開掘セルコトアリシモノナリ南側ノ露頭ヲ發見シ同年開掘ニ著手シ爾來光緖二十八年ニ至ル迄十四年間稼行シタルモ收支相償ハスシテ休業セリ其所有者ハ吉林ノ人程光第ニシテ現ニ吉林省鑛務總辦ノ職ニアリ

光緖十七年吉林將軍ノ奏文ハ該鑛山開掘當時ノ沿革ノ一班ヲ窺フヘシ

光緖十七年三月初九日將軍長順奏爲勸明琿春天寶山銀鑛現已派員試辦將大概情形據實密陳事

竊臣恭承

恩命辦理邊務深慮常年兵餉日久難繼每就地擘畫濬開利源、庶外省多籌一分之餉、即部庫少紓一分之力自抵任後、周諮博訪、羣以三姓產金、琿春產銀爲美譚、三姓金鑛前已將化私爲官暫時試辦情形、詳細奏明在案

惟琿春產銀之說、一時無從考證、經恩澤遴派候選縣丞程光第細加蹤勘、當於南岡天寶山、見有銀鑛已挖成硐似係昔日流民私開、因其無利而棄者、取驗砂質不甚精美、復於附近、地方覓得鑛苗鑿驗砂質較之舊硐爲優、上年春間恩澤赴南岡校閱右路一軍、折至該處覆加覆勘覈與程光第所勘情形相符與臣往返函商隨令程光第招集商本試行開採、去後茲據稟稱勘得天寶山吉林省城東南七百里、西哈爾巴嶺蛇蜒二百六十里、爲此山之發脈、南襟古城大川、北帶博爾哈通河、峰巒秀異巖壑深藏、出脈聚氣、與他山迥殊、自奉派後擬即招集商股銀一萬兩未能如數、先行湊足五千兩前往該處、建造房屋購運糧食、置備器械僱募人夫、盡力開採、從前流民所開舊硐、係在北山、穿至七尺即因石堅停鑿、至另採銀苗二枝、係在南山、其一枝入山綫鑿至丈餘、未見槽砂、其一枝立山綫、計鑿八硐惟第三硐始得正脈其餘各硐、雖見苗砂尚無正綫未敢深求、致滋虛費現在第三硐鑿至十五丈、砂綫時寬時窄、寬則三尺餘窄則尺餘、足供四十餘人採取、月可出砂十五六萬斤初鑿之砂每千斤煉銀質二十餘斤提銀十二兩有奇迨鑿深十九丈每千斤煉銀質七十餘斤、提銀三十一二兩、以目下月出砂數覆計、提銀約可出銀四千五六百兩、現在存砂、七十餘萬斤擬趁此春融廣備灰炭、先設燒生砂大爐八十座每座燒生砂三千斤、用木炭燒煆三次、每月出熟砂二十四萬斤、又加煉銀質大爐四十八座、每天輪流熟砂、八千斤、可出銀質五六百斤、提銀三百餘兩、覈計一箇月可出銀一萬兩、近時礦丁爐匠及雜丁夫、已用一百七十一名若再設爐煉砂、尚須添用一百數十名、共三百餘名月需工食銀一千七八百兩、月需油鐵等項五六百兩、連局用薪水每月共需經費銀二千數百兩、如每月煉提銀一萬兩、尚可贏餘七千餘兩、第煉提賴乎人工、本屬可遲可速而鑿取限乎地利不能予取予求且夏秋陰雨時候、地氣鬱蒸、硐丁在硐未能久作勢所必至祇期此後、各硐一律開及正脈、足供多人採取苗綫日增提銀自鉅應如何酌提歸公、以裕餉源、覈計奬敍以資激勵之處續俟、擬定章程、呈請覈辦等情、並將銀兩銀質生熟各砂呈驗前來、臣查程光第、勘辦銀鑛、旣經覓有苗綫二枝、開硐九處、據稱、雖只一硐開及正脈、而每月出砂、可提銀四千五六百兩加爐燒煉、月可出銀萬兩、是擬辦之始如無虞虧賠、將來各硐皆得正脈苗綫日漸增多、則其利之充盈尤可想見、裕餉固邊一計誠莫善於此第煉砂提銀僅恃土法、恐銀質未淨多所委棄現已派員馳赴天津、購辦洋鑪、並恐程光第一人、難以周顧、添派候選縣丞祿崧前徑往、會同辦理、一面仍飭該員等作速妥擬、詳細章程、再行酌覆、奏請聖裁、除將送到實銀一錠、銀質一塊、生熟各鑛數包、咨呈海軍衙門考覈外所有派員試採琿春天寶山銀礦緣由理合、恭摺密陳奉

硃批該衙門議奏欽此

今昔時盛大ナリシ頃(光緒十七年頃)ノ組織ハ

總辦	一人	定給ナシ産銀ヲ貢納シ餘剩アレハ自得トス	
監察	二人	月給二十兩	
大管工	數人	月給十五兩	
小管工	數人	月給七兩	
採鑛工	三百餘人	月手當二兩	(食住ハ會社ヨリ支給ス)
浴解工	百八十餘人	同上	(同上)

ニシテ一ヶ月ノ俸給及經費ハ銀二千數百兩ヲ要シタリト云フ

明治四十年三月ニ至リ日本人中野次郎(中和公司代表者)ハ程光第ト協同採掘ノ契約ヲ結ヒ吉林巡撫ヨリ採鑛ノ許可ヲ得テ同年四月三菱合資會社技師原田鎮治同人ト共ニ來リ調査シ探鑛及鑛滓處理ノ方法ヲ講シ同年十月技師以下坑夫十數名來リテ舊坑ノ下底部ニ向ヒ探鑛及疏水ノ目的ヲ以テ横坑ノ開掘ニ著手セリ該横坑ハ約三百尺ニシテ露頭ヨリ約三百尺ノ下底部ニ達スルノ豫定ナリ該坑道ノ貫通ハ八ケ月乃至一年ヲ要スルモ其成功ノ上ハ該水準以上ノ殘存鑛石ヲ採取シ得ヘク若シ支那人慣用ノ姑息的手段トシテ原ト含銀分多キ鑛石ノミヲ採リタルモノトセハ銅鑛ハ舊坑井中ニ尙ホ殘存スルモノ之アルヘキヲ以テ鑛業再興ノ見込ミアルモノトス

鑛滓ノ處理ハ分析ノ結果ニ明ナルカ頗ル有望ニシテ適當ノ精煉法ニヨリ銀銅分ヲ收得スルノ途ヲ講スレハ好結果ヲ得ヘク明治四十年十一月支那馬車ニテ清津ニ輸送シ是ヨリ汽船ニテ內地ニ送リテ精煉スルノ計畫ヲ立テタルニ中途ニシテ清國官憲ノ差押ニ逢ヒタリ

同十一月ニ至リ延吉廳ヨリ兵員若干ヲ天寶山ニ派出シ鑛山ノ閉鎖ヲ命シ日本人ヲ退去セシメントシ試ミタルモ統監府派出所ト邊務督辦陳昭常トノ間ニ數回ノ交渉ヲ重ネタル後中和公司ヨリ派出セル日本人ハ引續キ鑛山ニ止マレルモ探鑛ハ着手後直ニ中止シ礦山ヨリ輸送セル鑛滓ノ差押ハ解放セラレシモ其後鑛山ヨリ輸送差止メラレ且ツ鑛滓ノ撰鑛モ冬期ニ入リテ室外操業ノ困難ナル爲メ休止セリ爾來中和公司派遣ノ日本人ハ天寶山ニ止マルト雖トモ空手封禁ノママ對峙スルノ止ムナキニ至レリ

五、產額　今審ニ知リ難シト雖トモ光緒十七年ヨリ十九年末ニ至ル三ヶ年ハ一日ニ銀七八百兩ヲ出シ二十年ヨリ八十餘兩ヲ出シ二十三年ニハ三十餘兩トナリ其後ハ一年ニ數百餘兩ヲ產セシニ過キスト云フ

六、附近ノ人口及物價　嘗テ天寶山ノ盛大ナリシ頃ハ三百人乃至五百人ノ勞働者ヲ使役シタリシコトアリシト雖トモ當時天寶山ニハ日本人七名清兵十三名ニ過キス然レトモ一度天寶山開坑ノ際ニハ所在雲集シ來リ清韓人勞働者ノ缺乏ヲ告クルコトナカルヘシ

踏査ノ當時附近村落ノ人口ヲ調査セルモノニヨルニ土門子甕聲摺子柳樹河子大廟溝大域廠溝、布爾巴嶺下老頭溝、銅佛寺等ニ四千人餘ノ人口ヲ有シ物價ハ天寶山ニ於テ一定ノ標準ト認ムヘキモノナキヲ以テ銅佛寺ニ於ケルモノニヨレハ左ノ如シ

小麥	一石	十八吊文
大麥	一石	九吊乃至十吊文
粟	一石	六吊文
高粱	一石	七吊文
粟稈	百把（一把五斤）	六吊文
黃豆	一石	七吊文
白砂糖	百十斤	五十五吊文

石油	一箱	二十五吊文
木炭	百斤	一吊五百文乃至二吊文

天寶山ニテハ

高粱酒	一斤	五百文
木炭	百斤	二吊五百文
牛車	一臺（銅佛寺迄）	貳圓五拾錢
支那馬車	一臺（同上）	八吊文

七、地質及鑛床　天寶山四近ハ花崗石、岩花崗斑岩、閃綠質斑岩玢岩等ノ古期噴出岩ト時代不明ナル水成岩（古成層ナルヘシ）トノ接觸帶ニシテ溪谷ノ東側山岳ハ噴出岩ヨリ成レルモ其西側ハ接觸變性ニ係ル硅質「ホルンフエルス」Hornfels 結晶質石灰岩等ヨリ成レリ

鑛床ハ銀銅鑛床ニシテ肉眼ヲ以テ識別シ得ル鑛物ハ輝銀鑛 Argentite 閃亞鉛鑛 Blende 輝鉛鑛 Galena 黄銅鑛 Chalco-Pirite 等ニシテ黄銅鑛ノ分解シテ生セル孔雀石、紫青銅鑛ニ染色セラレタル部分多シ

舊坑ノ露頭ハ洋式精錬場ノ西山腹ニ東南ヨリ西北ニ走ル一條ノ鑛脈ヲナシ其傾斜ハ西南ニ山向キニ七八十度ノ急斜ヲ示セルモ内部ニ於テハ西北ニ急斜スト云ヒ其幅ハ上部三四尺ナルモ支那人ノ言ニ依レハ約二百七八十尺ノ下底ニ於テハ五十尺内外ニ膨大セリト云フ該鑛脈ハ脈石トシテ石英ヲ含有スルコトナシ

此ノ舊坑ノ鑛床ト相對シテ探鑛坑三アリ何レモ「ホルンフエルス」質變性岩ヲ穿チテ紫銅鑛ノ「燒ケ」ヲ追ヒテ堀進セルモノナリ「燒ケ」ハ不規則ニシテ主トシテ主谷ト略ホ同一ノ走向ヲ有スル岩石ノ垂直節理ノ空隙ヲ充塡セルモノニシテ其下底ヨリ堀出モルモノハ殆ント黄銅鑛ノミヨリ成リ「レンス」狀又ハ不規則塊狀ノ鑛床ナルヘシ

兩處ニ於ケル鑛床露頭ニ就テ見タル處ニヨレハ天寶山銀銅鑛床ハ正式ノ鑛脈ニアラスシテ花崗岩質噴出岩ト古生層(?)トノ接觸帶ニ胚胎セル所謂接觸鑛床ニシテ舊坑內ニ於テ鏑幅十尺內外トナレルハ或ハ多少「レンズ」狀ヲ成セル鑛塊ノ下部ニ於テ膨大セルモノナルヘク走向傾斜ノ兩方向ニ何レモ不規則ナル膨縮ヲ成スモソト推測セラル故ニ該鑛床鑛量ノ推算ハ頗ル困難ナルヘク大ニ探鑛ニ注意セサルヘカラス

舊鑛ノ銀鉛鑛及探鑛跡黄銅鑛ニ就キ分析セル金銀分ハ左ノ如シ

	金	銀 (百分中)
舊坑	現存セス	〇、八九二五
探鑛跡	現存セス	〇、〇一五〇

八、採掘法及精錬法　明治四十年十一月天寶山封禁以來稼行當時其局ニ當リシモノ分散シ昔時ノ狀況ヲ審ニシ難キモ其當時探鑛ニ最モ力ヲ注キシカ如ク支澤ノ南北ニ於テ尙二十有餘ノ探鑛跡ヲ存

シ內主トシテ採掘ニ從事セルハ三坑ニシテ最モ良鑛ヲ出シタルハ支澤ノ南方ニ於ケル第三竪坑ニシテ二百七八十尺餘ニシテ五十尺ニ膨大セリト稱セラル

採掘法ハ概子竪坑ヲ以テ開鑿シ横坑ハ稀レニ見ル所ナリ多クハ鏑ヲ追テ掘鑿シ合背ノ大サハ六六、七八、八八乃至十八ニシテ支柱材トシテハ松ヲ用ヒ兩磐堅緻ナルヲ以テ支柱ヲ要スルコト少ナカリシカ如シ梯子ヲ以テ昇降シ燈火ハ「カンテラ」ニ種油ヲ用ヒタリト云フ岩石ヲ掘鑿スルニ「ダイナマイト」ヲ用井ス專ラ火藥ニ依レリ坑內水ハ一般當初僅少ナリシト雖モ下底ニ向ヒ掘進スルコト二百數十尺ニ達シ溪谷ノ水準ニ近ツキ勞力ニヨリ排水スル能ハサルニ至リ喞筒ヲ購入シ成ハ疎水坑ヲ設クルノ必要アリシカ如ク今尙精錬場跡ノ西北ニ疎水坑ト認メラルヘキモノ殘存セリ

當山ノ精錬場ハ大破シ僅カニ古鐚ノ精錬場附近ニ推積セルト洋式熔鑛爐二基及附屬器械ノ存在セルノミナルヲ以テ稼行當時ノ製錬法ヲ窺ブコト難キモ天寳山開採ニ關シ吉林將軍ヨリ北京政府ニ上奏セル文書ト現場ノ狀況トヲ察スルニ大略左ノ如キ方法ニヨレルモノナラン

採鑛場ヨリ鑛石ヲ小割シ手撰シ輝銀鑛ニ富ムモノヲ集メ之ヲ小鑪ト稱スル「ストール」ニ似タル圓形燒釜第十二圖B)ニテ木炭ト共ニ三回焙燒シ燒鑛ニ石灰ト木炭トヲ加ヘ地床ニ(第十二圖C)裝入シ手吹貝索吹法ニヨリ含銀鈹ヲ作リ之ヲ灰吹爐(第十二圖D)ニ移シ更ニ精銀爐ニテ提銀即精銀ヲ得タル如ク今舊式製錬法ノ順序ヲ圖示セハ左ノ如シ

鑛石—焼釜—焼鑛—素吹床（← 木炭、鞴風）
　├ 捨鍰
　└ 銀鈹—灰吹床（← 鞴風）
　　├ 捨鍰
　　├ 酸化鉛
　　└ 粗銀—精銀爐—精銀

而シテ深サ百九十尺ニ達シタル處ニ於テ採リタル千斤ノ鑛石ヨリ貴鈹二十餘斤ヲ精錬シ精製シテ提銀三十一二兩ヲ得タルモノニシテ其收銀率ハ千分二内外ナルヘシ

該奏文ニヨレハ光緒十七年鑛山ノ事業擴張ノ爲メニ機械ヲ天津ニ注文シタルモノニシテ其際排水用喞筒ト共ニ洋式熔鑛爐ヲモ新設シ西洋人ノ技術家ヲシテ鑛山ニ於テ之ヲ組立テ試運轉ヲナシテ技術者ノ去リシ後ニ蒸滊機關ニ破損ヲ生シ運轉スル能ハス加フルニ熔鑛爐ハ其底部ニ龜裂ヲ生セルヨリ察スレハ恐ラク鑛石ノ熔解意ノ如クナラス固着物ヲ作リテ實際ニ利用スルニ至ラスシテ破棄サレシモノナラン

洋式精錬法ニテハ大略左ノ如キ順序ニテ初メ「ピルツ型」方形熔鑛爐（第十圖）ニテ石灰石コークス、木炭ヲ混シ焙燒シ之ヨリ得タル貴鈹ヲ分銀爐（第十一圖）ニテ直ニ精銀ト酸化鉛ニ分テルカ如シ

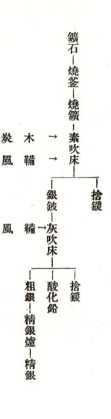

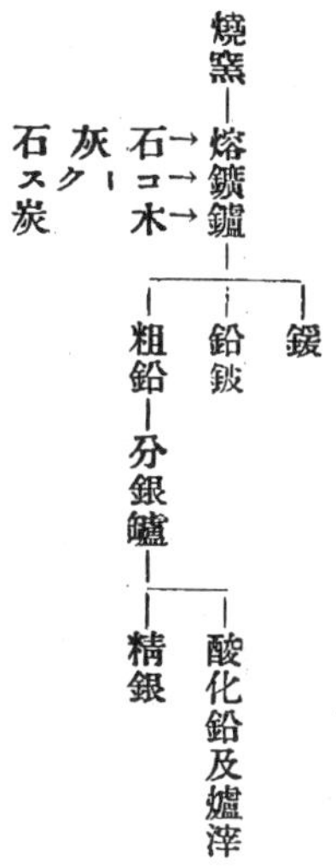

前述ノ如ク熔鑛爐ノ運用ニ失敗ヲ重ネタル際ニハ義和團事變アリテ全ク事業ヲ中止スルノ已ヲ得サルニ至リシモノトス天寶山ニ於テ支那人ノ計劃セル鑛業ハ十四年間繼續ノ後此ノ如ク不結果ニ終リシモ其初ハ頗ル好況ニシテ鑛石ノ收銀率多量ナリシヲ以テ相當ノ收益アル光緒十八年ノ如キハ一日銀一千兩ヲ出シタルコトアリト云フモ虚誕ニハ非ルヘシ

當時精鍊ノ目的ハ專ラ銀ヲ採ルニ在リシヲ以テ銅礦ハ捨テテ顧ミス且ツ方法幼稚ニシテ鑛滓ノ含銀分モ少ナカラス支谷ヨリ廟前ニ至ル間ニ推積セル鑛滓ハ二百坪ノ面積アリ其總量ハ少クモ三千噸アルヘシ該鑛滓ノ成分ハ一定セスト雖モ一般ニ多少ノ銅分ヲ含ミ再精鍊ノ價値アリ鑛滓ニツキ分析セル成左ノ如シ

	山稱	銀(百分中)	銅(百分中)	鑛山ニ於ケル分析 銀	銅	鉛
第一號	硬質鑛滓	〇・三五一五	六五・一六	〇・〇二〇	四・〇	六・〇
第二號	中等甲鑛滓	〇・一三四〇	一九・一五	〇・〇五〇	四・〇	五・〇
第三號	同乙鑛滓	〇・〇七九〇	九・九〇	〇・〇五〇	四・〇	五・〇
第四號	下等鑛滓	〇・〇七一六	七・八五	〇・〇六〇	六・〇	八・〇
第五號	―	〇・〇四〇〇	四・六〇	―	―	―
第六號	破璃質鑛滓	〇・〇一三〇	三・六〇	〇・〇〇八	三・〇	五・〇

第五號ハ鑛山ニ於テ未タ分析ヲ經サリシモノナリ

而シテ踏査ノ當時精錬場跡ニ殘レル舊式窯及洋式熔鑛爐及附屬器械ヲ見ルニ舊式ノモノニアリテハ大低大破シテ原形ヲ止メサルモ石灰燒窯二座(第十二圖A)燒鑛爐七十四座(第十二圖B)素吹床四十三座(第十二圖C)灰吹床四座(第十二圖D)ハ尚捨石、古鍰ノ埋積セル間ニ散在セリ

又洋式精錬場附近ニテハ

熔鑛爐　一基　(第十圖)

ピルツ式水箭高爐ニシテ内徑羽口斷面ニ於テ四尺羽口ノ徑四寸、羽口ノ數四

分銀爐　一基　（第十一圖）

隨圓形床環ノ徑長徑三尺八寸短徑二尺

其他喞筒一基（水筩ノ徑三寸、氣筩ノ徑二寸）汽罐一基（高九尺徑四尺）送風機一基（羽車ノ徑二尺五寸同幅七寸同數五）スラッグポット五（內徑二尺深サ一尺七寸）馬蹄銀鑄型四（百兩、五十兩、十兩、五兩等ノ鑄型）小蒸汽機一基等ナリトス

九、將來ノ見込　天寶山鑛山ハ目下清國官憲ニ依テ閉鎖セラレ休山ノ狀況ニアリ鑛床ノ性質、鑛量等ヲ確知スルノ途ナキモ上述ノ各種ノ觀察及資料ヨリ推斷スルニ（一）現採掘跡ノ坑內ニハ尙ホ若干ノ精錬ニ値スル鑛石ヲ存シ探鑛坑道貫通後排水ノ途開ケナハ水準以上ヨリ鑛石出坑ノ望アリ（二）排水ノ設備ニヨリ更ニ水準以下ヨリモ鑛石ヲ得ヘク（三）此等ノ鑛石ト鑛滓及廢鑛ヲ幷セテ小規模ノ精錬ヲ施サハ數年乃至十數年ニ亘リテ操業スルニ足ルヘシ其銀銅各幾何ノ產出ヲ得ヘキヤハ推算スルニ難キモ現ニ存スル鑛滓ノミニヨリテ放下セル數萬圓ノ資金及採鑛精煉其他ニ要スル資本ノ回收ト利潤トヲ見ルヘキナリ

此ノ如ク稼行シツツ探鑛ノ方針ヲ定メテ現鑛床以外ヨリ將來採掘スヘキモノヲ探求シ併セテ撰鑛精煉ノ改善ヲ謀ルコトヲ要ス

鑛滓ノ內地輸送ハ昨年春夏ノ候銅價空前ノ騰貴ノ際ニ計劃セラレタルモ爾後其暴落アリテ未タ恢復セサルト含銀銅分ハ區々ナレハ撰鑛ニ困難ニシテ運搬費用ヲ要スルコト大ナルトノ理由ヨリ寧

ロ將來採掘スル鑛石廢鑛中ノ含銀銅鑛石等ト共ニ現場ニテ精煉シ荒銅トシテ內地ノ分銅所ニ送ルヲ可トシ而シテ之ニ最モ必要ナル薪炭材ハ附近地方ノ森林ヨリ容易ニ供給ヲ得ルノ途アリ此ノ如ク杭木薪炭材ヲ得ルニ容易ナルハ淸國內地ノ鑛山ニ稀ニ見ルノ好條件ナリトス

之ヲ要スルニ目下産額ノ多大ヲ期スルコトハ難カランモ鑛業トシテ有望ナルハ疑ヒナシ然レトモ現況ニ荏苒セハ事業上ニ實功ナキ維持費小ナラサルヘキヲ以テ現ニ間島ニ於ケル唯一ノ日本人ノ企業ノタメニ速ニ探鑛精煉等ノ事業ヲ進行セシムルノ途ヲ講スルヲ必要ト認ム

(二) 朝陽川六道溝金銅鑛

一、位置地勢及地質　朝陽川ノ流域ハ其布爾巴通河ニ合スル處ヨリ西北四里ノ間幅ニ千米乃至四千米ノ第四期層ヨリナル平坦ナル耕地ニシテ朝陽川其中央ヲ流レ侏羅紀ノ丘陵地ニ東西相連亘シ八道溝ニ至リテ溪谷ハ狹隘トナリ附近花崗岩及花崗片麻岩等ノ噴出岩ヨリ成レリ八道溝ノ北六里餘三頭崴ニ至ル迄溪谷漸ク狹少トナリ兩岸急峻ナル所多シ

八道溝ノ北約二里六道溝村ヲ南東ニ距ル半里餘朝陽川ノ河床ニ金銅鑛床ノ露頭ヲ發見セリ尙ホ該村落ノ南端溪流甚ク屈曲セル處ニ金鑛ノ露頭アリ

朝陽川ハ溪流幅廣ク河水漲溢ノ際ハ水運ノ便アリ且ツ三頭崴ヨリ西スレハ甕聲拉子ニ出テ東スレハ百草溝汪淸、蛤蟆塘ニ達スヘク殊ニ廟溝(三頭崴ノ西約三里)附近ヨリ伐採スル木材ハ朝陽河子ヲ經局子街ニ供給セラルルヲ以テ沿岸一帶ノ地交通最モ便ナリ

二、鑛床及沿革　川床及河岸ノ斷崖ニ花崗岩片麻岩及粘板岩層ヲ貫ケル玢岩ノ露出アリテ石英脈及黃銅鑛、黃鐵鑛ヲ伴ヘリ
該石英脈ハ走向約西北ヨリ東南ニ走リ五六十度西ニ傾斜ス脈幅ハ六寸至至二尺ナリ曾テ程光第カ天寶山開掘ト共ニ稼行セントシ企テタルモノト稱セラル

(三)三頭崴銀鑛

朝陽川八道溝ノ西北約六里半溪谷漸ク開ケ分レテ二流トナル三道崴銀山ハ此合流點ニアリテ約四年前程光第ノ試掘セシモノニ係リ探坑跡今尙ホ存スト云フ該溪流ニ於テ曾テ砂金ヲ採收セルコトアリシト云フ

(四)繡紋浦銀鑛

繡紋浦銀山ハ下七道溝ノ南西三里餘繡紋浦ノ西方一里餘東梁口村ニ出ル道路ノ西側ニアリ一帶ノ山嶽ハ花崗岩及片麻岩ヨリナリ標高八百米ニ近ク最モ高峻ヲ極ム四年以前支那人ノ稼行セシコトアリシト云ヒ舊坑二ア リ鑛石ノ品位劣レル爲メカ其採掘ヲ中止シタルモノノ如シ

第三節　鐵鑛

小百草溝砂金地ノ東側山嶽ハ稍高峻ヲナシ其鞍部ニ褐鐵鑛ヲ產ス岩石ハ主トシテ花崗岩片麻岩ヨリナリ鐵鑛ハ粘板岩ノ花崗岩ニ接スル邊ニ胚胎シタルカ如ク該粘板岩層ハ東北ヨリ西南ニ走レリ」里人ハ釜及農具製造ノ爲メニ山麓ニ小爐ヲ築キ生鐵ヲ製造スト云フ

砂鐵ハ圖滿江一帶琿春附近ニ至ル迄河床ニ之ヲ產ス鑛產ノ一トシテ廣ク探究ノ要アルヘシ

第四節　石炭鑛

東間島東部ニ產スル石炭鑛ハ侏羅紀層ニ夾在シ其下部片麻岩ニ接セル部分ニ發見セラレ性質粗惡ナル褐炭ニ屬シ其主要ノ產ハ左ノ諸處ナリ

北崗老頭溝

西崗土山子及轉心湖

會寧間島甑山洞

(一)老頭溝炭坑（第八圖參照）

一、位置及地勢　老頭溝炭坑ハ銅佛寺ノ西約二里局子街ノ西約六里ニアリテ局子街ヨリ哈爾巴嶺ヲ經テ敦化及額木索ニ通スル街道ノ傍ニ在リ侏羅紀層ノ邱陵ノ西側半腹ニアリ坑口迄支那馬車ヲ通シ交通最モ便ナリ

二、炭層及炭質　侏羅紀ニ屬スル砂岩及負岩ノ五層ヨリナリ五六町ノ間露頭山腹ニ散點シ走向ハ北十度東ニシテ東方ニ四十度乃至四十四度傾斜ス炭層ノ厚サハ二尺五寸及至四尺ニシテ夾石(ハサミ)ナシ坑深ヲ增スニ從ヒ堅サヲ增シ炭層良好トナル傾アレトモ概シテ炭質粗惡ニシテ三道溝炭ニ比シ更ニ劣等ナリ此ノ炭層ノ上部若シクハ下部ニ尙ホ二三ノ炭層アル見込アリ

三、沿革　天寶山ト共ニ程光第ノ開坑ニ係リ現ニ其所有ニシテ天寶山ニ汽鑵ヲ据付ケタル際此ノ石

炭ヲ使用セリ其後局子街ノ禮泉豐、祥發源ノ手ニヨリ採掘セラレ主トシテ燒鍋蒸溜用ニ供セリ其稼行區域ハ七日耕ヲ以テ限レリト云フ

四、採掘法　舊坑ハ走向ニ沿ヒ七八ヶ所アリテ概ネ露頭部ヨリ採掘ヲ始メタルカ如ク今現ニ採掘スルモノ三アリ其一ハ炭層ヲ追テ五六ノ合背(カセ)ニテ斜坑ヲ穿チ傾斜ニ沿ヒ深サ三十丈乃至四十丈ニ達シ坑道ハ同シク五六ノ合背ニシ下磐及上磐ヲ掘鑿シ運搬ニ便ナラシム片磐ノ數左右合セテ五條アリテ各五十尺ヲ隔ツ採炭切羽二ヶ所ヲ有シ片磐ハ亂掘ノ爲メ遠ク達セサル如ク概シテ坑深ヲ增スニ從ヒ傾斜ハ急トナリ炭層ノ厚サヲ增ス

坑木ハ三尺乃至六尺末口六寸六至八寸主トシテ樟木樺等ヲ用ユ枠ノ距リ四尺天井ニハ草ヲ並ヘ矢木ヲ多ク用ヒス坑夫ハ片齒ノ鶴嘴ヲ用ヒ「ダイナマイト」火藥ヲ使用セス

坑水ハ笊ヲ以テ擔ヒ上ケ坑底尙ホ淺ク水量少シ運炭夫ハ五十斤入ノ笊二筒ヲ擔ヒ一日二千斤ヲ坑口ニ搬出ス

坑夫ノ數ハ僅カニ十人ニ過キス內採炭及運搬ニ從事スルモノ七人アリ採炭夫ハ一日二千斤乃至二千五百斤(一千斤ハ約半噸)ヲ採掘ス勞銀ハ一日二吊七百文(我七拾五錢ニ當ル)乃至二吊八百文(約八拾錢ニ當ル)ナリ

五、出炭額販路及價格　一坑ヨリ三千斤乃至四千斤ヲ採掘スルヲ以テ三坑ニテ一日約一萬斤ナリ需用多ケレハ尙ホ出炭ヲ增加シ得ラルルモ當時ハ主トシテ燒鍋蒸溜用ニ使用セラレ明治三十九年ノ

如キハ一年ニ其供給高百萬乃至百五拾萬斤ナリキ(但シ燒鍋釜一箇付キ一日六百乃至一千斤ヲ要スト云フ)其價格ハ

山元ニテ	切込炭	一千斤	六吊文(我約壹圓七拾錢ニ當ル)
同上	塊炭	同上	七吊文(約貳圓ニ當ル)
龍井村ニテ	切込炭	同上	十八吊文
同上	塊炭	同上	二十吊文
局子街ニテ	切込炭	同上	十二吊文

但シ運搬賃支那馬車一臺(積載量約一千斤)ニ付キ一日五吊文乃至六吊文ト計算セルナリ

六、炭量及炭質　炭量ハ當時採掘セル炭層ノ採掘シ得ヘキ地積ハ約一萬坪内外ニシテ其炭量約六萬噸ニシテ已ニ採掘シタル部分ハ以上小區分ニ過キスシテ需用ニ從ヒ尙ホ多量ノ出炭ヲ望ムコトヲ得ヘク尙ホ此層以外ニ採掘ニ堪ユヘキ同種ノ石炭ノ存スル見込アリ

二、三道溝轉心湖炭坑　(第六圖參照)

一、位置及地勢　轉心湖炭坑ハ三道溝口夾心子ノ南方約二里ニアリテ邱陵地ヲ隔テテ土山峴炭坑ニ接シ同一ノ炭田ノ一部ナリ頭道溝街ヲ距ルコト約四里ニシテ夾心子以南ハ山間ニ入リ阪路及ヒ沼澤地アレトモ馬車ヲ通シ冬期凍結後ハ運搬力ヲ增スモノトス

炭坑所在地ハ南ニ稍々急峻ナル山嶽ヲ負ヒ北ハ緩傾斜ノ邱陵地ヲ成シ轉心湖ハ邱陵地ノ東半腹ニ

在リ其西側三道溝河流ニ臨ミテ土山峴炭坑アリ
近傍ノ山腹ハ「ナラ」其他ノ濶葉樹ノ立木アリテ坑木ノ材料ニ乏シカラス

二、炭層及炭質　片麻岩及侏羅紀層ニ屬スル砂岩負岩ヨリナリ炭房ハ其下部ニ在ルモノニシテ炭層ノ走向ハ坑內ニ於テ東北西南ニ走リ東南ニ約三十度ノ傾斜ヲ示スモ花崗岩ニ接スル地ナルヲ以テ更ニ北方ニテハ或ハ反對ニ北ニ傾斜スヘシト推測セラル

炭層ノ厚サ六尺五寸乃至七尺ニシテ厚サ約五寸ノ脆弱ナル砂岩ヲ夾ム炭質ハ劣等ニシテ灰分多ク本邦石炭ニ比スレハ磐城炭中中等以下ニ位スヘシ其分析ノ成績左ノ如シ

	百分中
水分及揮發分	三五・八四
骸炭分(粘結セス)	三四・九九
灰分(淡褐色)	二九・一七

三、採掘沿革方法　奉天人郭景昌ナルモノノ四年前ノ開掘ニ係リ其財東(資本主)ハ頭道溝ノ常献忠ナルモノナリト云フ郭ハ現ニ炭坑下ニ小家屋ヲ造リ住居セリ最初平地附近ニ試掘セルモ炭層ニ達セス明治三十八年陰曆七月初メテ現坑ヲ開キ八月二十日頃炭層ニ達セリ使役坑夫數八十人ヲ要セリト云フ

採掘ハ五六ノ加背ノ斜坑ヲ設ケ約四十度ノ傾斜ヲ以テ山向ニ南ニ向ヒ掘進シテ五六間ニシテ炭層ニ達シ走向ニ從ヒ南西ニ向ヒ約十間掘進セリ目下採炭少キヲ以テ未タ片磐ヲ開掘セス炭層ノ上下

磐ハ何レモ軟弱ナリ
坑夫ノ數ハ最初六人ナリシカ巡回ノ際ハ十四人ヲ使役セリ山尙ホ淺キヲ以テ排水比較的容易ニシテ一晝夜三四百籃ヲ排出スルニ其四人ヲ使役ス
採炭夫及排水夫ノ賃銀ハ持主賄ニテ一日一吊六七百文(我五拾錢ニ當ル)採炭夫以外ノ雜人夫ニ至リテハ一ケ月二十八吊乃至三十吊ナリ
目下ノ採掘量ハ僅カニ一日三千五百斤乃至四千斤ヲ採掘スルニ過キスト云フ
四、價格及販路　坑口ニ於ケル石炭價格ハ左ノ如シ

切込炭	一千斤(但約百五十貫目)	六吊文
塊炭	一千斤(同上)	十吊文

而シテ其運搬費ハ

龍井村派出所	(約九里)	支那馬車一臺(千斤積)	九吊文
東盛湧	約六里餘)	同上	六吊文乃至七吊文
頭道溝	(約四里)	同上	四吊文

從來東間島東部ノ地森林ニ富ミ現今ト雖モ薪炭材ニ乏シカラサルヲ以テ石炭ノ用途ハ燒鍋(高粱酒即チ燒酎)蒸餾用ノミニ需用アリシニ明治三十九年燒鍋ノ多數ハ自己發行ノ私帖(一覽拂手形)ニ對シテ取付ケニ遭遇シ一大恐慌ヲ來シ破產ノ悲境ニ陷レルモノ少カラス之レカ爲メ石炭ノ需給減シ炭

坑亦タ不振ノ狀況ニアリ轉心湖炭坑ノ如キモ其得意先ハ頭道溝街西ノ燒鍋義興源號ノミナリ

(三)三道溝土山峴炭坑（第六圖參照）

一、位置地勢及地質　土山峴ハ三道溝下流ノ中流ニ在リテ上流青山坪ノ平野ヨリ峽谷ヲ流レ再ヒ廣濶ナル平野トナル處ニシテ其平坦ナル地形ハ侏羅層ノ窪地タルカ爲メニシテ平野ノ兩側ニハ段階狀ノ丘陵地アリ其左岸即チ東側ノ邱陵上ニ片麻岩ノ山岳ノ半腹ニ侏羅層トノ境界アリテ此ニ夾炭層アルモノナリ

炭坑ハ頭道溝街ヲ西南ニ距ルコト約四里ニシテ途中三道溝河ノ第二峽谷ヲ出テテ西崗平野ニ出ル處ニ於テ道路ハ河流ヲ渡リ小阪ヲ踰ユルモ馬車ノ通行ニハ妨碍少ナケレハ轉心湖ニ比シテ交通容易ナリ

二、炭層及炭質　土山子炭ハ炭層厚サ五尺乃至六尺ニシテ夾石ナク轉心湖炭ニ比シ稍々劣等ナリ走向ハ北十度西ニシテ三十度西南ニ傾斜シ地層變動ヲ被リテ攪亂皺曲セル形跡アリ

三、採掘法及沿革　土山子炭坑ハ附近二三ノ舊坑アリ巡回ノ當時採掘セルモノハ五六ノ合背ニテ斜坑ヲ開キ其深サ約百尺ニ達シ未タ一條ノ片磐ヲ掘進セス上下磐何レモ脆弱ナリ光緒十六年(明治二十三年)ノ開窰ニ係リ義和團事變ニ蹉跌シ其後再ヒ開採セリ天寶山ト同シク程光第ノ所有ニ係リ明治三十八年燒鍋破産ノ際休山ノ悲境ニ陷リ其後明治四十年十月錢某經營ノ下ニ他ニ坑口ヲ開キタルモノトス

目下使用坑夫十七八人アリテ坑夫ノ收入ハ一千斤ニ付キ七百文ナリト云フ

四、價格及販路ハ轉心湖ト同一ニシテ

切込炭　一千斤　六吊文　（貳圓四拾錢）

脚　錢（頭道溝ニ至ル運搬費）　四吊文　（壹圓六拾錢）

ニシテ明治三十八年マテハ義興源號ニテ使用シ來リ同年ノ用炭額ハ三十九萬斤ニシテ目下ノ出炭
ハ一日二千斤乃至四千斤ナリト云フ

五、三道溝轉心湖及土山峴炭田將來ノ見込　上述ノ兩炭坑ハ一聯ノ炭層ヲ採掘スルモノナレハ一括シテ其將來ニ對スル意見ヲ記サン

炭質及炭量　轉心湖炭ノ分析成績ニ明カナルカ如ク炭質下等ノ有煙炭ニ屬シ汽罐用トシテ決シテ適當ト云フ能ハス然レトモ老頭溝炭ニ比スレハ稍品位優リ三崗地方ニ於テハ現ニ最良タルモノナリ

炭量ハ侏羅紀層ノ狹小ナル窪地ニ產ルモノニシテ兩坑間ノ全部地積五萬坪乃至十萬坪ニ過サレハ三十萬噸乃至六十萬噸ヲ踰エサルヘシ但シ需用限リアリシヲ以テ採掘未タ盛況ヲ呈スルニ至ラスシテ既ニ採炭セル量ハ此炭量ノ小部分ニ過キサルヘシ

販路ハ從來燒鍋業ノミニ限ラレシモ三崗地方ノ開發セラレテ各種ノ事業興ル曉ニ至ラハ需用更ニ大トナルヘク若シ間島清津間及吉會鐵道布設セラレ他ニ之ニ代ルヘキ石炭坑ノ開掘セラレサルニ

於テハ品質ノ如何ニ關ラス汽關ノ燃料ニ使用セラルヘキヲ以テ重要視セラルヘキモ產額及規模ニ對シテ多大ノ望ヲ屬シ難シ

（四）會寧間島飯山洞炭坑

一、位置及地質　飯山洞ハ會寧ヲ去ル西二里餘豆滿江ノ左岸ニアリ江ヲ隔テテ西方及東南方ハ中生層及第四紀層ヨリナリ石炭ハ河崖砂利層ノ下ニ侏羅紀層砂岩頁岩及炭層ノ露頭アリ其露出ノ地點恰モ河流ノ水準下ニ在リ飯山洞村ノ東釜所及對岸烟臺外ヲ覆ヘル玄武岩ハ此ノ夾煤層ノ東部ヲ限ル

二、炭層及炭質　炭層ハ厚サ七尺許其ノ走向ハ北三十度東ニシテ西方ニ十五六度傾斜ス山向ノ方向ハ段階地ニシテ高サ十米乃至二十米ニ過キス其傾斜ノ方向ハ河床下ニシテ採掘ノ困難アリ

炭質ハ漆黑ノ度三崗ノモノヨリ强ク風化スルモ方形ニ劈開シ品質間島產中最モ良好ナリ其ノ分析成績左ノ如シ

水分及揮發分	三七・五〇
骸炭（粘結セス）	四七・五〇
灰分（褐色）	一五・〇〇

三、採掘法及沿革　近年淸人ノ濫掘ニ任セ河岸一帶ノ地三四町ノ間ハ露頭部ヲ採掘シ盡シタリト稱セラル當時ハ中和公司ノ所有ニ係リ嘗テ人ヲ派シ河崖下ニ約十尺ノ坑井ヲ穿チタルモ河床下ニ當レルヲ以テ稼行殆ント望ミ少キ炭坑ナリトス

此他ニ會寧間島圖們江沿岸ノ鶴栖洞沙器洞ニ數寸ニ過キサル石炭ノ露頭アリト雖モ稼行ニ値スヘキモノニアラサルヘシ

石炭坑ハ侏羅紀層ノ下底ニ在リテ片麻岩其他古期岩層ニ接スル邊緣地ニ現出スルモノナレハ其分布ノ地域ハ廣カルヘキ筈ナルニ現今マテ知ラレタル産地甚タ少キハ當地方ハ支那諸地方ノ如ク燃料トシテ石炭ヲ要セサルヲ以テ探求未タ遍カラサルモ其一原因ナルヘシ現産地ハ或ハ山間狹隘ノ地域ニ限ラレ或ハ品質劣等ニシテ各種事業ノ原動力トシテ炭質炭量共ニ充分ナラスト雖モ更ニ侏羅層地域ニ就キ探求ノ餘地ナキニ非ラサルナリ今三嵩地方ニ於ケル石炭消費額ヲ總計スレハ一年僅カニ(六百萬斤)約三千噸)餘ニ過キス而シテ此價格ハ一噸ノ値山元ニテ平均八吊(約四圓五拾錢)ト見積レハ僅カニ二萬圓ニ足ラサル程度ニアリ將來各種ノ工業漸ク發達シ來リタル際ハ尙ホ有利ナル鑛産ノ一トシテ數フヘキヲ得ルモ元炭質粗惡ニシテ遠ク搬出シテ利益アルモノニアラサルナリ

附記

今回踏査ノ途次ニ當リシ豆滿江沿岸會寧穩城及琿春附近ニ於ケル炭層ニツキ左ニ其概略ヲ述フヘシ

一、會寧郡西儀峰炭坑

會寧ノ東門外ヲ去ル東約半里四阿洞ニ於テ厚サ數寸及約三尺ニ及ヘル褐炭層アリ其走向ハ北東ヨリ南西ニ向ヒ西北方一里餘西儀峰ニ及ヘリ其露頭部ハ悉ク採掘セラレ其用途ハ溫突用ニ

供セラルト云フ其分拆成績左ノ如シ

水分及揮發分　四〇・〇〇

骸炭分(粘結セス)　二七・五〇

灰分(灰色)　三二・五〇

二、會寧郡鴻山洞炭坑

鴻山洞炭坑ハ會寧ノ西南約二里半會寧間島甑山洞ノ西南一里餘ニアリ侏羅層ノ中ニ介在シ炭層ノ走向ハ北十五度東ニシテ西方ニ約三十五度傾斜ス炭層ノ厚サ十尺餘内六尺ハ炭質良好ニシテ對岸ノ甑山洞炭ト炭質酷似セリ恐ラク同一ノ炭層ニ屬セルナルヘシ用途ハ只鍛冶溫突ニ供用セラル

三、白土洞炭坑

豆滿江ヲ隔テテ間島甑山洞ト相對シ丘陵ヲ隔テテ其西一里餘ニアリ砂岩及頁岩ノ互層ヨリナレル中生層ノ中ニ介在シ其露頭部ハ地層甚シク擾亂ヲ受ク走向約北十度東ニシテ西方ニ二十度傾斜シ炭層ノ厚サ六七尺ナリ品質甑山洞炭ト相似タリ附近ヨリ產スル陶土ヲ燒キ或ハ溫突用ニ供セラル其分析成績左ノ如シ

水分及揮發分　四二・五〇

骸炭分(粘結セス)　四〇・〇〇

灰分（淡褐色）　一七、五〇

四、穩城那周原及瓦洞炭坑

周原ハ穩城ノ東半里餘瓦洞ハ鍾城ニ通スル本道ヨリ東折シ全シク約半里ニアリ炭層ノ厚サ五六尺粗惡ナル褐炭ニ屬シ其用途ハ溫突用ニ供スルニ過キス

五、琿春附近石炭坑

琿春ノ西北約一里餘第三紀層中ニ褐炭層アリ炭質間島產ノモノニ類似ス英淸兩國人ノ共同經營ニヨリ琿春河上流ノ木材伐採ト兼ネテ石炭ヲ採掘セントノ計劃アリト稱セラルルモ其炭層ノ廣袤ニ關シテハ之ヲ審ニセス

第五節　石灰、陶土、甎土及石材等

石灰石ハ間島東部至ル處ニ產シ葺子溝、一兩溝、小佛洞等枚擧ニ遑アラス尙耐火粘土陶土磁土、石墨、雲母、石材等各種ノ工業上ニ必要ナルモノアルモ其詳細ノ調査ハ之ヲ他日ニ讓レリ

第六節　結論

東間島東部ノ鑛產ハ主トシテ砂金、金鑛、銀銅鑛、石炭等ニシテ將來最モ囑目スヘキモノハ金鑛就中砂金鑛ニシテ二道溝及三道溝ノ產金額ハ數十萬圓ニ達シタルモノナランカ之ト同種ノ含金層ハ尙ホ多々發見セラルヘク宜シク之カ探査ニ力メ進ンテ採收ノ方法ヲ改良セハ在來廢坑ニ歸シタリシモノモ尙稼行ニ値スヘキモノアルヤ必セリ天寶山銀銅鑛床モ將來其施設宜シキヲ得ハ尙ホ十數年小

仕掛ノ鑛山トシテ存スヘク彼ノ褐炭ハ此等ニ比シテ從來ノ產額ハ僅小ニ過キサルモ尙ホ發見ノ餘地アルヘキヲ以テ一鑛產タルヲ失ハスト云フヘシ此等鑛產ノ近キ將來ニ於ケル一年產額ヲ推算スルハ至難ニシテ殆ント臆測タルヲ免レスト雖トモ參拾萬圓內外ニ達シ得ヘキヲ信ス然レトモ之ヲ獎勵誘發スルニハ鑛業權ヲ得ルニ當リ其價値未タ明カナラサルニ先ツ多大ノ運動費ヲ投スルヲ必要トスル支那ニ固有ナル弊害ヲ除キ其權利ヲ安全ニシ且ツ個人ノ競爭ヲ自由ナラシムルヲ要ス

第三編　商業調査書

第三編　商業調査書目次

第一　間島商業調査

附
敦化商業調査

一〇

間島

商業調査書

第三編 商業調査書

第一 間島商業調査

第一章 間島ノ主ナル市街地

第一節 龍井村及ヒ局子街ノ概況

龍井村及ヒ局子街ハ間島ニ於ケル二大市街地ニシテ行政ノ中樞タルト同時ニ間島商業ノ中心點タリ

一、龍井村ハ會寧ヲ距ルコト北方約十三里六道溝ノ海蘭河ニ流注スル交叉點ニアリテ交通頗ル便利ナリ

本市ハ清人初メ之ヲ泰成樓ト稱シ今ヲ距ル十七年前北韓民ノ移住ニヨリテ始メテ開拓セラレタル新開地ニシテ數年前マテハ唯落寞タル一寒村ニ過キサリキ明治四十年八月吾カ統監府派出所ノ設立當時ニ在リハ戶數韓九十六、清五、人口韓清合セテ四百ニ滿タス而シテ全村ハ悉ク農民ニシテ人口ノ四分ノ一ハ清人ノ小作ニ從事シ其四分ノ三ハ畑地二三日耕乃至十日耕ヲ所有シテ自家生活ノ資トナスニ止マレリ

元來此村ハ間島ニ於ケル耶蘇舊敎ノ始源地タルヲ以テ人民ハ深ク舊敎ニ心碎シ全村悉ク其信徒タリ隨テ鄙ニ稀レナル敎會堂ノ設ケアリ又瑞典義塾ト稱スル韓人書堂ノ設置アリタリ

商況ニ至ッテハ實ニ金一龍ト稱スル一小雜貨店ノ僅カニ數種ノ韓人向布帛類ヲ販賣スルノミ而シテ當時ノ市場トシテハ六道溝ノ南畔粉房村ニ於ケル清人一燒鍋ノ附近ニ舊曆二、七ノ日開市シ清韓小賣商ノ十數玆ニ集リテ露店ヲ開キ金巾其他ノ小雜貨類ヲ鬻クニ過キサリシカ派出所ノ設置以來日韓清民ノ來集スルモノ日ニ多キヲ加ヘ朞年ナラスシテ一市街地ヲ形造レリ

市街ハ六道溝ニ沿フテ南北ニ延長シ街幅八間長二十五六丁アリ日韓清ノ各商店雜然其兩側ニ軒ヲ比ヘ頗ル繁華ノ狀ヲ呈セリ

日商ノ主ナルモノハ雜貨店、料理屋、旅館、運送店、菓子屋、豆腐屋及ヒ諸種ノ飲食店等ナリ

現今清韓人ヲ併セテ戸數二百九十、人口一千百八十八アリ內日本人ノ在住スルモノ官衙ニ關係セルモノヲ除キ二百餘名アリテ多クハ商業ニ從事ス

官衙ニハ統監府派出所、間島憲兵分隊、間島郵便局、間島慈惠病院、間島普通學校ノ外清國派辦所アリタルモ昨年十一月派出所及ヒ憲兵分隊ノ撤退ト共ニ帝國ハ間島總領事館ヲ此地ニ設置セリ

二、局子街ハ龍井村ノ東北約五里布爾哈通河ノ左岸ニ在リ

光緒十二年清國始メテ玆ニ招墾分局ヲ設ケ同二十九年ニ撫民府兼理事府ヲ置キ知府ヲ派駐セシメタリ

明治四十年間島問題ノ發生ト共ニ清國ハ更ラニ此地ニ邊務公署ヲ置キ專ラ交渉ノ事務ヲ司ラシメ又之ト同時ニ兵營ヲ建築シテ新式軍隊ヲモ駐屯セシメタリ

市街ハ吉林ヨリ琿春ニ通スル街道ニ沿フテ東西約十町ニ連リ雜貨店、問屋業、皮舖、木匠、肉舖、估衣舖藥舖、飲食店、點心舖(菓子屋)等ノ各商店軒ヲ並ヘ人馬ノ往來熾ンナリ

官衙ニハ知府衙門、巡警局稅務總局ノ外邊務公署、兵營等アリ又學校敎會堂等ノ設ケアリ此等ノ諸建築物ハ皆新造ニシテ規模宏壯外觀頗ル美麗ナリ

戶數ハ三百二十九ニシテ人口ハ千五百ナリ但シ諸官衙兵營ノ戶口ヲ除ク

此地嘗テ吾憲兵分憲所ノ所在地タリシヲ以テ其保護ノ下ニ日本商人ノ進入セシモノ亦尠カラス然レトモ多クハ賤業者ニシテ正業ヲ營ムモノ甚タ稀レナリ現時吾總領事館分館ノ設置アリテ副領事駐在ス

第二節　龍井村ト局子街トノ商業範圍

龍井村ノ商業範圍ハ局子街ニ比シ狹隘ナリ主ナル顧客ハ間島內ノ市日ヲ追フテ轉〻行商ヲ營ム負褓商ノ或部分ト龍井村四近ノ韓人在留本邦人ニシテ清人トハ商取引ト稱スヘキ額ニ滿タス而シテ貨物ノ供給地ハ全部清津經由トシ吉林若クハ浦鹽ヨリ仕入ルヽコトナシ其商業範圍ハ韓人行商者ニヨリ局子街、朝陽川、銅佛寺、東盛湧、頭道溝等ニ開催サルヽ各市日ニ於テ各地附近一帶ノ韓民ニ貨物ヲ供給スルヲ以テ該各地及ヒ附近ノ村落ト見テ可ナリ

又局子街ノ商業範圍ハ東傑滿洞鶴城浦ヨリ高麗峯以西嘎呀河ニ沿ヒ百草溝ヨリ北、依蘭溝、朝陽川ノ上流ヲ含ミ西、土門子甕聲碣子ニ至リ敦化ト商界ヲ接シ西南頭道溝ヨリ太拉子ニ出テ父狐溝峯ニテ會寧ト商界ヲ分チ新興坪ヨリ傑滿洞ニ至ル圏線内ノ地域ニシテ所謂東間島東部ノ大部分ニ亘ルモ道路改良セラレタル曉ニハ琿春ノ商業範圍ヲ奪却（牡丹川蛤蟆塔以西ハ局子街ノ商圏ニ入ル）スルト同時ニ敦化ノ商圏ヲ蠶食（海産物ハ北韓ヨリ敦化ニ供給サレ哈爾巴嶺以南ノ雜穀ハ清津ニ向フ）シ其廣袤ハ更ニ著シク擴張セラルヘシ

第三節　局子街ト龍井村トノ商業關係

龍井村ハ吾派出所ノ施設着々進捗シタルニ伴ヒ韓民ノ北韓地方ヨリ移住スルモノト間島内ヨリ派出所ノ保護ノ下ニ營業セントシテ轉居シ來ル者漸次多キヲ加ヘ現今戸數殆ント三百ニ增加シ僅々二年三ケ月間ノ歲月ニ於テ約三倍ノ多キニ達シタリ之ト同時ニ諸種ノ點ヨリ購買力モ次第ニ高マリ近來洋傘洋燈ヲ使用シ砂糖ヲ用ユルモノ著シク增加シタルハ面白キ現象ト云フヘシ然レトモ商業上ニ於テハ龍井村ト局子街トハ未タ何等ノ關係ナク恰モ兩々狐立ノ姿ヲナセリ故ニ兩者間ニ販路ノ競爭モナク需供ノ連絡モナシ之レ局子街ハ清人ヲ顧客ノ主ナルモノトナシ供給物モ亦從テ之ニ相當セリ而シテ清國製產品ハ主トシテ吉林ヨリ洋貨ハ浦鹽、琿春及ヒ清津ヨリ之ヲ仰ケリ之ニ反シ龍井村顧客ハ邦人及韓人ヲ主トシ其供給品ハ全部之ヲ清津ニ仰キ兩者各分立ノ餘地ヲ存シ未タ提携競爭ノ時機ニ達セサルニ依ル將來清津龍井村間ノ交通路改良セラレ且ツ龍井村ニ諸種ノ商業機關ヲ設備スルニ至レハ間島ニ於ケル需用品ハ之ヲ浦港及吉林ヨリ供給スルニ比シ清津ヨリスル

方便利ナルト貨物ヲ間島ニ集散スルニ龍井村ノ位置カ局子街ノ夫レニ比シテ良好ナルヲ以テ龍井村ハ遂ニ局子街ヲ凌駕スルニ至ルコトヲ豫想シ得ヘシ參考ノ爲メ龍井村ニ統監府派出所設置當時ト明治四十二年六月トノ戸口調査表ヲ掲クレハ左ノ如シ

龍井村戸口表

國別	戸數	人口
統監府派出所設置當時調 四十年八月		
韓國人	九六戸	三九三人
清國人	五	一六
日本人	—	—
計	一〇八	四四四
四十二年六月調		
日本人	四二戸	二〇〇人
韓國人	二三一	九二二
清國人	一七	六六
計	二九〇	一、一八八

第四節 龍井村ヲシテ局子街ヲ凌駕セシメントスルニ就テノ設備ト經營

商業上龍井村ヲシテ局子街ヲ凌駕セシメンニハ少クトモ左ニ掲クル四項ノ設備經營ヲ要ス

一、清津ヨリ會寧ヲ經テ龍井村ニ達スル道路ヲ改修シ之ヲ延長シテ朝陽川ニ通セシムルコト

二、龍井村ニ商品陳列場ヲ設クルコト

三、龍井村ニ清韓人向キ各種ノ織物販賣店ヲ設クルコト

四、合資間島物産會社ヲ設立シ問屋業ト運送業ヲ兼ネ通貨ノ交換ヲ取扱ハシムルコト

一、清津ヨリ會寧ヲ經テ龍井村ニ至ル道路ヲ改修シタルトキハ之ヲ局子街ニ延長セスシテ朝陽川ニ延長シ吉林街道ニ結ヒ朝陽川上流ノ物資ト局子街、銅佛寺、老頭溝等ノ物資ヲ集蒐スルニ便ナラシムレハ物資ハ自然龍井村ニ集滙スヘシ試ニ間島內ノ主ナル地方ト局子街龍井村ト孰レカ交通便利ナル地位ニ在ルカヲ比較センニ東盛湧、頭道溝ハ無論龍井村ニ便ニシテ銅佛寺、朝陽川ハ同一ノ距離ナレハ道路修築ノ方法宜シキヲ得ハ差シタル不便ナカルヘシ其外甕聲磖子ハ同距離ニアリテ百草溝ハ局子街ニ近ケレトモ太拉子ハ龍井村ニ近シ概況右ノ如クナレハ間島內ノ主要地ハ局子街ヨリ龍井村ニ便利ナリ此ノ交通便利ナルヤ單ニ物資集散ニ關係アルノミナラス同時ニ輸入貨物ノ銷路ニ至大ナル關係ヲ有ス

此期ニ至ラハ朝陽川若クハ上流ニ製材機ヲ据付ケ製材ニ從事シテモ可ナリ目下局子街ニテ裸松(木材)長サ七尺五寸徑一尺三寸乃至一尺五寸ニ至ル大材ヲ蒲鉾形ニ挽キ割リタルモノ一本二十四五錢ニシテ買ヒ得ヘキモ木挽賃ハ板一枚ニ付キ十錢以上ヲ要スルヲ以テ板ノ値段割合ニ高シ現ニ局子街ニテ十戶ノ木舖ニ一戶四人平均ノ木挽人夫日々製材シアリ若シ製板機ニ依テ其業ヲ行ヘハ著シク價格ヲ低廉ナラシメ獨リ間島ニ於テノミナラス間島ニ隣接スル韓國內地

ニ迄其販路ヲ擴張シ得ヘシ

二、商品陳列場ニ多額ノ資金ヲ要スルトセハ簡易ナル勸工場樣ノモノヲ設ケ成ル可ク各種類ノ商品ヲ集メ販賣スル傍ラ用達會社ノ如キ取次キ周旋業ヲ經營スルハ尤モ有望ナリ

三、龍井村ニ清韓人向キ各種織物ノ卸店ヲ經營シ棉布類ハ日本ヨリ緞子綢子等ノ絹織物ハ上海ヨリ横濱上海航路ノ定期船ニ搭載シ門司ニ陸揚シ保税倉庫ニ預ケ更ニ神戸清津航路ノ定期船ニテ清津ニ陸揚ケシ間島ニ輸入スルトキハ上海ヨリ營口吉林經由ノ局子街商品ニ比シ競爭ノ餘裕綽々タルヘシ其他南清方面ヨリノ産出ニ係ル貨物ハ上海清津航路ノ船舶ナキヲ以テ如上ノ方法ニヨリ輸入ヲ計ルヲ可トス

四、問屋ハ賣買取引上最モ必要ナル機關ニシテ賣買ノ媒介ヲナシ取引ヲ停滯セシメス或ハ荷物ヲ抵當ニ金錢ヲ貸出シ或ハ買主ノ爲メニ代價ヲ立テ替ヘ或ハ荷爲替ヲ取扱ヒ資金ヲ運轉セシムル等金融ヲ計ルコト尠カラス

今一面識ナキ間島ノ清商ト清津日商トカ初メテ取引ヲナスト假定セヨ日清商人ノ双方ハ土地ノ遠隔ナル爲メ信用ノ程度ヲ知ラス加フルニ通貨ハ同一ナラスシテ習慣ハ異リ勢ヒ面談ニテ即時拂ノ取引トナルヘキモ龍井村ニ問屋アルトキハ局子街ノ清商ハ書面ニテ清津ノ日商ニ商品ヲ注文セハ清津日商ハ龍井村問屋ノ出張所ニ荷物ヲ托シ荷物カ龍井村問屋ニ到著シタルトキ清商ハ商品ノ代價ヲ問屋ニ支拂ヒ引取ルコトヲ得ヘシ之ニ反シ清津ノ日商カ局子街ヨリ豆ヲ買ハント

スルモ同樣ノ手續ニテ清津ニテ引取リ得ヘシ又物資ノ買入レニ際シテモ荷爲替ニテ清津ニ送リ清津ニテ受取人カ荷爲替額ヲ支拂ヒ引取リ得ヘク比較的小資本ニシテ大取引ヲ爲シ得ル等大ニ金融ヲ計ルモノニシテ間島ノ如キ土地ト清津ノ如キ懸ケ離レタル土地ニ在リテハ需用者ト供給者ノ媒介者アラサレハ取引ハ到底頻繁ナラサルヘシ

問屋ノ副業トシテ資本ノ一部ヲ割キ官帖ヲ交換シテ本邦人ノ便宜ヲ計リ兼テ運送業ヲ經營スルハ荷爲替代金引替荷物等ノ爲メ各種ノ便宜多ケレハ兼業トスル必要アリ

上說ノ各設備ト經營ノ實行サルル曉ニハ此等ノ經營ト設備ノ完全スルニ伴ヒ一般商業モ相待テ盛トナリ局子街ハ貨物ノ仕入レニモ物資ノ輸出ニモ龍井村ニ據ルヲ便ナリトナスニ至リ遂ニ龍井村ハ局子街ヲ凌駕スルニ至ルヘシ

第五節　龍井村及ヒ局子街以外ノ市街地

龍井村局子街ヲ除キ間島內ニ於テ市街ノ體裁ヲ形造リ多少商業ノ營マルルノ地ハ東盛湧街、銅佛寺頭道溝、太拉子、湖川街、甕聲拉子、凉水泉子及ヒ百草溝ナリトス

一、東盛湧街　龍井村ヨリ東北一里半局子街ヨリ鍾城及ヒ太拉子ニ通スル道路上ノ樞區ヲ占メ戶數二百七、人口一千五十四アリテ龍井村局子街ニ亞ケル繁華ノ地タリ巨商東盛湧ノ居住地ナルヲ以テ此名アリ市街ハ東西ニ延長シ商賈トシテハ東盛湧燒鍋ノ外二三ノ小雜貨店及ヒ飲食店アリ皆清人ニシテ日韓人ノ商業ヲ營ムモノナシ

二、銅佛寺　龍井村ヨリ西北約五里局子街ヨリ吉林ニ通スル街道上ニ在リ戸數一百十八、人口一千三十九ヲ有ス市街ハ幅廣クシテ比較的淸潔ニ兩側ニハ三四ノ宏大ナル雜貨店ノ外客棧及ヒ諸種ノ飮食店アリ官衙トシテハ巡警分局諸稅局ノ外淸兵五六十名常ニ駐屯ス此地嘗テ吾憲兵分遣所ノ所在地タリ市街ノ東端西側ニ當リ銅佛寺ト稱スル一伽藍アリ街名ノ因リテ起レル所ナリトス

三、頭道溝　龍井村ヨリ西方約四里半頭道溝平野ノ中央ニ住シ最モ景勝ノ地ヲ占ム戸數九十三、人口七百九アリ市街ハ銅佛寺ト同シク雜貨店飮食店ノ外巡警局稅局等ノ官衙アリ又嘗テ吾憲兵分遣所ノ所在地ニシテ市況頗ル殷盛ナリ日淸協約ノ結果昨年十一月ヨリ開放セラレ現時我カ總領事館分館ノ所在地タリ

四、大拉子　一名和龍峪ト稱シ光緖十年頃ヨリ開ケタル知名ノ一市街ニシテ淸國ハ從來此處ニ經歷分防廳ヲ設ケテ地方ノ行政ヲ司ラシメシカ近時和龍縣ヲ置キ知縣ヲ專派セリ市街ハ會寧ヨリ龍井村ニ通スル街道上ヨリ少シク左折シテ約十町ヲ隔テタル草原ニアリ戸數八十、人口六百四十ヲ有ス商賈トシテハ四戸ノ小雜貨店七戸ノ材木舖ノ外客棧及ヒ二三ノ飮食店アルノミニシテ商況頗ル微々タリ

五、湖川街　龍井村ヨリ鍾城ヘノ通路ニ當リ戸數四十、人口二百ヲ有スル韓人市街地タリ商賈ニハ酒舖、旅館、藥舖、雜貨店等アリ瘧疾ノ妙藥幾那圓(金鷄納)ハ只此地ニ於テノミ販賣セラルルモノナレハ間島ノ韓民悉ク此地ニ來リテ之ヲ購フヲ常トス

六、甕聲磖子　龍井村ヲ距ル西北約二十里局子街ヨリ吉林ニ通スル街道上ニ當リ大廟溝及ヒ倒木溝ノ兩支流左右ヨリ布爾哈通河ニ合流スル地點ニ位シ當地方ニ於ケル唯一ノ物資集散地タリ市街ハ街道ニ沿フテ東西ニ延長シ雜貨店、豆油製造業、蹄鐵工、材木屋、麵屋、客棧等ハ皆街道ヲ挾ミテ兩側ニ並列ス官衙トシテハ兵營警務局及ヒ山海税局支局等設置セラレ戸數三十三、人口二百五十アリ

七、涼水泉子　局子街ヨリ琿春ニ通スル街道上ニアリテ龍井村ヲ距ルコト東北約十三里ナリ市街ハ東西ニ分タレ大規模ノ豆油製造業者アリ其他東西ヲ通シテ雜貨店五戸客棧六戸飲食店數戸アリ此地清國派辦所幷ニ兵營ノ所在地ニシテ間島東部ニ於ケル樞要ノ一地區ナリ

八、百草溝　日清協約ニヨリテ定メラレタル開放地ノ一ニシテ局子街ヨリ寧古塔及ヒ蛤蟆塘方面ニ通スル大道上ニ位シ地味膏腴嘎呀河流域中最モ廣濶ナル平野ナリ全部農村ニシテ未タ市街ノ體裁ヲ成サス官衙トシテハ平野ノ中央ニ一兵營アルノミニテ商業トシテ見ルヘキモノハ唯タ僅カニ最近ノ開業ニ係ル兩三家ノ支那客棧アルノミ全平野ヲ合セテ戸數百二十、人口三百三十五ナリ

第二章　間島ノ産物

第一節　總説

間島ノ住民ハ殆ント全部農業ヲ營ムヲ以テ其産物ハ農産物ヲ大宗トナシ林産之ニ亞ク家畜ハ農家ノ副業タルヲ以テ其産額亦決シテ尠トセス鑛産物ハ採掘法ノ幼稚ナル爲メ未タ見ルヘキモノナシ

ト雖トモ將來適當ナル方法ニヨツテ採掘セハ林產ト相並ヒテ農產物ニ次クノ主要產物タルニ至ラン水產物ニ至ツテハ海洋ニ濱セサルト江湖ノ長大ナルモノナキ爲メ頗ル微微タル有樣ニシテ何等特筆スヘキモノナシ

第二節　農產物

農產物ノ主要ナルモノハ粟、大豆、高粱、玉蜀黍、大小麥、煙草、水稻等ニシテ蔬菜類ニハ蘿蔔、蕪菁、胡蘿蔔、馬鈴薯、球葱、蒜等ノ產出盛ナリ

粟　韓人ノ主食物ニシテ間島ニ於ケル農產物中最モ重要ナルモノナリ一年ノ產額約二十五萬石其價額五拾餘萬圓ニ達ス

大豆　其產額ハ未タ大ナラス即チ一年約七萬餘石價格貳拾餘萬圓ナリ大豆ハ豆油製造其他味噌、醬油ノ釀造ニ供シ又韓清人共食料ニ供スルヲ以テ間島ニ於テハ粟ニ亞ケル重要產物タリ

高粱　高粱酒、燒酒製造ノ原料トナスノ外清人ハ粟及ヒ玉蜀黍ト共ニ常食ニ供ス一年ノ產額約八萬石其價格約貳拾四萬餘圓ナリ

玉蜀黍　清韓人共ニ常食トナス殊ニ清人間ニ多ク需要セラル一年ノ產額約五萬五千石ニシテ其價格拾貳萬圓內外ナリ

大麥　韓人ハ粟ニ次ケル主食物トシテ之ヲ用ユルヲ以テ其栽培多キモ清人ハ多ク栽培セス一年ノ產額僅ニ四萬六七千石ニシテ其價格拾萬圓ニ上ラス

小麥　清人之ヲ製粉シテ其常食タル麵又ハ饅頭ヲ造リ又味噌、醬油、酢等ノ製造原料トナス其產額ハ三萬三千石價格約拾貳萬圓ナリ

煙草　ハ其生育頗ル良好ニシテ特用作物中ノ首位ニ班シ一年約百參拾萬斤價格約五萬八千圓ノ產出アリ

水稻　近來韓人ニヨリ各地ニ試作セラルルモ其尤モ多ク栽培セラルルハ六道溝沿岸及ヒ茂山間島ノ吉地附近ナリ其成績ハ良好ナルカ如シト雖モ未タ微々タルヲ免レス全間島ヲ通シテ其產額僅カニ五百五十餘石價格約九千圓ニ過キス

農產製造物　トシテハ高粱酒最モ著名ニシテ一年約百十二萬斤價格拾五萬七千圓ノ產出アリ其他豆油、豆粕及ヒ荏油等ノ產出アリ

第三節　家畜

家畜ノ主ナルモノハ牛馬豚雞ニシテ驢騾羊等モ並飼育セラル

一、牛　清韓兩種アリ韓種ハ概ネ咸鏡道產ニシテ性質溫良且ツ怜悧ナリ軀幹長大能ク力役ニ堪エ殊ニ輓曳ノ用ニ適ス其輓曳力ハ通常六百清斤ヲ程度トス清種ハ主トシテ滿州產稀ニ蒙古種ヲ見ル如骨骼韓牛ト相匹敵シ性質溫和ニシテ怜悧ナル亦韓牛ニ劣ラスト雖モ持久力ハ稍劣レルモノノ如シ挽曳力ハ約五百清斤ナリ

牛ハ韓人ノ農業資本中隨一ニ屬シ耕作運搬一ニ其力ヲ藉ルヲ以テ一家大抵一頭ヲ有セサルモノ

ナキモ極貧ノ小作農ハ共同シテ飼養スルカ又ハ地主タル清人ヨリ借ルモノ少カラサルヲ以テ平均十戸八頭ノ割合ニ過キス清人ハ主トシテ耕耘用ニ供シ大抵ノ小農家ト雖モ二三頭ヲ有セサルモノナク中農ハ七八頭大農ハ十五六頭以上ヲ有スルモノ少ナカラサルヲ以テ一戸平均四五頭ノ割合ト見テ大過ナカラン

韓牛清牛共一頭ノ價貳拾五圓乃至五拾圓ニシテ一歳未滿ノ犢ハ七圓乃至拾圓生後六ケ月以內ノモノハ貳圓乃至四圓ノ相場ナリ

二、馬　韓馬、支那馬及ヒ少數ノ露西亞馬アリ韓馬ハ體軀甚タ矮小ニシテ高サ三尺二三寸乃至三尺四五寸ニ過キサレトモ比較的强健ニシテ持久力ニ富ミ脚力亦强キヲ以テ險峻ニシテ馬車牛車ヲ通セサル處ニハ駄用トシテ頗ル適當セリ耕作用トシテハ不適當ナルヲ以テ資本ニ乏シキ韓人ハ馬ヲ有スルモノ甚タ少ク平均十戸一頭ノ割合ニ過キス一頭ノ挽曳力ハ約二百清斤ニシテ擔荷力ハ約百八十清斤ナリ一頭ノ價格貳拾圓乃至四拾圓ナリ

支那馬ハ韓馬ニ比シテ體軀稍長大ナレトモ日本馬等ヨリハ一般ニ短小ナリ性質ハ極メテ溫良ニシテ兒女子モ尙ホ能ク之ヲ御シツヽアリ力量比較的多ク持久力ニ富ムヲ以テ農馬又ハ輓馬トシテ頗ル適當ナリ清人ハ主トシテ輓馬ニ用ヒ大車ニハ六頭乃至八頭多キハ十二頭ヲ繫キ二千斤以上ノ重量ヲ運搬シツヽアリ一頭ノ輓曳力ハ四百斤ニシテ擔荷力ハ二百斤ヲ普通トス清人大農家ニアリテハ大抵十頭以上十五六頭ヲ有スルモ一戸平均五頭ヲ有スルモノト見テ大差ナカラン價

格ハ不同ニシテ一頭參拾圓ヨリ百五拾圓内外ノ相場ナリ

三、豚　清韓人共ニ每戶殆ント飼養セサルモノナク殊ニ淸人ハ五六十頭ヲ有スルモノ珍シカラス畜舍ハ清人ニ在リテハ屋外ノ一隅ニ丸木ヲ柵トシ其一隅ニ僅カニ雨露ヲ凌クニ足ルノ蓋ヲ設クルニ過キス韓人ハ單ニ小石ヲ積ミ土ヲ以テ塗リ固メ其内ニ穴居セシムルモノアリ何レモ極メテ粗造ナリ韓人ハ一戶平均二頭ニ過キサルヘキモ清人ハ一戶平均十五頭ニ達ス

豚肉ハ清韓人共ニ之ヲ珍重ス殊ニ清人ニ在リテハ庖厨用トシテ一日モ缺クヘカラサルモノニシテ一斤ノ市價約拾貳錢一頭ノ價格參圓乃至九圓ナリ

四、雞　韓國種及滿洲種アレトモ清韓人雜居シ放飼ノ結果混淆シテ明ニ種類ヲ區別シ難シ一般體質强健ニシテ能ク寒氣ニ堪エ一ケ年ノ產卵數ハ百顆内外ニシテ冬季ニ多シ卵ハ小ニシテ一個ノ重量漸ク十二匁内外ニ過キス肥育性ニ乏シキヲ以テ體軀短小雄雞ト雖モ體量五百匁ヲ越ユルモノ稀ナリ清韓人共每戶必ス飼養セサルモノナク淸人一戶平均十羽韓人五羽ノ割合ナルカ如シ一羽ノ價ハ拾五錢内外ニシテ雞卵一個ハ壹錢乃至壹錢五厘ナリ

五、驢　滿州產ニシテ多ク穀物ノ精白製粉用ノ石臼ヲ挽カシムルノ用ニ使役ス其飼養數ハ清韓人共ニ甚タ少ク一頭ノ相場拾五圓内外ナリ

六、騾　温柔ニシテ人意ニ從ヒ且ツ重役ニ堪ユ而シテ使役年限モ馬ニ比シテ長ク飼料量ノ如キモ馬ノ三分ノ二ニテ足ルカ故清人ハ一戶平均一頭ヲ飼養シ駄用又ハ穀物ノ精白又ハ製粉用ノ石臼ヲ

挽カシムル以外ニ馬ト併セテ馬車用ニ使役ス然レトモ韓人間ニハ之ヲ有スルモノナシ一頭五拾圓位ノ相場ナリ

七、羊　吉林地方ヨリ輸入シ來リタルモノニシテ冷水泉子ニハ緬羊、山羊ヲ合セテ三四百頭ヲ飼養スル清人アリ其他局子街ノ知府衙門朝陽河、頭道溝及ヒ太拉子ニ各三四十頭ヲ有スルモノアルノミニテ一般ニ飼養行ハレス一頭六圓ノ相場ナリ

第四節　鑛　產

鑛產ノ主ナルモノハ金及ヒ石炭ニシテ其他銀、銅、鐵、石灰、陶土、瓦土及ヒ石材等ヲ產ス

一、金　主トシテ砂金ニ屬シ其產額ハ今玆ニ明示スルコト難カルヘキモ恐ラクハ年參萬圓乃至五萬圓ニ過キサルヘシ

砂金地トシテ蜂蜜溝、三道溝、咸朴洞、東南岔、下七道溝、小百草溝、兒洞、烟芝江、河東等アリ其內著名ナルハ蜂蜜溝及ヒ三道溝ナリトス

蜂蜜溝砂金地　龍井村ヲ距ル西南約十二里二道溝上流ニアリ該鑛ハ光緒二十三年(明治三十年)始メテ發見セラレ其後數年間ハ頗ル盛況ヲ呈シ一時ハ採金夫二千餘名ニ上リシコトアリ其後年々減少セルモ今尙ホ陰曆六、七月ノ頃ニハ二、三百人ノ採金夫アリ全部山東人ニシテ陰曆十一月結氷後ハ鄕里ニ歸ルヲ通例トス

現今ニ至ル迄ノ產額ハ之ヲ詳ニシ難キモ採金夫ノ數其他ヨリ推算スルニ貳拾萬圓乃至四拾萬圓

ニ達セルモノノ如シ
該砂金鑛床ハ現今既ニ良好部ヲ採リ盡シタルヲ以テ今後尙ホ少數採金夫ノ稼行ニ値スヘキモ大規模ノ鑛業トシテ企劃スルノ價値アラス然レトモ地質及ヒ鑛床ノ關係上此附近ノ溪谷ニハ他ニ含金層ヲ有スル沖積層ノ發見セラルヘキ望アルヲ以テ更ニ探鑛ノ必要アリ
三道溝砂金地　前述ノ二道河流ノ東南ニ隣接シテ土山子ノ平地アリ其北端ヨリ中央部ノ最モ廣キ處ニ至ル迄約二千米ニ亘リ巾約二、三百米ニシテ總面積大約十萬坪ノ地積ハ一面砂金採掘地ニシテ土山子ヨリ南ニ當リ三道溝下流ノ峽流トナル處亦採掘跡アルモ其面積ハ一萬乃至一萬五千坪ヲ出テス
尙ホ三道溝溪谷ヨリ西シ張子溝ノ北ヲ超ヘ東南岔砂金地ニ出ツル溪川ニモ約二里餘ノ舊採金地散點ス
此地ハ光緒十九年程光弟監督ノ下ニ開始シ二十四年ニハ採金夫四五千人アリテ頗ル盛況ヲ呈セシモ同二十六年北淸事變ノ際露兵ノ侵入ニ因リテ廢鑛セリト云フ產額ハ全ク不明ナルモ前記蜂蜜溝ト同シク貳拾萬乃至四拾萬圓ノ產金アリシモノト推測セラル
間島西部ニ於ケル砂金地ハ夾皮溝尤モ有名ニシテ現時盛ニ採掘セラレツツアルモ其他ノ砂金地ハ大部分既ニ廢坑ニ歸シ今日猶ホ繼續シテ其規模ノ稍々見ルヘキモノハ獨リ大沙河上流ノ金廠アルノミ而シテ廢鑛ノ著名ナルモノハ漢窰溝、熱鬧街、小黃泥河、磨石溝、小嶺子等ナリ

二、石炭　間島ニ產スル石炭ハ其質粗惡ナル褐炭ニ屬シ主トシ燒鍋ノ需用ニ供ス其產地ハ老頭溝、轉心湖、土山子、甑山洞等ナリ

老頭溝炭坑　銅佛寺ノ西約二里局子街ヨリ吉林ニ通スル街道ニ沿ヘル丘陵ニアリ坑口ニ至ル迄支那馬車ヲ通スルヲ以テ運搬頗ル便利ナリ

此ノ坑ハ元ト天寶山ト共ニ程光弟ノ開坑ニ係リ其後局子街ノ商賈ノ手ニ移レリ限定稼行區域七响地ニシテ現今採掘シツツアル坑ノ口三個アリ坑夫ノ數ハ僅カニ十人ニ過キスシテ一日ノ採掘高約一萬斤ナリ然レトモ需用多ケレハ尚ホ出炭ヲ增加シ得ヘク價格ハ山元ニテ一千斤ニ對スル切込炭六吊文（我カ壹圓七拾錢）塊炭七吊文（約二圓）ナリ

轉心湖及土山子炭坑　龍井村ヲ西ニ距ル約八里ニアリ炭坑所在地ハ南ニ稍ヤ急峻ナル山嶽ヲ負ヒ北ハ緩傾斜ノ丘陵地ヲ成シ轉心湖ハ丘陵地ノ東半腹ニ至リ其西側三道溝河流ニ臨ミテ土山子炭坑アリ蓋シ二者共ニ同一炭田ノ一部分ナリ

土山子ハ光緒十六年ノ開堀ニシテ北清事變ニ一時中絕シ其後再ヒ開堀セシカ光緒三十一年燒鍋破產ノ際再ヒ休坑ノ悲運ニ遭ヒ其後光緒三十三年更ラニ錢某經營ノ下ニ他ニ坑口ヲ開キタルモノナリ目下使用坑夫十七八名ニシテ一日ノ出炭量二千斤乃至四千斤ナリ

轉心湖ハ　今ヨリ五年前即チ光緒二十七年ノ開掘ニ係リシモ最初ハ炭層ニ達セス光緒三十一年陰曆七月始メテ現坑ヲ開キタリト云フ坑夫ノ數ハ最初五六名ニ過キサリシカ現今ハ十四五人ヲ

使役シ一日ノ炭量三千五百斤乃至四千斤ナリ
炭質劣等ニシテ灰分多ク本邦磐城炭中ノ中等以下ニ位スルヲ以テ汽罐用トシテ決シテ適當ト云フ能ハサルモ老頭溝炭ニ比スレハ品質稍ヤ優リ間島方面ニ於テハ現ニ最良タルモノナリ
販路ハ從來燒鍋ノミニ限ラレシモ間島ノ開發ニツレ各種事業ノ興ルニ至ラハ需用更ラニ大トナルヘク將來吉會鐵道布設セラルルニ當リ他ニ之ニ代ルヘキ優良ナル石炭坑ノ開掘セラレサルニ於テハ品質ノ如何ニ關ラス汽關ノ燃料ニ使用セラルヘキヲ以テ重視セラルヘキモ產額及ヒ規模ニ對シテ多大ノ望ヲ屬シ難シ
甑山洞炭坑　會寧ヲ距ル西二里餘豆滿江ノ左岸ニアリ炭質ハ漆黑ノ度上記諸炭ヨリ强ク風化スルモ方形ニ劈開シ品質間島產中ノ冠タリ
天寶山ノ經營者タル中和公司ハ甞テ人ヲ派シ河崖下ニ約十尺ノ坑井ヲ穿チタルモ河床下ニ當レルヲ以テ稼行殆ント望ミナク遂ニ中止セリト云フ
三、銀　銅ト共ニ天寶山鑛山ヨリ產スルモ現時ハ封禁中ナルヲ以テ採掘セス
其他三道崴繡紋浦等ニモ亦銀鑛アレトモ調査精密ナラサルヲ以テ之ヲ省ク
四、鐵　小百草溝ニ褐鐵鑛アリ豆滿江沿岸ノ各所ニハ砂鐵ヲ產シ農具及ヒ釜製造ノ原料ニ供スルモ其產額極メテ小量ナリ
五、石灰　各地ニ產スルモ茸子溝、壹兩溝、小佛洞尤モ有名ナリ

第五節　林產

林產トシテハ木材、薪炭、人參、獸皮、菌類藥草等アリ

一、木材　間島東部ニ於ケル森林ハ殆ント濫伐ニ委セラレツツアリ然レトモ老爺嶺ノ一帶北甑山附近及ヒ處々ノ溪谷ニハ猶ホ森林地帶ヲ有シ其面積ハ東部全面積ノ約二割五分ヲ占ム現今龍井村及ヒ局子街ニ出ツル木材ハ重ニ七道溝二道溝及ヒ三道崴方面ヨリノ伐採ニ係ル

間島西部ハ地積ノ約九割ハ鬱蒼タル森林ニシテ木材ハ實ニ此地帶富源ノ随一タリ每年金銀別嶺以東ヨリ吉林ニ流出スル木材ノ數ハ十八萬乃至二十四萬本價格百二十萬乃至百五六十萬圓ニ達スト云フ

木材ノ種類ハ主トシテ樅、朝鮮松、櫛、楓、白樺、白楊等ノ板材、角材、丸太等ニシテ就中朝鮮松、材最モ需用多ク價モ亦廉ナラス

最近ノ調査ニ係ル龍井村ニ於ケル木材價格表左ノ如シ

木材價格表　明治四十二年三月調

品名	寸法	價格	摘要
松板	長五尺五寸 厚一尺 厚一尺五寸	円 〇.八〇〇	棺槨用
同	長十二尺 巾一尺 厚一寸	〇.八〇〇	雜用

品名	寸法	價格	摘要
松板	長十二尺巾七寸八厚五分	円 〇・六〇〇	雜用
同角材	長十二尺三寸角	〇・八〇〇	窓其他用
同	同長六尺	〇・四〇〇	同
松板	長六尺巾七寸八厚五分	〇・三〇〇	雜用
同丸太	長十四五尺元口三四寸	〇・四〇〇	椽其他用
同	同長六尺	〇・三〇〇	同
同角材	長十二尺一尺二三寸角	五・五〇〇	製板用
同	同長六尺	二・二五〇	同
杉板	長十二尺巾一尺厚一寸	〇・六〇〇	各所用
同	長十二尺巾七寸八厚五分	〇・四五〇	同
同	長六尺巾七寸八厚五分	〇・二五〇	同
同角材	長十二尺三寸角	〇・六〇〇	窓其他用
同	同長六尺	〇・三〇〇	同
製	長十二尺一尺二三寸角	五・〇〇〇	製板用

同	同 長六尺	二・五〇〇	同
同丸太	元口三四寸 長十四五尺	〇・三五〇	橡其他用

二、薪炭　東部ニ於ケル薪炭林ノ著名ナルモノハ兀良哈嶺中七道溝繡紋浦附近天寳山附近四道溝嶺附近及ヒ三道溝靑山里方面等ニシテ清韓人共農事ノ餘暇此ノ地方ニ至リ櫟、楢其他ノ雜木ヲ伐採シテ木炭及柴薪ヲ製シ之ヲ自家用ノ馬車、牛車ニ積載シ來リテ龍井村局子街其他ノ市場ニ鬻ク龍井村ニ於ケル薪炭ノ相場ハ時ニヨリテ一定セスト雖トモ通常木炭ニ在リテハ支那馬車一臺ニ付五圓乃至七圓槙ハ牛車一臺ニ付一圓内外柴草ハ十八束一輛ニテ壹圓二十錢位ナリ

三、人參　主トシテ西部ニ產シ長白山脈及ヒ老嶺等ハ古來ヨリ有名ナル產地ナリ其深山幽谷中ニ自生シテ數十年ヲ經過シタルモノハ一根能ク百金ニ値スト云フ又娘々庫地方ノ山地ニアリテ之ヲ栽培シテ業トスルモノ多ク其年產額優ニ四萬圓以上ニ達ス

四、獸皮、菌類、藥草　等ハ主トシテ西部ニ於ケル天產物ニ屬ス獸皮ノ主ナルモノハ貂、虎、豹、水獺、熊、鹿、狼狐等ノ生皮ナリ東部ニ於テハ火狐狸嶺及ヒ三頭巖方面ヨリ冬季多少ノ熊、鹿、狐、狸皮ノ產出アルモ其額大ナラス西部ニ於テハ森林中ニ窩棚（獵幕）ヲ構ヘテ專ラ獵獸採菌堀草ニ從事スル淸人尠カラス此等ハ年々皆吉林敦化方面ニ輸出セラレ其產額不明ナルモ蓋シ數萬圓ヲ下ラサルヘシ

第六節　水產

豆滿江布爾哈通河海蘭河及ヒ西部ニ於ケル諸河流ニハ鮒其他雜魚ヲ產シ雁、鴨、鷺、鴫等ノ鳥類多シ豆滿江布爾哈通河海蘭河ニ於テハ秋季鮭鮹ノ漁獲アリ又多ク泥龜ヲ產スルモ土民ハ迷信上之ヲ嫌フテ捕獲スルコトナシ

第三章　輸出入品

第一節　輸出品

輸出品ノ主ナルモノハ東部ニアリテハ粟ヲ第一トシ大豆、高粱酒之ニ次キ其他高粱、煙草、豆油、豆粕、荏油等ノ外又家畜ノ輸出アリ

粟　主トシテ北韓方面ニ輸出シ雜貨及ヒ食鹽、鹽魚等ト交換セラル一年ノ輸出額七萬餘石ニシテ其價格十五萬圓餘ニ達ス

大豆　大部分會寧、清津方面ニ一部分ハ琿春方面ニ輸出セラレ年額二萬四千石價格七萬二千圓ナリ

高粱及ヒ高粱酒　殆ント全部琿春ニ輸出セラレ其額高粱ハ一萬石價格三萬圓ニ過キサルモ高粱酒ハ年額五千萬斤以上價格七萬圓以上ニ達ス

煙草　北韓及ヒ琿春地方ニ輸出セラレ其額二十萬斤價格九千圓以上ナリ

豆油、豆粕、荏油等　其一部分ハ會寧及ヒ清津方面ニ大部分ハ琿春敦化方面ニ輸出セラルルモ其高多カラス年額二萬圓位ナリ

家畜中牛ハ大部分ハ浦鹽ニ一部分ハ北韓地方ニ輸出サルルモ其年額詳ナラス豚ハ主トシテ琿春及ヒ敦化方面ニ鷄ハ重ニ北韓六鎭地方ニ輸出セラル

西部ニ於テハ木材及ヒ砂金ニシテ人參、獸皮、菌類、藥草之ニ亞ク此等ハ孰レモ吉林及ヒ敦化方面ニ輸出セラル

第二節 輸入品

輸入品ノ主ナルモノハ金巾、棉花、石油、鹽、露西亞更紗鹽魚等ニシテ輸入先キハ日韓清露ノ四國ニ渡レリ

金巾　當地方ニ於ケル最モ重要ナルモノニシテ日本三井產ノ三A印尤モ需用多シ其用途ハ韓人四時ノ衣服ニ用キラルル龍井村ニ輸入セラレシ平均一ヶ月ノ額ハ約十五俵(一俵ハ二十疋ニシテ一疋ハ韓尺七十尺)内外ニシテ八九兩月最モ販賣數多シト云フ同村植竹商會ニ於テ昨四十二年四月以降輸入セシ金巾數量ハ總テ七十六俵(其價格一萬六百四十圓)ニシテ八九兩月ニ於ケル一ヶ月ノ販賣高十五俵(價格二千百圓)ニ達セリト云フ植竹商會一ヶ月平均輸入數量ハ約十一俵弱ニシテ此外在住韓商買ト會寧清津ヨリ直接取引ヲナスモノヲ合セ約十五俵ニ達スヘシ金巾卸賣ノ價格ハ一疋七圓乃至七圓二十錢内外ニシテ市場ノ小賣價格ハ韓一尺七十二文ニ販賣ス

棉花　現今金巾ニ次キ有望ナル重要品ナレトモ總テ韓商ノ手ニ販賣セラレ未タ日本商人ノ手ヲ經ルニ至ラス

石油　近來清韓民ノ生活程度高マリシト同時ニ其需用頓ニ増加シ昨年四月以來七ケ月間石油ノ輸入セラレシモノ總テ三百箱以上ニ達セリ

鹽　間島ニ於ケル鹽ノ消費高ハ一年約一萬四百七十一石價格十三萬六千五百二十二圓ニシテ其七割ハ韓人ノ消費スル所タリ從來間島ニ於ケル食鹽ハ北清烟臺其他雄基永興及ヒ臺灣等ノ各方面ヨリ輸入セラレシモ昨四十二年春清國政府ノ鹽專賣令ヲ實施セシ以來間島全部ノ所要鹽ハ局子街ニ於ケル張某一人ニテ輸入賣下等ノ全權ヲ握リ專ラ營口ヨリ直輸入スルモノニテ其額一ケ年約七八十萬斤ナリト云フ

露西亞更紗　浦鹽ヨリ輸入サレ日清韓人ノ需用頗ル多ク韓人ニアリテハ婦人及ヒ小兒ノ衣服等ニ用ヒ賣行最モ良シ其價ハ一ヤーシン（我カ一尺八寸）四十錢内外ナリ

鹽魚　韓人間ニハ明太魚ノ需用夥タシク北韓方面ヨリ輸入セラル

其他日本雜貨トシテハ燐寸、煙草、カタン糸、手巾、鏡等ノ化粧品類韓國雜貨トシテハ絹麻布陶器冠履清國貨物トシテハ京貨、麵粉、木綿類、製靴、烏拉靴、毛皮等露國雜貨トシテハ綿糸布匹糸等輸入セラレ外ニ獨逸製品ノ浦鹽ヨリ混入シ來ルモノ亦尠カラス

輸入ノ經路ハ從來大部分浦鹽ヨリ「ポシエット」琿春ヲ經由シ若干營口吉林ヲ經テ來リタルカ近時日本雜貨及ヒ韓國雜貨ノ需用高マルト同時ニ清津經由ノモノ多シ

輸入貨物ノ產地別

品目	産地
金巾	大阪、兵庫、上海、元山
天笠木綿	大阪、三河、元山
生木綿	日本各地
綿毛布	堺、大阪、其他
綿ネル	和歌山、京都
更紗	露、獨
羅紗	大阪、外國
蠟燭	大阪、獨、露、淸
石油	米國、越後
平野水	長崎、兵庫
石鹸	外國品、大阪、東京等
靴類	東京、大阪、露、淸
下駄類	大阪

品目	産地
絹布	京都、福井、甲斐、蘇州、上海、韓國
モスリン	東京、大阪
毛山	大阪、上海
烏拉靴	吉林
鐵器類	産地不明、吉林
釘	大阪仕入
海産物	淸津附近、東京
壁紙	露、大阪
木綿糸	大阪
カタン糸	大阪、外國
各種罐詰	函館、大阪、阿波、名古屋、大津、行德、新嘉波
各種陶磁器	唐津、南淸、露、獨
鹽	永興、雄基、臺灣、烟臺

品目	産地	品目	産地
砂糖	福岡、東露、大阪	ビスケット	大阪、東京
硝子器類	大阪、獨逸	燐寸	大阪、元山
巻烟草	專賣局、上海、トルコ	花蓆類	中國、南韓
刻烟草	專賣局、地產	錫器類	南清、大阪
和洋紙類	神戸、高知	麥粉	米國、北滿、日本、上海
ミルク	上海、米國	麥酒	日本麥酒會社
洗面器	大阪、浦鹽	葡萄酒	茨木、東京
鍋類	同	清酒	釜山、御影、堺

第四章 通貨

第一節 通貨ノ類別

間島ニ於テハ日、韓、清、露四ケ國ノ通貨アリ今之ヲ類別スレハ左ノ如シ

一、日本通貨　之ヲ分チテ硬貨及ヒ紙幣ノ二ト為ス紙幣ニハ日本銀行兌換券ノ十圓、五圓、一圓ノ外明治三十八年勅令第七十三號ニ依リ第一銀行カ發行シ韓國政府ノ公認ヲ得テ流通スル兌換券十圓五

圓及ヒ一圓アリ硬貨ニハ五十錢、二十錢、十錢ノ各銀貨五錢白銅貨二錢、一錢、半錢ノ各銅貨アリ

二、韓國通貨　五十錢銀貨、二十錢銀貨、十錢銀貨、五錢白銅貨、一錢銅貨、半錢銅貨及ヒ葉錢ト稱スル我カ一厘錢ニ相當スルモノアリ

三、露國通貨　紙幣ニ五ルーブル、一ルーブルノ二種ノ兌換券アリ硬貨ニ二十コペック銀貨、十コペック銀貨、一コペック銅貨、半コペック銅貨アリ

四、清國通貨　硬貨及ヒ紙幣ノ二種アリテ硬貨ニハ吉林省ノ鑄造シタルモノニシテ一元銀貨(庫平銀重量七錢二分)五角銀貨(庫平銀重量三錢六分)二角銀貨(庫平銀重量一錢四分四厘)一角銀貨(庫平銀重量七分二厘)半角銀貨(庫平銀重量三分六厘)二成銅貨、一成銅貨及ヒ各省ノ鑄造ニ係ル諸種ノ銀貨及銅錢アリ紙幣ニハ官帖私帖ノ區別アリ官帖ハ兌換券ノ一種ニシテ一ニ吉林永衡官帖ト稱シ吉林省ノ發行ニ係リ百吊、五十吊、十吊、五吊、三吊、二吊、一吊ノ七種アリ

私帖ハ別名錢票ト稱シ普通燒鍋業(燒酒製造業)及ヒ大商買資本家等カ官許ヲ得テ發行スル一種ノ信用手形ニシテ十吊、五吊、三吊、二吊、一吊ノ五種アリ

現在間島全土ニ流通スル私帖ハ廿三商店ノ發行ニ係ルモノニシテ總額一萬八千六百十吊ニ達スルモ官帖ニ比シ信用ノ程度低シ

第二節　計算方法

韓葉錢一個ヲ一文ト稱シ十文ヲ一錢ト稱シ十錢ヲ一兩ト稱シ十兩ヲ一貫ト稱ス

清國葉錢一個ヲ二文ト稱シ十文ヲ一成ト稱シ百成ヲ一吊ト稱ス即チ表ヲ以テ示セハ左ノ如シ

韓國	一文	葉錢一個	葉錢一個
	一錢	同十文	同十個
	一兩	同十錢	同百個
	一貫	同十兩	同壹千個
清國	二文	葉錢一個	葉錢一個
	一成	同十文	同五個
	二成	同二十文	同十個
	三成	同三十文	同十五個
	四成	同四十文	同二十個
	五成	同五十文	同二十五個
	十成	同百文	同五十個
	五十成	同五百文	同二百五十個
	百成	同壹千文	同五百個
	壹吊	同百成	同五百個

第三節　交換率

各通貨ノ交換率ハ絶ヘス變動アリ明治四十一年四月頃ニハ日貨壹圓ニ對シ清國官帖三吊五百文明

治四十二年十月ハ四吊百文換露貨一ルーブルニ付三吊六百文ヲ以テ交換セラル日貨一錢ハ韓葉錢六個ニ相當スルヲ以テ韓一兩ハ日貨十六錢六厘六毛トナル又日貨一圓ハ清貨二吊五百文即チ二千五百文葉錢一千二百五十個ニ相當スルヲ以テ清一吊文ハ日貨四十錢トナル而シテ銀塊一兩ハ我カ一圓六十九錢二厘ニ相當ス

銀貨ト葉錢トノ交換率ハ左ノ如シ

銀貨種類	名稱（清）	韓葉錢	清葉錢
吉林鑄造二角	五（ウ）佰（ペイ）	百二十個	二百五十個
江南福建鑄造二角	四（スー）佰（ペイ）六（リウ）	百十個	二百三十個
日、韓、露鑄造二十錢	四（スー）佰（ペイ）	百備	二百個

第四節　金融機關

金融機關トシテハ一ツノ銀行ナク當舖ナク兩替屋タモナシ派出所ノ設置セラルルヤ各方面ヨリ渡來セシモノ多ク其聲ノ大ナルニ連レ商賈ノ新來スルモノ多キモ本機關ノ不備ナルカ爲メニ容易ニ手ヲ下ス能ハス甚タシキ不便ヲ感シタルカ如シ四十年九月我カ間島郵便局開設以來電報並ニ郵便爲替ニ賴ツテ會寧方面及ヒ內地ヨリ金巾其他ノ取引ヲナスニ至リタルモ未タ充分ナラス又局子街

ニ於ケル東盛海、吉順和ノ二清商ハ吉林琿春ニ向ツテ自國商人ノ爲メニ好意的滙票(爲替)ヲナスモノアルモ之レ亦凡テノ要求ヲ充タスニアラスシテ僅カニ補助機關的行爲ヲナスニ過キス其他一二燒鍋即チ東盛湧街ノ東盛湧、頭道溝ノ義興源カ自家ノ原料タル穀類ニ對シテ貸出ヲナスコトアリ

第五章　商業慣習

第一節　韓商界ノ商慣習

韓商間ニ於ケル賣買取引習慣ハ現金掛賣ノ外往々物々交換行ハル龍井村市場ニ於テハ多クハ現金賣買ナルモ顧客取引店相互ノ信用如何ニヨリテ掛賣ヲナスコトアリ掛賣ハ一ケ月一回ニ止マルモノ多キカ如シ蓋シ各商賈ノ資産富裕ナラサルニヨリ商品ノ取引支拂上ニ影響ヲ及ホスカ故ナルヘシ物々交換ニアリテハ即チ秋穫後粟大豆其他ノ穀類ト需要雜貨ノ交換ヲナスモノニシテ其交換方法ハ穀類ノ時價ヲ標準トシ之ニ相當スル物品ト交換スルモノナリ

貨物ノ仕入方法ニ至ツテハ各地ニ取引先ヲ有スル如キ大商賈未タ之ナキヲ以テ總テ現金取引ヲナスカ如シ

近來龍井村ニ於テハ開市ノ日早朝韓人小賣商ノ多クカ日商植竹商店ニ來リテ其一手賣捌ニ係ル三井三A印ノ白金巾ヲ借リ入レ夕景閉市ノ後其日ノ賣立金ヲ以テ仕拂ヲナス慣習ヲ生セリ

近來韓商賈漸次其數ヲ增加シタルニ依リ商賈ノ共益ヲ計リ將來益々之レカ發達ヲ期センカ爲メ商

店間ニ「商務東殖契」ナルモノヲ組織シ取引先ナル會寧又ハ東盛湧地方ニモ入契者アリテ現ニ八十餘名ノ契員ヲ有ス契ノ主旨及ヒ規約左ノ如シ

大韓隆熙二年戊申十月　商務貨殖契坐自顧玆龍井一區地殷交韓清江限分南北球上之絕域塞外之僻地山川寂寥人煙蕭條何幸我
大皇帝陛下諮詢于　統監閣下特以鎭圉安民之策派置官憲建設學校政令特施絃誦相聞繼之以駔儈雲集物貨日集東洋三隣便成一家北塞殘落轉作都會鄒魯之風復見於今日闕亭之契更起於此地猗敬盛哉吾儕之家於斯客於斯者孰不欽乎其間哉然而有人而無契廳有契而無資本殆無異於吹草補衣炊沙成飯故環吾龍井區域內彼商此買峻發僉議鳩聚股金遂成一契而合心團體有痛共癢有患相濟吾人之同風迭終有禮傳賻有節本契之厚眷然則旣東之箭孰敢折之巳合之保孰能斷哉於是乎略記顚末以叙趣旨永久不忘之云爾

節目條例

一、契員ハ各員契費壹圓ヲ納付スルモノトス
一、右契費ハ本市場商買中ニ保管シ置キ二割ノ利ヲ以テ融通貸付ヲ爲スコト
一、貸付期限ハ六ケ月ヲ以テ期限トナシ決算ス六ケ月未滿ト雖モ六ケ月分利息ヲ納付スヘキモノトス
一、總會ハ毎年三、九兩月晦ノ兩度トス

一、總會日ニ參會セサルモノハ現在所任ニ罰ヲ支拂フモノトス
一、罪ノ物件ハ大豚一頭酒一鉢トス
一、傳賻(會員中不幸者アリタルトキ之ニ對シ補助ト見舞トヲ兼ネ金品ヲ寄贈スルヲ云フ)ノ際ハ父母及ヒ自己ノ妻ニ限リ各々一葬式ニ限ルコトト定ム(右ハ死亡後父ハ三年母ハ一年妻ハ三ヶ月間一週忌ニ於ケル祭禮ヲ營ムノ例ナルカ本條ノ規定ハ週忌ノ祭禮ヲ除キ死亡時ノ葬祭ノミヲ意味ス)
一、賻儀例ハ錢五兩、白紙一束、白蠟一封ト定ム
一、會員中他道ノ客商ニシテ故郷ニ歸還スル時ハ元金ヲ出給スルコト
一、契員中俠雜不良ノ者ハ本契ヨリ除名シタル上元金ヲモ返附セサルモノトス
一、契ニ入ラントスル者ハ新坐例トシテ葉錢二兩ヲ即納スヘキモノトス

第二節　淸商界ノ商慣習

一、賣買ニ關スル慣習

淸商界ノ賣買慣習ハ現金掛賣(通帳アリ)ノ二種アリ又物々交換所謂バーターヽ行ハル即チ秋季收穫ノ時ニ於テ農家ノ者五穀ヲ持チ來リ貨物ト交換スルモノニシテ例ヘハ高粱幾斗ヲ以テ燒酒若干豆幾升ハ油何升粟幾合ハ布何尺ト交換スルカ如シ掛賣ノ法ハ一月一回三季一回(五月五日端午、八月十五日中秋、年底一回)三年一回アリ各其顧客及ヒ取引店ノ信用如何ニヨリテ定ム一月一回三季一回ノモノモ毎月毎季末ニ於テ帳簿上ノ決算ノミヲナシ年底(年末)ニ於テ相殺決算ヲナスナリ局子街ニ於ケ

ル諸官衙ノ役人ノ商店ニ對スル仕拂ハ皆一月一回ノ定メナリト云フ

農產物ノ仕入方法ハ現地ニ就テ彼此其收穫ノ多寡ヲ豫定概算シテ金錢ヲ貸與シ秋成ヲ俟チテ現物ヲ引取ルコトアリ他ノ貨物ノ仕入ハ人ヲ吉林、琿春、浦鹽等ニ派遣シ或ハ同地ニアル外拒ヲシテ之ヲ辨シ又ハ取引先ニ出狀シテ仕入ヲナスモノトアリ重ニ現場受ケニシテ送リ付ケ渡シノ法少ナシ而シテ商界補助機關ノ不備ノタメ荷爲替等ノ便法行ハレス各現金ヲ帶ヒテ往來辨貨スルモノナリ

局子街知府衙門ニ於テハ毎年一回穀物及ヒ農作ノ收穫期ニ於テ商人相會シ農民ヨリ買入相場ヲ一定ス此ノ規約ニ依ルトキハ若シ違約シテ高價ニ買入レタルモノハ其買入價格ノ一割ヲ會ニ沒收セラレ內五分ハ密告シタルモノニ與ヘ五分ハ會ノ費用ニ充ツ則チ「公儀會準行」ト稱スル直段書ノ下部ニ「有加價拂買者罰銀一成一半給送信人充賞一半入會」ト記載セリ

二、商店ノ組織

局子街ニ於ケル商店ノ重ナルモノ約四十家アリ東盛海、亭泰方、吉順合、天錫永、福聚成、聚升和等ハ其著名ナルモノナリ

商店ノ組織ハ(一)自巳出資ニ係ルモノ(二)資本主アリテ掌拒的(番頭)ヲ雇用シ營業セシムルモノ(三)二四ノ同志者合資シテ其內ノ商業的才能手腕ヲ有スルモノヲ掌拒的トシ營業セルモノ(四)資本主ト掌拒的ト共同出資シテ營業スルモノ但シ資本主ト掌拒的ト兩々現金出資ヲナシタルモノト一方ハ現金ヲ一方ハ勞力信用ヲ以テ出資ニ充ツルモノアリ以上四種ニ分タル

各商店ハ其資本ノ多寡及ヒ營業ノ種類ニヨリテ一様ナラサルモ大體左記ノ使用人ヲ置キテ賣買ニ關スル一切ノ事務ヲ司ラシム

一、大掌拒的　一番々頭ニシテ該商店ノ設立如何ニ係ハラス賣買取引ニ關スル一切ノ責務ヲ有シ店員ノ雇用解雇及ヒ其行爲ニ對シ凡テノ責任ヲ財東(資本主)ニ向ツテ有ス財東ハ店舗ニ關スル件ハ一切關預スルコトナク只タ決算期ニ於テ利益ヲ收受スルノミ隨ツテ店ノ信用ノ如何賣買ノ盛衰等ハ皆大掌拒的ノ信用如何ニヨツテ生スルモノニシテ其權力モ亦タ甚タ大ナリ

二、二、三掌拒的　二番三番々頭ニシテ店内部分ノ主任者タリ其受持ナル部分ニ就テ大掌拒的ニ向ツテ各其責任ヲ有ス

三、夥計　手代ニシチ各掌拒的ノ部下ニアリ店内ノ業務ニ從フ

四、小生意又ハ學徒　丁雅小僧ニシテ多クハ三年ノ年期奉公トス

五、賬房先生又ハ內拒　會計係ニシテ金錢ノ出入貨物ノ仕入販賣ノ記入ヲ掌トル

六、外拒　出張員ニシテ常ニ本店ヲ代表シ吉林、琿春等ニ居住シ各地ニ於ケル行市(相場)ノ高低ヲ本店ニ報告シ其命ニヨリ仕入レ販買ヲナスモノタリ

店員ニ對スル報酬給金ハ大掌拒的ニ在リテハ一年二百吊乃至三百吊ノ養家銀(家族ニ對スル生活費)ヲ受ク此ノ養家銀ハ常ニ一定不動ニシラ商況ノ如何賣買ノ良否ニ拘ハラス必ス支給セラルルモノニシテ別ニ三年一回清賬(棚卸)ノトキ其結果ニヨリ財東ヨリ利益金ノ配當ヲ受クルモノトス二、三掌

拒的ハ右ニ準シ其額少ナシ夥計以下勞金ト稱シ年ニ五六十吊ヨリ多キハ壹萬吊ノ俸給ヲ受ク外拒ハ月給ノモノアリ勞金ノモノアリテ一定セス各資格ニ應シ掌拒夥計ニ準シテ支給ス

三、商店ノ結算法

毎月一回帳締ヲナシ毎季(端午、中秋、年底)一回決算ヲ行フ取引商店トハ相殺決算ヲナシ顧客ニ對シテハ現金ヲ受領ス年末ニハ受引店間ハ相殺決算ニ止マラス其相殺餘剩金ハ現金ヲ以テ受領スルヲ例トス毎三年棚卸ノ時ニ始メテ收支ノ大決算ヲ行ヒ利益ノ配當ヲナス乃チ財東ニ利益金ヲ呈供シ設立當時ノ規約ニヨリ配當ヲ行ヒ且店員ノ成績ニヨリ慰勞金ヲ支給ス

四、開店

開店ハ各自隨便ナルモ習慣上開店者ハ其資本主資本額掌拒的ノ姓名ヲ同業者ニ通告シ日ヲ期シテ之ヲ招待シ置酒饗應スレハ足ルモノニシテ別ニ官憲ニ申請通告スルノ必要ナキモノノ如シ

五、清國商舖ノ負擔税

清國商舖ハ左ノ税目ヲ賦課セラル

一、山海税　本税ハ山海ニ産スル諸物ノ賣買ニ對シ賦課スルモノニシテ山海税局ノ專務タリ

二、木材税　家屋其他ノ用材ニ付山林伐採者ニ對シ之ヲ賦課ス即チ家屋ノ建築ハ木舖ヨリ收ムル材料ニハ征税セラレサルモ自ラ山林ヨリ伐採シ來ルモノニハ官吏ノ鑑定ニヨリ一間房子毎ニ徵收セラル

三、斗税　穀類ヲ輸出スルニ當リ徴收ス

其他局子街ノ如キ町ニハ街郷約ト稱スルモノアリテ商戶一ヨリ毎年三百二十文ヅツヲ徴收シ又巡警費トシテ賣買種類ノ多少ニヨリ一等ヨリ五等ニ分チ各商戶ヨリ毎月五百文以上九吊文以下ヲ徴收ス

税額ハ(一)一般雜貨ニ對シテハ貨物到著ノ時從價一分一厘同貨物ヲ賣却スルトキ賣價ノ九厘ヲ徴收ス故ニ商舖ハ雜貨ニ對シ買賣ノ二分税ヲ支拂フモノトス此外商務會ハ官許ヲ經テ一般雜貨ニ對シ仕入時ニ從價一分同貨物賣却ノ時賣價ノ五分ヲ徴收シ同會ノ維持費ニ充ツ依ツテ前記ノ二税ヲ計上スレハ三分五厘トナル(二)燒酒醸造ニ對シテハ龍票錢トシテ一年四百兩ヲ官納ス商舖ハ燒鍋ヨリ燒酒ヲ買ヒ入レタルトキハ別ニ税金ヲ徴セラレサルモ賣却ノ時從價九厘ヲ餉捐局ニ納ム葡萄酒、麥酒「ウイスキヰ」等ノ洋酒ハ雜酒ナル名ノ下ニ從價一分ヲ仕入ノ時支拂ヒ賣却ノ際尙ホ從價九分ヲ納ム其他商務會ニ於テ賣賣ニ就テ一分五厘ヲ徴收サルルヲ以テ洋酒ニ對スル買賣税ハ總テ從價一割二分四厘ヲ支拂フモノトス(三)煙草ハ土産ノ黄煙ト外來ノ紙卷煙草トニ論ナク一律ニ仕入ノ時從價一分ノ外洋酒ト同シク賣却ノ際九厘ノ税ヲ支拂フヲ以テ商務會ノ税ヲ合スレハ買賣ニ於テ從價一割二分四厘ヲ徴收セラル(四)穀物類ハ賣買ト輸出入トノ別ナク一回ツツ章程ニ照シ定税ヲ支拂フモノトス而シテ商人若クハ燒鍋等カ買賣ノ目的又ハ燒酒ノ原料トシテ買入ルル高粱及ヒ粟等ノ雜穀ハ下表ノ如ク石ニヨリ斗税局ニ納税ス又農家ヨリ買ヒ入レ他地方ニ輸出スルモノト自作ノモノヲ他地方ニ自運スルモノトニ論ナク總テ一定ノ地方ヲ通過スルトキハ通過地所在ノ斗税分局ニ規定ノ税額ヲ支拂ハサルヘカラス(五)木材ニ對シテハ其種類及ヒ本數ニヨリテ税額ヲ定ムルヲ以テ一定セス(六)牛馬騾驢等ヲ買入レタルトキハ從價三分六厘ヲ民税局ニ支拂ヒ尙ホ賣却ノ目的ヲ以テ屠豚スルモノハ一頭ニ付三百文牛皮ノ賣買ニハ一枚ニ付キ三百文ヲ徴收セラル(七)葯舗ハ一般雜貨ニ同シク官鹽ノ受ケ賣リハ其許可ニ對シ票錢トシテ銀三元ヲ納メシム

左ニ徴税額ヲ表示セン

山海税表

品目	員數	徴銀額	品目	員數	徴銀額
藍靛	百觔(斤)	二錢	南火腿	一支	六分
城蘇	同	一錢五分	角肚	一解	六分
豆油	同	二錢	鹿茸	每吊	二分
牛羊油	同	三錢	雜色梨	同	一分
牛筋	十觔	四錢	豹皮		一分二厘
楡蘇	同	三錢	洋粉	一觔	三分
木耳	同	二錢	大海米	同	二分

品目	員數	徵銀額
針金菜	一觔	八厘
古月	同	一分
鮮姜	同	七厘
煤油	一箱	一錢五分
落花生	百觔	二錢
蟹黄	一觔	六分
花主	同	一分
魚骨	十觔	六錢
海参	同	四錢
海菜	百觔	二錢
鹿角	十觔	四錢
土面城	百觔	一錢
王蘭片	一觔	二分
蘇油	百觔	二錢

品目	員數	徵銀額
烏魚蛋	一觔	二分
江蟾蛙	同	四分
乾鮑魚	同	七分
日蘑	同	六分
大料	同	二分
青筍	同	同
海茄	十觔	四錢
鹿筋	同	三錢
芝蔴	一石	三錢
山里皮	每吊	一分二厘
貉皮	同	同
獾皮	同	同
狗皮	同	一分
魚翅	一觔	三錢

瓜子	百觔	同
花蘑	十觔	一錢五分
凍蘑	百觔	四錢
雑魚	十解	四分
蟹肉	同	一錢
狐皮		一分二厘
貂皮		一分五厘
虎皮		一分二厘
羊皮		一分
臉鼠		同
狠皮	每吊	一分二厘
綿蔴	百觔	二錢五分
栗子	百觔	二錢
橘子	每吊	一分
山查	同	同
虎角	同	二分
水獺皮	同	一分二厘
捨狸皮	同	同
小海米	一觔	六厘
東洋菜	同	三厘
乾姜	同	七厘
紅東	同	五厘
灰鼠	每吊	一分二厘

備考　清升一斛ハ韓升二十八斗ノ割合ニテ清貨六十文ヲ韓貨百文ノ割合ニテ清銀壹錢ハ韓貨百文ニ換算シ徴收ス

二、木材稅表

名稱	員數	稅額
二尺二寸過梁	每根	清貨 二・〇〇〇吊
一尺八九寸同	同	同 一・六〇〇
一尺二寸同	同	同 一・二〇〇
八寸同	同	同 〇・六〇〇
大改木	同	同 一・二〇〇
三尺五六寸鳩標子	同	同 〇・〇八〇
柾套板	每套十塊	同 〇・二〇〇
九寸古懷木	每口	同 二・二〇〇
七寸同	同	同 一・二〇〇
柾面板	每付四、五、六塊	同 〇・〇六〇
八寸古懷材	每口	同 一・八〇〇
平頭材		同 〇・三〇〇
六七八寸京匣	每根	同 二・二〇〇
車軸	每片	同 〇・一〇〇

名稱	員數	稅額
車轅子	每根	清貨 〇・一二〇吊
七尺五寸標板	每塊	同 〇・一〇〇
七尺五寸同	同	同 〇・〇二〇
五寸古懷木	每口	同 〇・六〇〇
七尺五六寸標板	每塊	同 〇・〇六〇
七尺五寸同	同	同 〇・〇四〇
椽子	每根	同 〇・〇三〇
二尺過梁	同	同 一・八〇〇
一尺六七寸同	同	同 一・四〇〇
一尺三寸同	同	同 一・一〇〇
一尺同	同	同 〇・八〇〇
四、五、六、七寸同	同	同 〇・六〇〇
六寸標板	每塊	同 〇・八〇〇
六寸古懷材	同	同 〇・四〇〇

車柱子	毎付	同	〇・〇一六
油柞挺	毎根	同	一・六〇〇
車頭	毎付	同	〇・〇六〇
三、四、五寸京匣	同	同	二・〇〇〇
七、八、九寸橋標子	毎根	同	〇・一〇〇

三、斗税表

種類　小麥、油麥

以上清升一斗ニ付清貨三〇文

種類　粳米、小米、元米、球米、小荳、吉荳、線蘇子、大蔴子、西天谷、芝蔴、蘇子、包査子、菩荳

以上十三點清升一斗ニ付清貨二〇文

種類　包米、紅粮、大麥、稗子、蕎麥、大豆

以上六點清升一斗ニ付清貨一〇文

備考　以上ハ本税ニシテ附加税一票ニ付四〇〇文ヲ要ス

第三節　金錢貸借ニ關スル慣習

一、金利　債務者ノ人格地位財産及ヒ其典物ノ品質等ニヨリテ各差アルモ概ネ一ケ月三分利トス之レ清韓兩國民ノ各本國民間ニ行ハルルモノナルモ清人カ韓人ニ對シテ債權者タル貸借上ニ於テハ例率ノ上ニ一分或ハ一分五厘宛ノ高利ヲ貪リ居レリ又現時吉林省永衡官帖ノ發行ト共ニ所在

燒鍋等ヨリ發行セル錢票ヲ禁セシ爲メ金融ノ逼迫ヲ來タシ利率ノ時ニ五分ヲ唱フルモノアリ

二、期限　半期四ヶ月三ヶ月ノ短期ノモノニシテ最長ヲ一年トシ高取引及ヒ典地等ノ場合ハ更ニ長期ナルモノアリ

三、提供物　韓人相互ニ於テハ家屋又ハ土地ヲ抵當トスル者ハ稀ナルカ淸韓人間及ヒ淸人相互間ニハ其不動產ヲ提供スルヲ例トス

四、淸韓債務者ノ債務不履行ノ場合ニ於ケル慣習　期至リテ不履行ノ場合ニハ其提供物ニ對シテハ使役權ヲ有シ土地ナラハ地上權ハ債權者ニ歸シテ果實ノ收得ヲナスニ止マリ更ラニ期ヲ過クル若干期日ヲ經ルニアラサレハ所有權ハ債權者ニ歸セス物件ナラハ保證人等立會ノ上之ヲ評價シ所有權ノ移轉ヲナス

韓人間ニテ前ニ抵當物ナキ債務ニ對シテハ期ニ至リテ債權者ハ强制的ニ債務者所有ノ物件動產及ヒ不動產ヲ債務者ノ手ヨリ取リ去ルノ習慣アリ

典地ト稱シテ淸人間又ハ韓淸人間ニ或ハ年限ヲ期シテ土地田畑ヲ債權者ニ提供シテ金ヲ借ルコトアリ之レ抵當貸付ニ類スルモ其ノ性質ヲ異ニス之レ等カ期ニ至リテ債務ノ不履行ノ場合ハ亦決シテ所有權ノ移轉アラス其債務者ヨリ債務ノ履行アルマテ土地ノ使用收益等ノ權利ヲ持續スルノミニテ永遠所有權ノ移轉アラス從ッテ處分權ヲ有スルコト能ハサルナリ

第六章　間島ニ於ケル度量衡

第一節　韓國度量衡

從來間島ニ於テ韓人ノ常用スルモノハ舊來ノ度量衡ノ制度ニ準ヒ其度量衡器ノ如キ區々ニシテ殆ント一定セス之カ爲メ商取引ニ於テ往々紛擾ヲ釀セルコト少シトセス統監府派出所ノ設置後其煩ニ堪ヘス韓國內地ニ行ハルル新制度量衡器ヲ容レ之ニ準據セシメシト雖モ未タ廣ク用ヰラルルニ至ラス

(一) 度

尺度

龍井村市場ニ於テ使用セル尺度ハ營造尺、針尺、布帛尺等ニシテ布帛尺ノ如キ殆ント一定セス左表ノ如キ多少ノ差違ヲ示セリ絹尺ノ如キハ當地ニ於テ使用セラルルヲ見ス

尺度ノ稱呼ハ丈尺寸分ニシテ何レモ十進法ニ據レリ

左ニ尺度ノ種類ヲ掲ク

韓尺度ノ種類及名稱	日本曲尺ニ換算	備考
營造尺	一、〇四五	殆ント一定セリ
針尺	一、六八〇	殆ント一定セリ

韓尺度ノ種類及名稱	日本曲尺ニ換算	備考
布帛尺	(一) 一、五七五	布帛尺ノ如キハ商人ノ適宜ニ製作シ用フルモノナルヲ以テ尚ホ此他ニ其種類甚タ多シ
	(二) 一、五五〇	
	(三) 一、五四五	
	(四) 一、五三〇	
	(五) 一、五二五	
	(六) 一、五二〇	
	(七) 一、五一五	
	(八) 一、五〇五	
	(九) 一、四九五	
	(十) 一、四七五	

里程

韓十里ハ二萬一千六百周尺ニシテ一周尺ハ日本曲尺六寸六分ナルヲ以テ韓十里ハ我一里三丁三十六間(陸地測量部ニテハ一韓里ヲ四二五米即我三丁五十三間四尺五寸トセリ)ニ相當ス
而レトモ里程ニ一定ノ標準ヲ得ル能ハス單ニ地方住民ノ言ニ據リ其大略ヲ知ルノ外ナシ大低平地ニ於テハ韓十里ハ我一里六丁ニ山路ニ於テハ一里一二丁ニ當レルカ如シ

歩（六周尺）　三尺九六

里（三六〇歩）　一四二五尺六〇

里以上ノ稱呼ハ當地方ニ用ヒラルルヲ聞カス

地積

地積ヲ丈量スルニ何日耕ナル名稱ヲ用フ其稱呼ハ結（百負）負（負ハ十束ニシテ十負ヲ一日耕ト稱ス）束（十把）把、合、勺等ニシテ多ク束以下ヲ用キス而シテ此稱呼ハ多ク耕ナル名稱ト併用セラル

韓一日耕ノ大サハ長百田尺幅四十田尺（一田尺ハ我曲尺三尺一六）ノ地積ヲ云ヒ我一一〇九坪五（三段六畝二九歩五）ニ相當ス

（二）量

量器ハ甚タ粗製ニシテ大小ノ差甚シ一斗桝ヲ普通トシ一升桝ハ民間往々瓢瓜ヲ乾シ之ヲ折半シテ用ヒ其容量一定セス韓一斗ハ我約三升八合ニ當リ其一石ハ我約五斗七升ニ相當ス一般ニ槪（トカキ）ヲ用ヒサルヲ以テ容積ヨリ得タルモノヨリ一斗桝ニ於テ約百分ノ三、一升桝ニ於テ約一千分ノ六多シ

桝目ノ稱呼ハ石（十五斗）斗（十升）升（十合）合ニシテ今龍井村市場ニ於テ用キラルル各量器ノ數種ヲ擧クレハ

一斗桝

種類	幅	長	深	日本桝ニ換算
一	〇・九三〇尺	〇・九三〇尺	〇・三九〇尺	五・二〇三升
二	〇・八五〇	〇・八六五	〇・四四五	五・〇四七
三	〇・九二五	〇・八〇〇	〇・四三五	四・九六〇
四	〇・八五五	〇・八五〇	〇・四四五	四・九四〇
五	〇・九二〇	〇・九二五	〇・三七〇	四・八五七
六	〇・八五五	〇・八五五	〇・三九〇	四・三九七
七	〇・八〇〇	〇・九二〇	〇・三八五	四・三七一
八	〇・八三〇	〇・八〇〇	〇・四一〇	四・一九〇
九	〇・八三〇	〇・七六〇	〇・四二五	四・一三〇
十	〇・八六三	〇・七一五	〇・四三〇	四・〇九〇
十一	〇・八二〇	〇・七九〇	〇・三九〇	三・九二九
十二	〇・七四五	〇・七四五	〇・四三五	三・七二四
十三	〇・七二〇	〇・八三〇	〇・三六八	三・六八〇

摘要

一斗桝

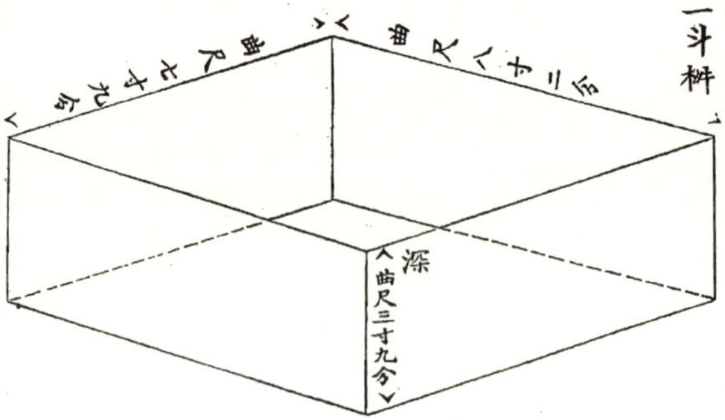

市場ニテ賣買ニ用ユルモノハ(11)(12)(13)等ノモノ多シ

一升枡

種類	幅	長	深	日本枡ニ換算	摘要
一	〇・六四三尺	〇・二六五尺	〇・一六〇尺	〇・四二〇升	最モ多ク用ヒラルルモノハ(2)(3)(4)等ノ小ナル種類ナリ
二	〇・四九〇	〇・二三五	〇・二〇五	〇・三六四	
三	〇・五九〇	〇・一九五	〇・二〇五	〇・三六三	
四	〇・五六五	〇・二一五	〇・一九〇	〇・三五六	

(三)衡

衡器ノ稱呼ハ斤(十六兩)兩(拾錢)錢(十分我約一匁)分(十厘)厘等ニシテ其ノ衡器ノ如キ粗末ニシテ殆ント信スルニ足ルモノナシ

種類	韓國衡	日本衡	摘要
物品秤	一斤	一四〇匁 一兩ハ八、七五〇	金銀並ニ藥品ヲ秤ルモノニ一兩ハ九匁九八二ニ當ルモノアリ
藥局秤	一斤	一五〇 一兩ハ九、三七五	
金銀秤	一斤	一一〇 一兩ハ六、八七五	

第二節　清國度量衡

(一)度

尺度

清尺ニハ數種アリテ裁尺(官尺又ハ絲尺)ハ反物ヲ度リ普通裁縫ニ使用ス我曲尺一尺一寸六分ニシテ木尺(大尺又ハ蘇尺)ハ家屋、地積、里程ヲ測ルニ用ヒ我曲尺一尺四分ニ當リ商人ノ用ユル大尺ハ多少短クシテ我曲尺一尺ニ相當ス

洋尺ト稱スルハ露國一アルシン(我曲尺二尺三四六九)ニシテ商人ハ裁尺ノ約二倍ト稱セリ

下集尺ナルモノハ當地方ニテ使用セラルヽヲ見ス

尺度ノ稱呼ハ引丈尺寸分ニシテ何レモ十進法ニ依レリ

左ニ我曲尺ニ換算セハ

尺度ノ種類	日本曲尺	摘要
裁尺(官尺又絲尺)	尺 一・一六〇	但シ商人ノ用ユル木尺ハ一・〇〇〇尺ニ當ル
木尺(大尺又蘇尺)	一・〇四〇	
洋尺(露國一アルシン)	二・三四七	

里程

里程ヲ測ルニ專ラ木尺ニ據リ其五尺ヲ一弓ト稱シ三百六十弓ヲ一淸里ト稱ス

淸一里ハ我五町二間(陸地測量部ハ一淸里ヲ五六五米即五町十間四尺五寸トセリ)

地積

宅地耕地ノ丈量ニハ何晌地ナル名稱ヲ用ユ滿洲ノ諸地方ト同シク其ノ大サ區々ニシテ其ノ歸一スル所ヲ知ラス左ニ其ノ數種ヲ擧クレハ

種類	一弓	一畝	一晌地	一晌地弓數	我反別ニ換算
一	長 五・〇尺 幅 二・五	七二〇弓	一〇畝	七二〇〇弓	九反一畝二六歩二五
二	同 五・〇 同 二・〇	七二〇	一〇	七二〇〇	七反三畝一五歩〇〇
三	同 五・〇 同 一・六乃至一・八	七二〇	一〇	七二〇〇	五反八畝二四歩乃至六反六畝〇四歩五〇
四	同 五・〇 同 五・〇	二八八	一〇	二八八〇	七反二畝一二歩六六

(六)ノモノハ局子街淸國派辨處ニ於テ調査シタルモノニシテ一晌地ノ標準地積ト見テ可ナラン左ニ地積ノ稱呼ヲ擧クレハ

地積ノ稱呼	摘要	我反別ニ換算
一弓（方五尺）	（一弓ノ長サハ畦幅、双手ヲ擴ケシ長サ或ハ二歩ノ長サヲ用ユルモノアリ）	〇・七五一坪
一畝（二八八弓）		七畝六歩〇四二二
一晌（一天或ハ一丁）十畝		七反二畝一二歩六六（二一七二・六六坪）
一頃　百畝		七町二反四畝一九歩八

（二）量

容量モ亦一定セルモノナシ概ネ粟ヲ標準トナシ一般ニ使用セラルルモノハ大斗、小斗ト稱シ大斗ハ粟六十斤ヲ以テ一斗トシ小斗ハ粟三十六斤ヲ以テ一斗ト定ム而シテ其計算法ハ十進法ヲ採リ石斗升合勺トス左圖ノ如キ五升桝ヲ半斗ト稱ス半斗ハ我約七升ニシテ一石ハ我約一石四斗ニ當ル半斗以下ノ小桝ハ之ヲ用ヒス一斗桝モ亦極メテ少クシテ普通左ノ五升桝ヲ用ユ圖ノ如キ上邊ノ面積ヲ底面積ヨリ廣ク造リタル桝ヲ市斗又ハ壺斗ト稱ス此他ニ底面積ノ方大ナル官斗ナルモノアレトモ當地方ニハ之ヲ見ス大斗ナルモノモ亦使用セラルル處ナシ

小斗五升枡

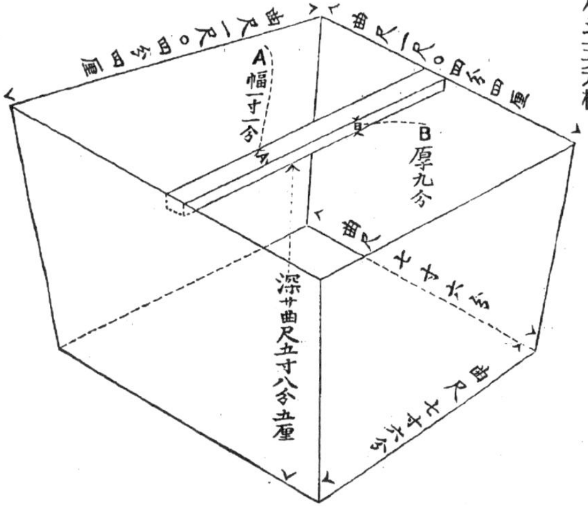

圖示セルハ五升枡ノ一種ニ過キス深幅長等ノ寸法ハ一定セルモノニアラス容量ノミヲ見テ適宜之ヲ製作スルモノトス左ニ其ノ一二ヲ擧クレハ

地名	上邊ノ長サ	底邊ノ大サ	深サ	日本桝ニ換算
局子街	尺 一・〇四四 平方	尺 〇・七六〇 平方	尺 〇・五八五 平方	升 七・三六五

地名	上邊ノ長サ	底邊ノ大サ	深サ	日本桝ニ換算
局子街	一・〇三〇(尺平方)	〇・七五〇(尺平方)	〇・五八〇(尺平方)	七・一六二(升)
東盛湧	〇・九四〇〇 〇・九五〇〇	〇・七五七 〇・七七〇	〇・六二〇	六・九〇五
同上	〇・九八〇〇 〇・九七〇〇	〇・七五五 〇・七五五	〇・六一〇	六、七六〇

(三)衡

推衡ニハ天平、秤、戥ノ三種アリテ天平ハ銀塊ヲ衡リ秤ハ一般貨物ヲ衡リ戥ハ小ナル物貨ヲ衡ルニ用ヒラル其算法ハ厘、分、錢、兩、斤、擔(ピコル)トナシ十六兩ヲ以テ一斤トシ百斤ヲ以テ一擔トス其他ハ總テ十進法ニ依ル日本衡ト對照スルニ

種類	日本衡ニ換算	摘要
支那秤 一斤 一兩	一四六・六六五六(匁) 九・一六六六	アル種ノモノハ清一斤 我一四二匁二五 清一匁 我 八匁八九一
支那天平 一兩	九・六三五四	
土戥 一兩	九・一五三六	土戥ハ土藥ヲ量ルニ用ヒ商人ハ士藥阿片等ノ賣買ヲナスヲ以テ不正ナルモノ多シ
金戥 一兩	九・三九四五	金戥ハ金ヲ衡ルニ用ヒ不正ナルモノ少シ

第七章　交通及ヒ交通機關

第一節　交　通

間島內外市邑間ノ交通路ハ大概馬車ノ通行ヲ許スト雖モ四月融雪ノ候雨季七八月中ハ泥濘ニシテ殊ニ雨季中ハ河水漲溢シテ往々數日ニ亘リ交通杜絕スルコトアリ

間島西部ニ於ケル交通路ハ夏期增水ノ時ハ屢々交通ヲ杜絕シ風雨ノ際ハ倒木道路ヲ塞キ或ハ人馬ヲ損傷スルノ危險アリ然レトモ冬季ニ至レハ各河川及ヒ濕地ハ悉ク氷結シテ車馬ノ通行自在ナルヲ以テ貨物穀類ノ運搬及ヒ遠隔ノ地ニ至ル旅行ハ概ネ此季節ニ於テスルヲ常トス

間島東部ヨリ他地方ニ通スル主ナル道路ハ左ノ如シ

北韓方面

一、龍井村ヨリ會寧ニ至ル十三里

途中火狐狸溝峠豆滿江ノ渡船場等アリ馬車ヲ通行セシムルコトヲ得

二、龍井村ヨリ鍾城ニ至ル十里弱

途中概シテ平坦ナリ

三、龍井村ヨリ茂山ニ至ル約二十里

途中山路崎嶇トシテ交通不便辛フシテ北韓式牛車ヲ通スルコトヲ得

以上ノ諸道路中龍井村鍾城間ノ道路ハ最モ平坦ナルモ鍾城ヨリ北韓ノ海岸ニ通スル諸道路ハ悉ク險惡ナルヲ以テ本邦及ヒ南韓ヨリ間島ニ達スルニハ清津港ヨリ會寧ヲ經由スルヲ最良最便トナス

清國方面

一、龍井村ヨリ敦化、額木索ヲ經テ吉林ニ至ル八百清里(約九十邦里)

途中老頭溝嶺、五箇頂子嶺、哈爾巴嶺、通溝崗嶺、張廣財嶺、老爺嶺等ヨリ道路一般ニ良好ナラサルモ車輛ヲ通スルコトヲ得但シ概シテ傾斜ハ急峻ナラサルヲ以テ鐵道ヲ布設スルコトハ困難ナラサルカ如シ

二、龍井村ヨリ頭道溝、窩集嶺ヲ經テ敦化ニ至ル約四十邦里

三、龍井村ヨリ局子街ヲ經テ寧古塔ニ至ル(本道七百清里 約七十邦里 近道五百二十清里 約五十二邦里)

本道ト近道トハ局子街ノ北方長山嶺ノ北脚ニ於テ分岐ス其本道ハ同地點ヨリ東方涼水泉子ニ於テ轉シテ西北方ニ向フ所謂艾河ノ左岸ニアル琿春、寧古塔街道之レナリ近路ハ分岐點ヨリ直チニ北方ニ向フ

本道上ノ主ナル峠ハ長山嶺、高麗嶺、老爺嶺、近道上ニハ長山嶺、摩天嶺、老爺嶺等アリ而シテ共ニ車輛ヲ通過セシメ得ルモ良好ナラス

四、龍井村ヨリ局子街ヲ經テ琿春ニ至ル約三百清里(約三十邦里)

琿春通路ハ局子街ヲ經ルモノト韓國內地ヲ經ルモノトノ二徑路アリ龍井村ヨリ行クニハ鍾域

ニ出テ韓國內地ヲ經ルヲ便トス局子街ヲ經ル道路ハ高麗嶺、大盤嶺ヲ除ク外平坦ニシテ大盤嶺ヲ越ユレハ所謂琿春平野ナリ

右ノ內商業通路トシテ尤モ主要ナルモノハ北韓方面ニアリテハ龍井村ヨリ會寧ニ通スル街道清國方面ニ在リテハ龍井村ヨリ吉林ニ通スル街道及ヒ龍井村ヨリ局子街ヲ經テ琿春ニ通スル街道ナリトス即チ日本及ヒ韓國雜貨ハ清津ヨリ會寧ヲ經テ入リ込ミ清國貨物ハ吉林ヨリ額木索ヲ經テ來リ露國品ハ「ポシエツト」ヨリ琿春ヲ經テ輸入セラル而シテ輸出モ皆此ノ經路ニヨル間島西部ヨリ外部ニ向フ道路ハ北韓方面ニ在ツテハ土門江ヲ溯リ白頭山ノ東麓ヲ經テ茂山或ハ甲山方面ニ達スルモノアリト雖モ險坂崎嶇トシテ車輛ヲ通シ能ハサルノミナラス夏期谿水增漲シ殆ント交通ヲ杜絕ス又滿州方面ニ對シテハ北方敦化ニ通スルモノト西北方松花江ノ河盂ヲ經テ吉林ニ達スルモノトアリ共ニ殆ント車輛ヲ通スルコト能ハス但シ後者ハ松花江河盂ニ出ツルノ後ハ車輛ヲ通スルコトヲ得

第二節　交通運搬機關

交通運搬機關トシテハ馬、牛車、馬車、車輛駄子、橇等アリ

馬、牛車、馬車、駄子ハ主トシテ遠距離ノ交通運搬ニ供セラレ車輛ハ唯タ肥料及ヒ穀類等ノ近距離運搬ニ使用セラル橇ハ冬季運搬ノ良機關ニシテ其積載量ハ約五六十貫ナリ穀物、貨物、薪、炭等ノ運搬ニハ大概之ヲ用フ

運賃ハ牛車ニ在リテハ一臺ヲ以テ算シ馬車ハ積載量ニヨルヲ通例トナヌ乘馬一日ノ賃金ハ壹圓ニシテ馬夫ヲ伴ヘハ五拾錢ヲ增加ス農作地ニ於テハ此等三者共其傭入レ困難ニシテ殊ニ馬車ノ如キハ數頭ノ馬匹ニヨッテ拉運スルモノナレハ清津通路ノ如キハ火狐狸溝ノ難茂山ノ險惡ナル加之火狐狸溝以南ハ馬粮ノ供給不足ナル爲メ例令多額ノ勞銀ヲ與フルモ進ンテ之ニ應スルモノナキ有樣ナリ近時一組數十頭ノ駄子ヲ使用シテ貨物ノ運搬ニ從事ス

左ニ馬車、牛車、駄馬ノ運賃表ヲ示サン

	距離	數量	運賃	備考
馬車及ヒ駄馬	局子街吉林間	一〇〇斤	二〇・〇〇〇吊	百斤ハ我カ十四貫内外
馬車	同	一臺	一五〇・〇〇〇 二〇〇・〇〇〇	積載量千斤内外
駄馬(騾馬)	同	一匹	四〇・〇〇〇	同 二百斤内外
同(驢)	同	一	二〇・〇〇〇	同 百斤内外
馬車及ヒ駄馬	局子街琿春間	一〇〇斤	七・〇〇〇	時價一吊ハ廿二錢七厘
馬車	同	一臺	七〇・〇〇〇 八〇・〇〇〇	
馬車及ヒ駄馬	局子街清津間	一〇〇斤	一〇・〇〇〇	
馬車	同	一臺	一〇〇・〇〇〇	積載量千斤内外

局子街會寧間	同	一臺	四〇・〇〇〇 五〇・〇〇〇	
同	馬車及ヒ駄馬	一〇〇斤	四・〇〇〇 五・〇〇〇	
同	牛車	一臺	二四・〇〇〇	五十貫内外
龍井村會寧間	同	一	八・〇〇〇	同
同	馬車	一	一〇・〇〇〇	乘用車
龍井村清津間	牛車	一	六四・〇〇〇	
同	馬車	一、〇〇〇斤	一二〇・〇〇〇	
龍井村會寧間	牛車	一臺	二〇・〇〇〇	
同	馬車	一	三二・〇〇〇	
琿春ポセット間	馬車及ヒ駄馬	一〇〇斤	一・五〇〇	
琿春雄基間	駄馬	一〇〇	三・〇〇〇	

附 通信機關

間島ニ於ケル通信機關トシテハ龍井村ニ一ノ我カ間島郵便電信局アリテ公衆ノ通信事務ヲ掌ル其他局子街ニ吉林琿春間ニ通スル郵電局アリテ郵便ハ公衆ノモノヲ取扱フモ電信ハ清國官憲以外ノ使用ヲ充サス其他清國舊來ノ驛傳アルモ頗ル緩慢ナリ

第八章　間島ノ富力

間島ハ其全面積九千三百六十三方哩（東部六、一〇三 西部三、二六〇）ニシテ人口ハ清韓人ヲ合シテ十一萬三千五百二十一人（東部一一〇、三七〇 西部三、一五〇）ナリ即チ一方哩ニ對スル密度ハ十二人強ナリトス今北海道ノ富力計算ノ例ニ倣ヒ間島ノ富力ヲ起算スレハ概ネ左ノ如シ

全間島ノ富力　　四千百三十二萬四千二百十八圓

一方哩ニ對スル富力　　四千四百六拾壹圓貳拾壹錢參厘

一人ニ對スル富力　　三百六拾四圓貳錢貳厘

而シテ更ニ之ヲ細別スレハ左ノ如シ

甲、東間島ノ富力　　參千四百參拾四萬四千六拾九圓

一方哩ニ對スル富力　　五千六百貳拾七圓四拾錢七厘

一人ニ對スル富力　　參百拾壹圓拾七錢貳厘

一、土地ノ富力　　貳千四百參拾五萬八千五拾圓

(1)耕地ノ富力　　壹千四百九萬參千八百五拾圓

內譯

(イ)五百貳拾六萬六千九百參拾圓

右ハ粟ノ作付反別一萬六千六百五十九町歩ニシテ一反歩ノ收量平均一石五斗トシ一石ノ價

ヲ貳圓拾錢ト見做シ其總價額ヲ五拾貳萬六千六百九拾參圓トシ之ヲ十倍シタルモノナリ

(ロ)百拾七萬八千八百六拾圓

右ハ小麥ノ作付反別五千四町歩ニシテ一反歩ノ收量七斗トシ一石ノ價ヲ參圓六拾錢ト見做シ其總價格拾壹萬七千八百八拾六圓トシ之ヲ十倍シタルモノナリ

(ハ)百十七萬五百八十圓

右ハ玉蜀黍ノ作付反別四千二百七十二町歩ニシテ一反歩ノ收量平均一石三斗トシ一石ノ價ヲ二圓拾錢ト見做シ其總價格ヲ拾壹萬七千五拾八圓トシ之ヲ十倍シタルモノナリ

(ニ)貳百拾五萬參千六百七拾圓

右ハ大豆ノ作付反別八千百七十七町歩ニシテ一反歩ノ收量平均九斗トシ一石ノ價ヲ參圓ト見做シ其總價格ヲ貳拾壹萬五千參百六拾七圓トシ之ヲ十倍シタルモノナリ

(ホ)貳百四拾四萬千六百四拾圓

右ハ高粱ノ作付反別五千百七十二町歩ニシテ一反歩ノ收量平均一石六斗トシ一石ノ價ヲ參圓ト見做シ其總價格ヲ貳拾四萬四千百六拾四圓トシ之ヲ十倍シタルモノナリ

(ヘ)九拾八萬貳千五百五拾圓

右ハ大麥ノ作付反別五千九十二町歩ニシテ一反歩ノ收量平均九斗トシ一石ノ價ヲ貳圓拾錢ト見做シ其總價格ヲ九萬八千貳百五拾五圓トシ之ヲ十倍シタルモノナリ

(ト)五拾七萬四千四百拾圓

右ハ黍ノ作付反別二千七百六十七町歩ニシテ一反歩ノ收量平均七斗トシ一石ノ價ヲ貳圓九拾九錢ト見做シ其總價格ヲ五萬七千四百四拾壹圓トシ之ヲ十倍シタルモノナリ

(チ)參拾貳萬八千六百五十圓

右ハ蕎麥ノ作付反別千二百十四町歩ニシテ一反歩ノ收量平均九斗トシ一石ノ價三圓ト見做シ其總價格ヲ參萬貳千八百六拾五圓トシ之ヲ十倍シタルモノナリ

(リ)參拾六萬四千百四拾圓

右ハ小豆ノ作付反別千二百三十八町歩ニシテ一反歩ノ收量平均六斗トシ一石ノ價五圓貳拾錢ト見做シ其總價格ヲ參萬六千四百拾四圓トシ之ヲ十倍シタルモノナリ

(ヌ)四萬四千百貳拾圓

右ハ綠豆ノ作付反別四百九十七町歩ニシテ一反歩ノ收量平均四斗トシ一石ノ價貳圓拾五錢ト見做シ其總價格ヲ四千四百拾貳圓トシ之ヲ十倍シタルモノナリ

(ル)九萬壹千七百五拾圓

右ハ水稻ノ作付反別九十八町歩ニシテ一反歩ノ收量平均六斗トシ一石ノ價拾六圓五拾錢ト見做シ其總價格ヲ九千百七拾五圓トシ之ヲ十倍シタルモノナリ

(オ)參萬七千六百圓

右ハ荏ノ作付反別三百二十五町歩ニシテ一反歩ノ收量平均八斗トシ一石ノ價壹圓八拾錢ト見做シ其總價額ヲ參千七百六拾圓トシ之ヲ十倍シタルモノナリ

(ワ)五拾八萬四千百圓

右ハ煙草ノ作付反別六百四十九町歩ニシテ一反歩ノ收量平均二百斤トシ一斤ノ價四錢五厘ト見做シ其總價格ヲ五萬八千四百拾圓トシ之ヲ十倍シタルモノナリ

(カ)參拾四萬六千四百圓

右ハ大麻ノ作付反別四百三十三町歩ニシテ一反歩ノ收量平均八百斤トシ一斤ノ價拾錢ト見做シ其總價格ヲ參萬四千六百四拾圓トシ十倍シタルモノナリ

(ヨ)拾萬壹千貳百五拾圓

右ハ青麻ノ作付反別二百七十町歩ニシテ一反歩ノ收量平均六十斤トシ一斤ノ價約六錢ト見做シ其總價格ヲ壹萬百貳拾五圓トシ之ヲ十倍シタルモノナリ

(タ)參百拾萬五千貳百圓

右ハ蔬菜ノ作付反別四千四百三十六町歩ニシテ一反歩ノ生産價格ヲ七圓ト見做シ其總價格ヲ參拾壹萬五百貳拾圓トシ之ヲ十倍シタルモノナリ

(レ)參拾貳萬貳千圓

稗、唐粟、藍、其他雜穀ノ作付反別九百二十町歩ニシテ一反歩ノ生産價格ヲ參圓五拾錢ト見做シ

其總價格ヲ參萬貳千貳百圓トシ之ヲ十倍シタルモノナリ

(2) 可耕地ノ富力　　六拾四萬圓

平地可耕地ニシテ未タ鋤犂ヲ加ヘサルモノ凡ソ三萬二千町歩ニシテ一町歩ノ價ヲ耕地ノ三分ノ一即チ貳拾圓ト見積リテ計算セルモノナリ

(3) 可耕傾斜地ノ富力　　貳百壹萬六千圓

可耕傾斜地ヲ十六萬八千町歩ニシテ一町歩ノ價ヲ耕地ノ五分ノ一即チ拾貳圓ト見積リテ計算セルモノナリ

(4) 森林、薪炭林ノ富力　　貳百四拾萬圓

森林、薪炭林ヲ大凡四十萬町歩トシ一町歩ノ價ヲ耕地ノ十分ノ一即チ六圓ト見積リテ計算セルモノナリ

(5) 宅地ノ富力　　貳拾萬八千貳百圓

宅地韓人一戸四畝歩支那人一戸二反歩トスレハ合計千三百八十八町歩トナル而シテ一反歩拾五圓トシテ計算セルモノナリ

二、家畜其他動物ノ富力　　貳百五拾八萬壹千八百八拾一圓

(1) 馬匹ノ富力　　九拾四萬二百八拾圓

馬匹ハ韓人十戸ニ對シテ一頭支那人一戸ニ對シテ六頭トシ總數二萬三千五百七頭トナル（馬、驢、

騾等)而シテ平均價格ヲ四拾圓トシテ計算セルモノナリ

(2) 牛ノ富力　百拾壹萬八千九百七拾圓

牛ハ韓人一戸平均〇、八支那人一戸平均三頭ヲ所有スルモノトシ總數二萬四千八百六十六頭トナル一頭ノ價格ヲ四拾五圓トシテ計算セルモノナリ

(3) 豚ノ富力　貳拾參萬八千五百四拾五圓

豚ハ支那人一戸十頭韓人一戸一頭ヲ所有スルモノトシ五萬三千十頭トナリ一頭四圓五拾錢ト見積リテ計算セルモノナリ

(4) 雞ノ富力　壹萬貳千七百參拾七圓

雞ハ韓人一戸三羽支那人一戸十羽ヲ飼フモノトシテ一羽拾五錢トシテ計算セルモノナリ

(5) 家鴨、鵞ノ富力　五千七百貳拾壹圓

家鴨、鵞ヲ韓人一戸平均〇、〇五支那人一戸〇、三羽トシ總數一萬九千七羽ヲ飼フモノトシテ一羽參拾錢トシテ計算セルモノナリ

(6) 犬ノ富力　貳萬參千參百五拾四圓

犬ハ清人一戸二頭韓人一戸一頭ヲ有スルモノトシテ一頭ノ價格ヲ壹圓トシテ計算セルモノナリ

(7) 猫ノ富力　參千六百七拾貳圓

猫ハ清人一戸一匹韓人三戸一匹ヲ飼フモノトシテ一頭ノ價格ヲ四拾錢トシテ計算セルモノナリ

(8)山羊、羊ノ富力　參千五百圓

山羊、羊ヲ五百頭トシ一頭ノ價ヲ七圓トシテ計算セルモノナリ

(9)野獸野禽ノ富力　貳拾參萬五千百貳圓

家畜家禽以外ノ野獸野禽ノ富力ヲ前ノ十分ノ一ト見做シテ計算セルモノナリ

三、家屋其他建築物ノ富力　貳百四拾萬八千百圓

(1)韓人家屋ノ富力　七拾九萬七千五百圓

韓人家屋ヲ一萬五千九百五十戸トシ一戸平均五拾圓トシテ計算セルモノナリ

(2)清人家屋ノ富力　百拾壹萬六百圓

清人家屋ヲ三千七百二戸トシ一戸平均三百圓トシテ計算セルモノナリ

(3)日清官衙ノ建築物ノ富力　百五拾萬圓

四、鑛産ノ富力　五拾萬圓

(1)産出金ノ富力　貳拾萬圓

産出金額ヲ一ヶ年貳萬圓トシ其富力ヲ計算ス

(2)産出石炭ノ富力　拾萬圓

石炭產出額ヲ一ヶ年壹萬圓トシ其富力ヲ計算ス

(3) 其他鑛產(鐵銅等)ノ富力　　貳拾萬圓

其他ノ鑛產(鐵銅等)ノ一ヶ年產出高ヲ貳萬圓トシテ其富力ヲ計算ス

五、貨幣ノ富力　　五拾五萬四千貳百四拾圓

貨幣流通高ハ金融機關ノ全クナキト數ヶ國ノ貨幣混同シテ使用サレツツアレハ之ヲ確ムルニ寄ルヘキ標準ナク正確ヲ期スルコト殆ント今日ニテハ不可能ノコトト云ハサルヘカラス只諸種ノ事情ヲ考量シテ之ヲ定ムルコト左ノ如シ

(1) 日貨ノ富力　　七萬八千參百圓

右ハ間島郵便局開始以來ノ出入高ヲ計算シ一旦散布セルモノヨリ回收セルモノヲ差引キ其ノ殘リ凡ソ貳拾萬圓トナル(間島郵便局ハ統監府派出所、韓國內務部、憲兵隊等ノ官金ヲ一切移入ス)其中韓貨二分一厘アレハ之ヲ差引キ其四割カ現在ノ流通高ト推定シテ計算ス

(2) 韓貨ノ富力　　壹萬貳千九百四拾圓

內壹萬圓ハ葉錢ト推定シ貳千九百四拾圓ハ前記郵便局ニテ調査セルモノノ七割カ殘存流通シ居ルモノト推定ス

(3) 淸貨ノ富力　　二百萬吊(日貨換算四拾六萬圓)

右ハ間島ニ於ケル租稅徵收高其他官廳ノ經費等ヲ參考シテ定メタルモノナリ

(4)露貨ノ富力　參千圓
右ハ市場ニ於ケル有樣ヨリ推算ス
六、諸貨物商品ノ富力　百四拾九萬參千參百圓
(1)輸入食鹽其他ノ富力　貳拾貳萬六千參百九拾圓
食鹽ノ輸入額拾參萬六千五百貳拾貳圓金巾其他ノ吳服類ノ輸入高四拾九萬參千五百五圓(淸人拾圓韓人參圓平均)其他ノ雜貨類壹人平均貳圓トシテ貳拾萬六千圓トシ合計八拾參萬六百七拾圓トシ其三分ノ一カ現在シ居ルモノト見做ス
(2)穀類ノ富力　九拾七萬七千五百貳拾圓
產出穀物總價格百八拾五萬五千五百四圓ニシテ其半額カ現在存スルモノト見做シテ計算ス
(3)木材薪炭ノ富力　拾八萬九千參百九拾圓
木材一ケ年ノ產額ヲ參拾萬圓トシ其半額カ現存スルモノトシテ幷ニ薪炭ノ所有高各戶平均貳圓トシテ計算ス
(4)高粱酒、豆粕、豆油ノ富力　拾萬圓
高粱酒、並ニ豆粕豆油ノ產出額ヲ一ケ年貳拾萬圓トシ其半額カ現存セルモノト見做シテ計算ス
七、家財ノ富力　百四拾貳萬七千貳百九拾八圓
(1)韓人家財ノ富力　七拾參萬九千七百六拾一圓

右ハ韓人家財ノ富力ニシテ吾人兩三日旅行調査シ其韓人數十戸ノ家財ヲ細大漏サス計上シ(蓄類ヲ除キ)之ヲ平均スレハ凡七拾七圓參拾錢トナル而シテコハ元價ニ見積リタルヲ以テ其六割カ現在ノ價格ト見テ可ナリ即チ一戸四拾六圓參拾八錢トナル之ニ總戸數ヲ乘シタルモノナリ

(2)清人家財ノ富力　　六拾八萬七千五百參拾七圓

清人家財ヲ百八拾五圓五拾貳錢トシ(韓人家財ノ四倍トシ)之ニ總戸數ヲ乘シタルモノナリ

八、電信ノ富力　　貳萬壹千貳百圓

本地内ノ電信線日清兩國合セテ二十六里半トシ一里ノ建設費ヲ八百圓トシテ計出ス

乙、西間島ノ富力　　六百九拾八萬百四拾九圓

一方哩ニ對スル富力　　貳千百四拾壹圓拾五錢

一人ニ對スル富力　　貳千貳百拾五圓九拾貳錢

一、土地ノ富力　　五百六拾壹萬九千五百六拾圓

(1)耕地ノ富力　　百七萬參百五拾八圓

本地ノ耕地ヲ參千町歩トシ之ヨリ東間島ノ農産收穫高ノ五分七厘七毛ヲ得ルモノト見做シ拾萬七千參拾五圓八拾錢トナル之ヲ十倍シタルモノヲ以テ農地ノ富力トナス

(2)可耕地ノ富力　　參拾六萬圓

可耕未開墾地ヲ三萬町歩トシ一町歩ノ價格ヲ普通耕地ノ五分ノ一即チ拾貳圓トシテ計算ス

(3)宅地ノ富力　　六千五百圓
宅地面積ヲ百三十町歩トシ一反歩ノ價格ヲ五圓トシテ計算ス
(4)森林ノ富力　　四百拾八萬貳千七百貳圓
森林ノ反別ヲ六十九萬七千百十七町歩トシ一町歩ノ價格ヲ耕地ノ十分ノ一即チ六圓トシテ計算ス

二、動物ノ富力　　三拾萬六千四百貳拾四圓
(1)馬匹ノ富力　　七萬七千八百八拾圓
馬匹ヲ一戸平均三頭トシ一頭ノ價ヲ四拾圓トシテ計算ス
(2)牛ノ富力　　八萬七千參百六拾圓
牛ヲ一戸平均四頭トシ一頭ノ價格ヲ四拾圓トシテ計算ス
(3)鷄ノ富力　　六百四拾九圓
鷄ヲ一戸平均五羽トシ一羽代價ヲ貳拾錢トシテ計算ス
(4)豚ノ富力　　參萬八千九百四拾圓
豚ハ一戸平均十五頭トシ一頭ノ價ヲ四圓トシテ計算ス
(5)犬ノ富力　　千貳百九拾八圓
犬ハ一戸平均二頭トシ一頭ノ價格ヲ壹圓トシテ計算ス

(6)鵞家鴨ノ富力　　　　　　　貳百圓

鵞又ハ家鴨ヲ一戸一羽平均ニ有スルモノトシ一羽ヲ三拾錢トシテ計算ス

(7)猫ノ富力　　　　　　　九拾七圓

猫ハ二戸ニ一頭ヲ飼養スルモノト見做シ其價ヲ參拾錢トシテ計算ス

(8)野獸、野禽ノ富力　　　　　　拾萬圓

三、家屋家財ノ富力　　　　　　拾六萬五千五百五拾五圓

(1)清韓人家屋ノ富力　　　　　　拾壹萬千五百七拾五圓

清人家屋ヲ貳百圓韓人家屋ヲ貳拾五圓トシテ計出ス

(2)清韓人家財ノ富力　　　　　　五萬參千九百八拾圓

韓人家財ヲ貳拾圓清人家財ヲ其四倍トシテ計出ス

四、產物ノ富力　　　　　六拾八萬圓

(1)人參木耳其他乾物ノ富力　　　　　參萬圓

人參、木耳其他ノ乾物類ノ產出高ヲ六萬圓トシ其半額カ現存セルモノトシテ計算ス

(2)木材ノ富力　　　　六拾五萬圓

木材產出高ヲ一ヶ年百參拾萬圓トシ其半額カ現存スルモノトシテ計算ス

五、貨幣金塊ノ富力　　　　八千六百拾圓

(1)貨幣ノ富力　　壹千九百四拾四圓
一戸平均貨幣參圓ヲ所持スルモノト見テ計算ス
(2)砂金ノ富力　　六千六百六拾六圓
砂金產出高ヲ一ヶ年貳萬圓トシ其三分ノ一カ存在スルモノト見做シテ計出ス

六、鑛產ノ富力　　貳拾萬圓
砂金產額ヲ一ヶ年貳萬圓トシ其富力ヲ計算ス

之ヲ要スルニ現時間島ノ富力ハ僅カニ一方哩四千四百六拾壹圓餘ニ過キスシテ之ヲ最近我カ北海道ノ富力一方哩七千八百八拾九圓ニ比スレハ其及ハサルコト甚タ遠シト雖トモ北海道ハ既ニ二十餘年前ノ開拓ニ係リ政府及ヒ人民ノ有形無形的投資ヲ受クルコト莫大ナルニ反シ間島ハ諸事尙ホ原始ノ狀態ニアリテ土地ノ如キモ殆ント無價ニ等シク剩サヘ可耕地ノ未タ犂鋤ヲ加ヘサルモノ現耕地ノ約五倍以上ニ達スルノ有樣ナルヲ以テ之カ充分ニ開拓サルルト同時ニ鐵道ノ貫通スルアラハ其富力ハ今日ニ比シ非常ナル增進ヲ見ルヘキヤ明カナリ

第九章　浦鹽閉鎖ト間島トノ商業關係

第一節　間島ニ貨物ノ輸入サルル情況

從來間島局子街ニテ販賣セル貨物ノ供給ハ營口經由吉林ト浦鹽若クハ浦鹽經由琿春トノ二方面ニ

制限(交通上)セラレ絶ヘテ他方面ヨリ貨物ノ供給ヲ仰キタル形跡ナカリシカ近ク間島問題ノ開始以來間島ト清津會寧間ノ交通漸ク頻繁トナリ車馬ノ序ヲ以テ清津或ハ會寧ヨリ砂糖、燐寸、石油等ノ貨物ヲ輸入スルノ端緒開ケ茲ニ間島局子街ハ浦鹽吉林ノ二供給地ノ外更ニ新ニ北韓ナル貨物ノ供給地ヲ得タルモ如何セン道路ノ嶮惡ナル爲メ運賃ノ點ニ於テ浦鹽吉林方面ヨリノ貨物ト値段ノ權衡ヲ失シ加フルニ取引ノ新タナルト通貨ノ異ナルヨリ自然清津方面ヨリノ輸入ハ單ニ運搬ノ極メテ好都合ナルトキ即チ還リ馬車ヲ以テ該地ニ有合セノ貨物ヲ現金拂ニテ仕入來ルニ過キサレハ其價格數量ニ於テモ到底吉林琿春等ヨリ輸入スル貨物ト比較スルマテノ程度ニ達セス頗ル不振ノ狀態ナリシカ四十二年ノ春以來浦鹽自由港閉鎖ノ影響トシテ間島在住ノ駄馬營業者カ豆、粟、等ノ雜穀類ヲ清津方面ニ輸出シ歸路石油、燐寸、金巾等ノ比較的販路廣キ品物ヲ撰擇シ還リ駄馬ヲ利用シテ局子街ニ運ヒ各商店ノ需用者ヲ聞キ卸賣ヲナシ運送業仲買ノ如キ營業ニ從事スルモノアリ此種ノ運送業者ニ貨物ノ運搬ヲ依賴セハ途中ノ損傷ハ辨償セシムヘク且ツ運賃ハ低廉ナリ例ヘハ石油ノ如キ途中ニテ箱或ハ洋鑵ノ破レヨリ漏失シタル殘鑵ノ重量ヲ量リ不足格ヲ辨償ス
サレハ駄馬ニテ清津ヨリ一般貨物ヲ輸入スルモノ漸ク多ク現下ノ情況ニテハ遠カラス浦鹽琿春ト競爭シ優ニ勝算ノ見込アリ

局子街ニ輸入サルル總商品價格ニ就テ從來統計ノ據ルヘキナシ依テ多年經驗アル商人ノ見積ニヨレル輸入比較略ホ左ノ如シ

輸入地名	從來ノ局子街	局子街總輸入	四十一年中各地別	四十二年自四月中旬至六月中旬各地別
吉林	六〇		六〇	六〇
浦鹽、琿春	四〇	一〇〇	三五	二五
清津、會寧	〇		五	一五

第二節　道路改修ノ必要

各地市場ノ商品競爭場裡ニ於テ低廉好良ナルモノ歡迎サレ低廉粗惡ナルモノ排斥セラル又同種類ノ好良品ニ於テハ價ノ低廉ナルモノ歡迎サレ不廉ナルモノ排斥ヲ受クルハ當然ナリ然ラハ同一市場ニ於テ同種類ノ商品ニ對シ市價カ廉不廉ノ二途ニ出ツルハ商人ノ資本ノ多少ト勉强ノ程度需用者ノ購買力如何一般經濟關係運賃關係等種々ノ原因アルモ世界的經濟關係ヲ離レタル間島ノ小天地殊ニ交通運搬機關ノ發達セサル地方海港ニ至ル遠距離ノ地ニ於ケル物價ノ標準ハ運賃ニ大ナル關係ヲ有ス而シテ運賃關係ナルモノハ海ニ在リテハ船舶ト航路ノ難易ニ因リ陸ニアリテハ運搬器ト道路ノ良否ニ因ルコト贅言ヲ俟タスシテ明ラカナリ

今ヤ北韓地方殊ニ間島方面ニ向テ我商品ノ販路擴張ヲ計ル秋ニ際シ商品ノ價額ニ最モ直接且ツ至大ナル關係ヲ有スルモノハ運賃問題ナリトス故ニ間島ニ我商品ヲ廉價ニ輸入スル策ヲ講セハ固有

ノ支那貨物ヲ全然驅逐スルコト能ハサル迄モ少クトモ浦鹽方面ヨリ輸入スル諸雜貨ニ對シテハ之ト競爭シテ優ニ壓倒スルコトヲ得ヘシ如上間島ノ如キ地理的關係ニアリテハ道路ノ改修ハ間島物資ノ輸出ト本邦品ノ販路擴張ニ便ナラシメ北韓人民ノ生存ト本邦人ノ發展ニ至大ノ効果ヲ有スルモノナレハ實ニ刻下ノ急務ト謂ツヘシ

次キニ吉林ト局子街琿春トノ距離遠隔セル割合ニ交通ノ頻繁ナル原因ハ一ハ政治上ノ關係ニシテ二ハ商業上經濟上ノ關係ナリ

一、政治上ノ關係 ― 吉林府ハ吉林全省政治上ノ中心ニシテ延吉廳及琿春ハ吉林府ノ管下ニ屬シ官吏軍隊ノ往復公文書ノ遞送頻繁ナルコト

二、商業上經濟上ノ關係
- A、本店支店ノ關係
- B、通貨ノ供通
- C、需用品ノ豊富
- D、取引得意ノ關係
- E、決算日ノ同一ナルコト

以上記載スル所ノ諸點ヲ綜合スルニ清津ヨリ局子街龍井村方面ニ貨物ヲ輸入セントスルニハ運賃ニ關シテハ本邦商人カ清國商人ヨリ不利ナル地位ニ在リ而シテ一般ニ商業上經濟上ノ不便アルニ拘ハラス本邦商品カ清津課税當時ヨリ既ニ輸入サレツツアル實況ヨリ推測スルモ今後無税輸入ノ

清津經由本邦品ハ有税ニテ而カモ遠隔セル營口吉林經由ノ本邦品及自由港閉鎖後ノ浦鹽琿春經由ノ本邦品ト各經由地ニ於テ著シク値段ノ相違ヲ生スヘク勢ヒ清津ハ間島方面ニ於テ唯一ノ日本商品輸入港トナルヤ必然ナリ然レトモ商業上經濟上ノ關係ハ從來吉林琿春ト密接ノ關係ヲ有スルモノナレハ清津ヨリ間島ニ全然日本貨物ヲ輸入セシメンニハ單ニ價格ノ低廉ナルノミニテハ聊カ不都合ヲ感スル點ナキニシモアラス左レハ尙更ニ一層有利ナル方法ト便宜ヲ計ラサルヘカラス是レ即チ道路ノ改修ヲ必要トスル所以ナリ今假リニ清津龍井村間ノ交通路乃至ハ會甯龍井村間ノ交通路改修サレ出來得ヘクハ清津會甯間ニ輕便汽鑵車ノ設備ヲ要ス而シテ是等ノ設備カ完成シタリト想像センカ會甯迄ハ貨物ノ運搬確實トナリ加フルニ運賃低廉ニシテ時日ヲ短縮シ次テ會甯間島間ハ車馬運搬力ヲ增加シ從テ運賃ハ低廉トナリ從來ハ不廉ナルカ爲メ農民カ閑散ノ期ヲ俟テ物ヲ交換ニ一任シタル栗、小豆、豆、等モ交通路ノ修繕ト共ニ運送業トシテ經營スルノ餘地生スヘク結局運賃低廉トナリ吉林琿春ト拮抗シテ優勝ノ勢ヲ示シ淸商ト競爭シテ數步ヲ讓ラシムルニ至ルヘシ如斯通路ノ改修ハ本邦商品ノ販路ト本邦人ノ消長ニ一大關係ヲ有スルモノナレハ今日ノ場合最モ急施ヲ要スルモノナリ

第三節　浦鹽自由港閉鎖ト清津自由港トノ關係

浦鹽自由港閉鎖ハ明治四十二年四月以降ナルニ現下ノ所著シキ影響ノ現レサルハ一部ノ琿春商人等カ閉鎖ヲ豫想シテ見込買ヒヲ爲シタルト局子街ノ商人ハ浦鹽ヨリ貨物ノ直接輸入ヲナスモノ少

ナク多クハ得意アル琿春商人ノ仕入ニ際シ買付委託ヲ爲スカ本店支店ノ關係ヨリ同時ニ仕入ヲ爲スノ外中流以下ノ商人ニアリテハ全部琿春ヨリ仕入ヲナスヲ以テ見込買ノ品物ヲ漸次轉送シ來ルニ因ルナリ昨今局子街ノ各商店ニ就キ今後浦鹽方面ヨリ輸入サルヘキ貨物ニ對シテ意見ヲ聞キタルニ異口同音ニテ浦鹽ハ課税多キタメ輸入ノ見込ナシ將來ハ吉林ト清津ヨリ輸入サルヘシト答ヘタリ這ハ一理アル説ナレトモ聊カ顧慮スヘキハ本支店ノ關係ハ須ラク置キ第一通貨ノ異ナル點第二取引ノ新タナル點第三清人ノ需用ニ供スヘキ貨物ノ豐富ナラサル點第四取引決算期ノ慣習異ナル點等種々ノ關係アルヲ以テ俄ニ吉林ト競爭シ能ハサルモ清韓商人ノ手腕如何ニヨリ近キ將來ニ於テ琿春ヲ凌駕シ得ヘシト信ス而シテ清津カ浦鹽琿春ニ代リテ商品ノ供給地トナル順序ハ先ツ交通ノ便開ケ間島ノ物資ハ北韓地方ニ運搬サレ琿春ヲ經テ浦鹽ニ輸出セシ豆、豆粕カ清津ニ輸出サルルノ曉ニハ通貨ハ自然相互ニ相殺セラレ取引ハ一回毎ニ深度ヲ增シ双互ノ信用スル範圍內ニ於テ融通出來貨物ハ日ヲ追フテ清人向キノモノ清津ニ集匯スヘク又取引決算期ノ慣習等ハ相互ニ讓歩シ得ヘキ部分ニ屬スルモノナレハ此場合ニ至レハ清津ハ浦鹽琿春ニ代リ得ヘキハ勿論吉林ヨリ貨物ノ仕入ヲナスニ比シ時日ノ少キト途中馬賊等ノ危險ナク安全ニ運搬シ得ル利益アレハ清津ノ將來ハ間島ニ對シテ吉林ヲ制シ得ヘク其前途ハ有望ナリト斷定ス而シテ今後若シ露國政府カ韓國政府ノ例ニ倣ヒ間島琿春ニ向ツテ浦鹽ヨリ輸出入ノ貨物ヲ免税スヘキ政策ヲ執ルトキハ如何此場合ニ於テ清津ト浦鹽ハ間島ニ向ツテ商品ノ販路ニ著シキ競爭ヲ來スヘシト雖トモ清津ハ不凍港タルト清韓人ノ貨物購買ニ最モ盛ナル時期ハ年末ニシテ貨物ノ運搬ニモ年中ノ最好期ナレハ彼レ是レ好都合ナル時期ニ於テ清津ハ間島ノ商人ニ供給シ得ルモ浦鹽ハ凍港ナルヲ以テ冬季四ケ月間自由ニ交通シ能ハサルヲ以テ歳末ニ販賣スヘキ貨物ハ陰暦十月以前即チ結氷前ニ於テ豫メ供給シ置カサルヘカラサル不便アレハ清津ハ天然ノ特長ヲ有スルモノナリ

第四節　清津ハ間島ニ對シ浦鹽ヨリ好地位ヲ占ム

浦鹽ヨリ間島局子街ニ直輸入ヲ爲サントセハ浦鹽「ポシエツト」間ハ海運ニテ航海回數ハ隔日乃至四日一回浦鹽發ノ半御用船ニテ航海時間約八時間ヲ要シ「ポシエツト」ニ陸揚ケシ琿春ヲ通過シテ局子街ニ至ル陸路三十七里ニ過キス又浦鹽及「ポシエツト」ハ冬季結氷スルヲ以テ該季間ハ交通遮斷ノ有樣トナリ強テ往來セントセハ「ポセエヨツト」ヨリ陸路アルモ運賃ニ多額ヲ要スルノミナラス露國ノ軍事經營地トシテ通過ノ手續等モ煩雜ナレハ到底商業路トシテノ價値ナシ然ルニ清津ハ不凍港ニテ春夏秋冬汽船ノ往來停止スルコトナケレハ結氷ノタメニ貨物ノ價額ニ影響ヲ蒙ル浦鹽ノ如キ類ニアラス更ニ浦鹽ヨリ清津經由ニテ間島人カ希望スル露國貨物ヲ局子街ニ供給シ得ル理由左ノ如シ

一、浦鹽清津間ト浦鹽「ポシエツト」間トノ海路運賃ニ大差ナキコト

二、清津ニ露國貨物ヲ輸入スルモ課税ナキコト

三、日本貨物ハ浦鹽ヨリ清津カ廉ナルカ上ニ交通便ナルヲ以テ種々ノ便宜アルコト

局子街琿春ニ於ケル總輸入及販賣價格表

（餉捐局税率ニヨリ徵税高ヨリ打算吊ハ凡ソ貳拾五錢ト計算シテ可ナリ）

地名	年度別	總輸入額	總賣上高	合計
局子街	光緒三十三年中	三三二、五四五・三吊	六〇三、七七七・七吊	九三六、三二三・〇吊
	光緒三十四年中	七九七、八六七・〇	一、一五九、〇〇〇・〇	一、九五六、八六七・〇
	二年間ノ差	増 四六五、三二一・七	増 五五五、二二二・三	一、〇二〇、五四四・〇
琿春	光緒三十三年中	五九〇、二七二・七	一、〇五〇、八八八・八	一、六四一、一六一・五
	光緒三十四年中	一、六九一、九六三・六	一、七五三、七七七・七	三、四四五、七四一、三
	二年間ノ差	増 一、一〇一、六九〇・九	増 七〇二、八八八・九	一、八〇四、五七九・八
局子街	光緒三十四年輸入一、二、三ノ三ケ月高	一〇四、九〇九・〇吊	本年ノ三ケ月分増加	一七〇、六三六・四吊
	宣統元年分輸入一、二、三ノ三ケ月高	二七五、五四五・四		
琿春	光緒三十四年輸入一、二、三ノ三ケ月高	三三三、五四五・四	本年ノ三ケ月分減少	八九、三六二・四
	宣統元年分輸入一、二、三ノ三ケ月高	二四四、一八二・八		

上表ニヨレハ局子街ニ於ケル明治四十年中(光緒三十三年)ノ總輸入價額ハ僅ニ八萬參千百參拾六圓ニシテ總賣上高ハ拾五萬九百六拾四圓ナリ即チ一ケ年貳拾參萬四千餘圓ノ賣買ニ過キサルモ四十一年中ハ總輸入高拾九萬九千四百六拾六圓トナリ總賣上高貳拾八萬九千七百五拾圓ニ増加シ一ケ

年四拾八萬九千二百十七圓ノ賣買高ニ激增セリ次ニ琿春ニ於ケル商況モ局子街ト同一ノ步調ニテ增加セリ即チ明治四十年中ノ總輸入高ハ拾四萬七千五百六拾八圓ニシテ總賣上高ハ貳拾六萬貳千七百貳拾貳圓ニ過キス一ヶ年ノ賣上高四拾壹萬貳百九拾圓ニ過キサリシモ明治四十一年中ノ總輸入高ハ四拾貳萬貳千九百九拾圓ニ增加シ總賣上高ハ四拾參萬八千四百四拾四圓ニ倍加シ一ヶ年ノ賣買高ハ八拾六萬壹千四百參拾四圓ニ激增セリ斯ノ如ク局子街、琿春共ニ一昨年ニ比シ昨年ハ二倍强ノ賣買額トナレリ而シテ局子街ト琿春ト一ヶ年ノ賣買額ヲ比較スルニ琿春ハ局子街ノ十七割乃至十八割ノ取引高ニ上リ殆ント二倍ニ近キ數ヲ示スハ是レ畢竟琿春ハ單ニ琿春附近ノ地帶ヲノミ得意トスルニアラスシテ局子街ニ再輸出ヲナスト一方琿春ハ吉林方面ヨリ直輸入ヲナシ局子街ヲ經由セサルノ結果タルニ外ナラス

然ルニ局子街ニ於ケル明治四十一年陰暦一、二、三ノ三ヶ月間ノ輸入高ト四十二年陰暦一、二、三ノ三ヶ月ノ輸入高ヲ比較スレハ上表ノ如ク二十六割强ノ增加アルニ反シ琿春ハ同期間內ニ七割强ニ減却シタリ是レ蓋シ近來淸津方面ヨリ局子街ニ貨物ヲ輸入スル結果タルニ外ナラス(局子街ニ貨物ノ輸入サルル情況ノ見積表參照)

第五節　淸津龍井村ノ交通改良セラレタル後ノ琿春

現今ノ狀態ニテハ局子街ハ琿春ヨリ和洋雜貨ノ供給ヲ受クルコト已ニ前述ノ如クナルモ今後淸津、會寧、龍井村間ノ交通路改良サレタル曉ニハ運賃ハ廉ニシテ淸津ニハ貨物潤澤トナリ加フルニ北韓

海岸ニ豐富ナル海參、魚類ハ間島ヨリ遠ク吉林ニ轉送サルヘク間島ノ物資ハ會寧富寧、鏡城ヲ始メ遙ニ日本海ヲ渡リテ敦賀ニ陸揚セラルヘシ其他種々ナル商業上ノ便宜ヲ得テ和洋雜貨ハ清津ヨリ供給セラルコトトナリ勢ヒ琿春ハ局子街ナル商品ノ呑口ヲ失ヒ殘ル所ハ琿春ヲ中心トシテ周圍ノ村莊ヲ相手ノ小口取引即チ小賣商買ヲ爲スノ外ナシ即チ其商業範圍ハ琿春ノ西方豆滿江ノ兩沿岸ヨリ涼水泉子ヲ一括シ高麗嶺ニテ局子街ト商界ヲ接シ西北ハ汪靑以東琿春河ノ上流ヲ合シテ綏芬廳ト商界ヲ分チ東ハ國境「ホンチユンスキー」ヲ以テ「ノオキエフスコエ」ト接境スル狹少ナル地域内ニ縮少セラルヘシ

第六節　清津龍井村ノ交通路改良セラレタル後琿春ハ貨物ノ供給ヲ何地ニ仰クヘキカ

浦鹽自由港閉鎖サレタル結果同地ヲ經由スル貨物ハ著シク騰貴スヘク從テ琿春ハ他ニ適當ナル貨物ノ供給地ヲ求メサルヘカラス今琿春ノタメニ清津雄基何レカ有利ナルカヲ比較センニ第一距離ノ點ニ於テ清津ハ不利ナリ即チ清津、琿春間ハ會寧、行營、慶源ヲ過キテ四十二里訓戒ヲ經テ四十里會寧ヨリ龍井村、局子街ヲ經テ六十三里ナルモ雄基、琿春間ハ慶源ノ下流六里半、新阿山灘ヲ渡リテ十五里、慶源ノ下流三里龍堂底ヲ渡リテ十六里慶源、慶與ヲ迂回シテ二十三里ニ過キサレハ三線ノ内何レヲ撰フモ里數ニ於テ大差ナシ第二道路ノ良否ニ就テハ勿論清津カ有利ナルモ現ニ雄基、琿春間ハ牛

車、駄馬ノ交通路ハ險岩絶壁ノ棧道ト云フ程ニアラサレハ多小險惡ナリト雖トモ距離半ハニ足ラサルヲ以テ世界的大市街ニアラサル琿春ニハ雄基カ好位置ニアルヤ疑ヲ容レス第三琿春農産物ノ運搬ニ就テモ第一ト同斷ナレハ清津龍井村間ノ交通路改良サルルモ琿春ハ清津ノ商業圈內ニ屬セスシテ雄基ノ商業範圍ニ屬スヘシ然レトモ清津會寧間ニ鐵道布設セラレ運賃ヲ著シク減却シタランニハ運賃ノ競爭點ハ琿春會寧間ノ二十量ト琿春雄基間ノ十六里トノ間ニ起ルヘシ前者ハ距離ニ於テ四里ノ損失アルモ道路ノ良キ爲メ運賃ニ於テ多少ノ利益アレハ兩者トモ運賃ニ就テハ敢テ懸隔ナカルヘシ故ニ今後清津會寧間ニ輕鐵敷設サルレハ琿春ノ商業ハ少クトモ或部分ハ清津ノ商圈ニ含マルヘシ併シナカラ琿春雄基間ノ道路ニ多少ノ修繕ヲ加フレハ歸スル所琿春雄基ト會寧清津トハ平行線（一ハ道路一ハ輕鐵若シクハ鐵道）ニテ豆滿江對岸ニ對シ共ニ需用供給ヲナスニ至ルヘシ此ノ期ニ達セハ琿春ト東方ノオキエフスコエ」トノ商業關係ハ如何ト云フニ「ノオキエフスコエ」ハ居民ノ外ニ約一ケ師團ノ露兵駐屯シ野菜牛豚ノ供給ハ從來專ラ琿春ニ仰キ尙ホ將來モ琿春ニ依ラサルヘカラスシカノミナラス道路極メテ平坦ニシテ湘洳ノ地ナク里程僅ニ九里ニ過キサレハ琿春ヨリ往復二日ヲ要スルノミ是ヲ雄基琿春間ノ往復四日琿春會寧間ノ往復五日ニ比スレハ時日ヲ短縮スル點ニ於テ「ノオキエフスコエ」ノ右ニ出ツルモノナシ故ニ今復タ浦鹽ノ課税カ非常ナル重税率ニアラサル限リハ琿春ハ或ル程度迄「ノオキエフスコエ」ト取引スヘク延テ清津龍井村間ノ道路改修ハ琿春ニ對シ「ノオキエフスコエ」ノ得意ヲ奪去スルコト能ハサルヘシ之ヲ要スルニ琿春ハ清津ノ商業範圍ニアラスシテ雄基「ノオキエフスコエ」ノ商圏ニ屬スルモノタリ强テ清津ノ商圏ニ入レントセハ會寧ヨリ輕鐵(假定)ヲ慶源迄延長スル唯一ノ方法アリ然レトモ這ハ軍事ヲ以テ敷設スルニアラサレハ商業路トシテ經費ト收入ノ計算立ツヘキヤ否ヤハ疑問ナレハ更ニ詳細ナル調査ヲ要スヘシ

第十章　間島開發ト吉清鐵道ノ敷設

第一節　吉清鐵道ノ勢力範圍

間島ニ關スル日清協約ニヨリ近キ將來ニ於テ敷設サルヘキ吉會線(會寧清津間ノ韓國內地ハ舊時若クハ其以前ニ敷設セラルルモノトシテ吉林清津間ノ鐵道吉清鐵道ト假稱ス)ノ勢力範圍ヲ檢スルニ先ツ北韓咸鏡北道ヨリ間島全部ハ言モ更ナリソレヨリ以北吉林省ノ大部分ニ及フヘキハ疑ヲ容レサルトコロナリ

韓國咸鏡北道ハ土地磽确ニシテ產物ノ見ルヘキモノ殆ントナク將來望ヲ囑スヘキモノ稀ナリ然レトモ吉林省ハ如何ニト云フニコハ南北滿州ヲ通シテ土地ノ肥沃ニシテ可耕地ノ大ナルハ其第一位ニアリ殊ニ松花江ノ上流中流ノ地域ハ土地肥沃ニシテ穀物穰々トシテ野ニ滿チ加之森林地帶多クシテ林產物亦豐富ナリ今吉林省ニ於ケル面積耕地農產收量高等ヲ概算スルニ左ノ如シ

面積　十萬五千五百十方哩
內耕地　凡ツ三百九萬三千九百町步

吉林省ニ於ケル耕地ノ面積ニ就テハ調査上統一ヲ缺キ遺漏ノ免レサルモノアレハ正確ヲ期スルコト固ヨリ困難ナリ然レトモ今川上總領事ノ調査セル材料ニヨレハ左ノ如シ

双城廳	三十六萬五千晌
新城府	四十萬晌
五常廳	十二萬六千晌
賓州廳	三十萬六千晌
依府	十九萬晌
長壽縣	一萬晌
長春府 農安縣 吉林府	百萬晌
綏芬廳 寧古塔 延吉廳 敦化縣 其他	五十萬晌

合計二百八十九萬七千晌

次ニ其農産物收穫量ヲ概算スレハ左ノ如シ

今假リニ一晌地ノ平均收量ヲ清五石二斗(清一石ハ我カ一石五斗五升)トスレハ其總量我カ二千三百三十四萬八千九百二十石トナリ一石ノ代價ヲ六圓トスレハ實ニ壹億四千九萬參千圓トナル若シ其收穫高ノ五割ヲ輸出スルモノトスレハ百六十萬噸價格五千貳百萬圓トナル

未開墾地ノ面積ハ之ヲ知ルニ難シトイヘトモ現今ノ二倍以上ナリト稱セラル

第二節　吉清鐵道ノ間島ノ開發ニ及ホス影響

間島ノ如キ交通不便ナル僻地ニアリテハ今日ノ有樣ヲ以テスレハ假令多量ノ農産物林産物等ヲ産出スルモ之ヲ外ニ出シテ利スル處少ク穀價其他ノモノノ價格非常ニ廉ナラサルヲ得ス穀價廉ニシテ購買力少シ之ニ反シテ遠ク輸入サレタル日用品高價ニ其住民ハ憫ナル狀態ニアリテ何等向上ノ風ヲ呼フ能ハス

斯クノ如ク此ノママニ於テ何等ノ發展ノ望ナキ間島ノ沃土モ一度其横貫鐵道ノ敷設サルルアラハ其受クル恩惠ヤ實ニ大ナリ今吾人ハ其間島ニ於ケル主産物タル農産物ノ數量並ニ鐵道敷設後ニ於ケル其價格ノ騰貴等ヲ少シク研究セントス

間島ノ現耕地ハ凡ソ六萬町歩ニシテ其産出スル農産物ノ數量ハ凡ソ六萬五千噸ナリ(平作ニテ)而シテ其價格ハ凡ソ貳百萬圓ト見テ大差ナカルヘシ然ルニ鐵道一度貫通スレハ其穀價ハ上騰スヘク若

シ現價格ノ一倍八分ニ上騰スルモノト假定セハ參百六拾萬圓ナリ而シテ其半額ヲ輸出シ得ルモノトスレハ現今ニ比シ一ヶ年八拾萬圓ノ利益存スヘシ又輸入貨物ヲ一ヶ年百萬圓ト假定シ其價格ニ於テ平均三割ノ減價ヲ來スモノトスレハ參拾萬圓ノ利益アルヘク其他畜類木材ノ輸出等ニテ利スルコト凡ソ貳拾萬圓トスレハ大約現今ノママニ於テ百參拾萬圓ハ一ヶ年中ニ利スルコトトナル然ルニ若シ鐵道開通センカ其耕地ハ現今ノ數倍ニ上リ從テ數倍ノ穀類ヲ輸出シ得ヘク其他木材薪材畜類等ノ輸出モ激增スヘク從テ輸入貨物モ之ト同樣ノ進歩ヲナシ結局間島全體ノ富力ハ今日ノ數倍ニ上ルコト蓋シ難事ニアラサルヘシ

第三節　吉清鐵道ト南滿鐵道

南滿鐵道カ其軌道ヲ廣軌ニ改メテヨリ其輸送力ハ非常ニ增大シ貨物ノ集マルモノ月ト共ニ盛大トナリ近時其輸出品輸送高一百萬噸ニ上ルト云フ滿鐵カ斯クノ如キ大輸送ヲナスニ至レルモノハ其港灣ノ搬出力强大ナル大連港ヲ控フレハナリ

抑大連港ノ輸出入額近時異數ノ進歩ヲナシ其農產地域ニ近ク大連ヨリ數層ノ優勝地ニアル營口ヲ壓倒シツツアル所以ノモノハ何故ナリヤ其原因ノ存スル恐ラク左ノ事情ノ相違ニアラン即チ

一、營口ハ凍港ニシテ大連ハ不凍港ナルコト

滿洲ノ主要農產物ノ出廻期ハ十一月ヨリ翌年四月ニ至ル凡ソ半年ノ間ニ在リ然ルニ其出廻ノ最モ盛ナルヘキ十二、一、二、三、ノ間營口ハ海水凍リテ輸出ノ途杜絕ス而シテ此間大連ハ全力ヲ注キテ其輸

出ニ力ムル此凍不凍ノ差タルヤ其影響スルトコロ蓋大ナリト云ハサルヘカラス

二、大連營口ノ築港ニ於テ大ナル優劣アリ

大連ノ築港タルヤ露國ノ經營ニカカリ其規模ノ大ナル東洋第一ヲ以テスヘシ而シテ一日ノ輸出能力現今ニ於テ五千噸以上ニ上ラシムルコトヲ得ヘシ然ルニ營口ノ港灣タルヤ僅カニ一二ノ小棧橋アルニ止リ港內水深カラスシテ充分ノ輸出ヲナスニ缺クルトコロアリ

三、南滿鐵道カ貨物吸收策ヲ講スルニ專ナルコト

貨物運送上水運陸運ノ兩者ヲ比較スレハ其運賃額ニ於テ大ナル相違アリ然ルニ營口ハ遼河ノ水運ヲ利用シ得ヘク其農產提供地ニ近ク至大ノ便益アリテ南滿鐵道ノ長距離輸送ニ比シ大ナル差アルヘシ然ルニ其統計ノ示ストコロハ貨物ノ集マルモノ南滿鐵道ヲ經由スルモノ多シ其理由トスルトコロヲ考フルニ同鐵道カ運賃率ヲ低下セルコト並ニ其貨物カ比較的機敏ナル商取引ノ目的物トナリ居リテ急速ナル輸送ヲ要スルヲ以テ其時間ニ於テ短キ且ツ正確ナル發着ヲ有スル鐵道ニヨルニ至レルヤ明ナリ

是等ノ理由ヲ以テ其貨物カ大連ニ出ツル次第ニ多キヲ來セルナリ

次キテ吉淸鐵道敷設ノ曉ハ果シテ南滿鐵道ト拮抗シ得可キヤ否ヤ即チ輸送貨物ノ蒐集高及ヒ貨物ノ如何ニ豐富ナリトモ其鐵道ニシテ輸送力ヲ缺キ港灣ノ設備位置ニ於テ全カラサレハ之ヲ論スルニ足ラス今吉淸鐵道カ輸送力充分ニ其ノ附屬スル港灣ニシテ完全ナリト云フ前提ニ於テ兩者ヲ比

較セント其輸送貨物ニ對スル勢力範圍其貨物ノ數量ニ付テハ吉清鐵道ハ決シテ南滿線ニ劣ルモノニアラサルヲ知レリ今日南滿鐵道カ百萬噸ノ輸送貨物アリトスレハ吉清鐵道モ亦恐ラク其レニ近似ノ數ヲ輸送シ得ヘキナリ

今大阪ヲ基點トシ長春ニ到ルニ南滿鐵道ヲ利用セルモノ韓國縱斷線安奉線並ニ南滿線ノ奉天以北ノ線ヲ利用スルモノ及大阪ヨリ敦賀ニ出テ日本海ヲ横斷シ吉清鐵道ヲ利用スルモノノ三者ヲ比較セント今大阪長春間ヲ最良最速ノ方法ヲ採リタルモノト假定スレハ其距離ト旅行時間トハ左ノ如シ

經由線路		海上距離	鐵道距離	所要時間
釜山經由	山陽線、關釜連絡船 韓國、安奉、南滿線	一二〇浬	一三一〇哩	五四時
清津經由	敦賀、日本海 清津、吉林線	四七五	四八〇	五五
大連經由	山陽線、門司大連 航路、南滿線	六四〇	七八五	八〇

備考　海路ハ一時間十二浬平均鐵道ハ一時間三十哩ノ平均速力ヲ標準トシ所要時間ヲ算出セリ

斯クノ如ク此等三經路ヲ比較スレハ吉清線ヲ利用スルモノハ距離ニ於テ最モ短ク時間ニ於テ安奉線經過ト伯仲セリ而シテ運賃ヲ比較スレハ韓國經由最モ高ク南滿線之ニ次キ吉會線最モ廉ナルヘキコトハ鐵道ヲ利用スル距離ト船舶ヲ利用スル距離トヲ檢スレハ自カラ明白トナルヘシ

次ニ清津港ハ大連ニ對抗シテ其商港トシテノ任務ヲ果タシ得ルヤ否ヤ抑モ大連ハ元來天然ノ利大ナリシニアラス只露國ノ大經營ニヨリテ成リタルモノ即巨額ノ資ヲ投シテ築港ヲ施シ初メテ今日ノ有様トナリタルモノナリ聞クカ如クンハ今日之カ築港ヲナスニハ約三千萬圓内外ヲ要スヘシト而シテ清津港ハ今日ノママニアリテハ如何ニ輸送力ノ大ナル鐵道ヲ連結セシムルモ之ヲ遲滯ナク輸出セシムルコト能ハス將來吉會鐵道ノ大輸送力ト相俟タンニハ恐ラク二三千萬圓ヲ投シテ人工ヲ加エサルヘカラス

要スルニ清津ノ港灣カ大連ノ港灣ト同一ナル吐呑力ヲ有スル如ク築港セラルルト假定セハ吉清鐵道ハ實ニ北滿洲(長春ヲ中心トス)日本内地(大阪ヲ中心トス)トヲ連絡スルニ最モ優勝ナルモノナリトス

第四節　吉清鐵道ノ價値

甲、經濟上ニ於ケル價値

鐵道敷設ノタメ其地方ニ於テ需用シ供給スル諸貨物ハ生産地ニ於ケル市價ノ上騰トナリ消費地ニ於ケル市價ノ下落トナリ各地方間ニ於ケル市價ノ大ナル相違ヲ平均セシム此現象タルヤ元ヨリ貨物ノ性質ニヨリ大ニ異ナルモノニシテ大量嵩高ノ貨物ニ對シテハ影響甚タシク小量ニシテ高價ナルモノハ比較的少シ然ルニ吉會鐵道カ輸送スヘキ貨物ハ如何ニト云フニ原始生産ニ屬スルモノ即チ農産物林産物鑛産物等ノ如キ嵩高ニシテ價格比較的小ナルモノ其大部分ヲ占ムヘケレハ其貨物

ノ市價ニ與フル影響ハ蓋シ偉大ナリト云ハサルヘカラス此ノ市價ノ變化ノタメ幷ニ貨物輸送ノ便利ト販路擴張ノタメニ農民ノ收入ニ大ナル變化ヲ來シ從ツテ之ニ刺戟セラレテ未開ノ野ハ益々開拓セラレ生産額ノ激増ヲ來スコトヽナル其他工業ニアリテモ其器具ノ輸入燃料ノ運搬原料品製品ノ搬入搬出勞力ノ移入資本ノ回轉迅速ニ至ルヘキコト等或ハ大規模ノ生産ニヨル生産費低下等ニヨリテ鐵道沿道ニ幾多ノ工場ヲ見ルニ至ルヘシ

斯クノ如クニシテ今日間島幷ニ其以北ノ僻地ニ於テ商品トシテ價値少キ農産物林産物モ鐵道布設ノタメ價値大ニ高マルヘク其他是等ヲ原料トセル諸工業ノ發達ヲ促スヘキヤ明ナリ

次ニ今長春ニ或一定ノ貨物アリテ之ヲ大阪ニ輸送スヘキモノト假定シ其何レノ行路ヲ取ルヘキヤヲ研究センニ先ツ其道路ヲ撰フ上ニ第一ニ考フヘキハ運賃ノ如何第二ニ其運送日數ノ長短幷ニ正確ナリヤ否ヤ第三ニ運送中ノ危險ノ有無是ナリ

第一　運賃

抑モ鐵道ハ其通路ニ莫大ノ資金ヲ要シ從業員（火夫、油差シ、機關士、驛員、驛夫、信號夫、ポイントマン等）モ比較的多數ヲ要シ汽船ニ比シテ小量運送ヲナシ又燃料ノ消費大ナリ然ルニ汽船ニアリテハ其通路ニハ何等ノ資本ヲ要セス只天然ノ海水ヲ應用シ又物理學ノ所謂浮力ヲ應用シテ大量運送ニ適シ從業員ハ鐵道運送ニ比シ小數ニシテ足リ其燃料ハ比較的ニ僅少ナリサレハ汽船ハ鐵道ニ比シ貨物運送ニ於テハ其運賃ニ大ナル逕庭ヲ現ハセリ故ニ今長春ヨリ大阪ニ至ル貨物ニ要スル運送費ハ通過

スル鐵道ノ距離幷ニ海上ノ距離ヲ考量セハ大約其大小多寡ヲ知リ得ヘシ

經由路	海上距離	陸上距離
吉清線ニヨルモノ	四七五浬	四八〇哩
韓國縱斷線ニヨルモノ	一二〇	一、三一〇
南滿線經由ノモノ	六四〇	七八五

之ニヨリテ考フレハ何レヨリ見ルモ吉清線經由ノモノ最モ有利ナルヲ知ル次ハ大連經由ノモノニシテ韓國縱斷線最モ不利ナルヘキハ何人モ爭ハサル所ナルヘシ然ラハ長春以北以東ノ貨物ハ南滿線若シクハ安奉線ニ由ラス吉清線ニ由ルヘキヤト云フニ尙第二第三ノ條件如何ニヨリテ決セサルヘカラス

第二　運送時日ノ長短ト其ノ時間上ニ於ケル正確ノ有無

運送時日ニ付テハ左ノ關係アリ

韓國縱斷線ニヨルモノ　五十四時間以上
大連經由ニヨルモノ　八十時間以上
吉清線ニヨルモノ　五十五時間以上

運送時日ニアリテハ吉清線ト韓國縱斷線ト大差ナク大連經由ノモノハ最モ多シ然ルニ普通貨物ニ

アリテハ時間上ニ於ケル經濟ヨリモ寧ロ運送費ノ節約ニヨリテ市場ニ於ケル優勝ヲ決スルカ原則ナリ

運送時日ノ正確ヲ期スルハ鐵道ヲ以テ第一トナサヽルヘカラス何トナレハ海上ニ於テ風波濃霧ノタメニ船舶ノ航海ハ間々遅滯サルル傾ヲ有スレハナリ今日市價ノ變動甚シキ商品ニアリテハ其貨物到著時日ノ正確ヲ期スルハ望マシキコトナレトモ或特別ノ場合ヲ除キテハ運賃額ニ大ナル差アル鐵道運送ヲナスヨリハ寧ロ船舶ヲ利用スルヲ以テ得策トス

第三　通路危險ノ有無

運送機關中最モ危險少キハ鐵道ナリ船舶ハ濃霧ノタメニ衝突シ暗礁ニ乘リ上ケ風波ノタメニ沈沒スル等鐵道ニ比シ大ナル危險分子ヲ含メリサリナカラ今日海上運送火災保險等保險業ノ發達ニヨリ貨主ハ此ノ機關ヲ利用シテ運送上ノ危險ヲ救フノ方策アレハ通路上ニ於ケル危險ノ大小ハ左シテ影響ヲ及ホサス

以上三個ノ條件ヲ彼此考量スレハ貨物運輸上ニ於テ長春以北以東ノモノモ亦吉清線ニヨリテ搬出サルヘキコト明白トナルヘシ

次ニ長春以北ニ行クヘキ乘客ノ通路撰定ヲ考フルニ是ハ貨物ト同一視スヘカラサルモノアリ即チ客ノ運輸ニアリテハ第一ニ時間上ノ節約第二ニ運賃ノ如何第三ニ危險ノ有無若シクハ旅行路ノ快不快ナリ

而シテ第一ノ條件タル時間上ノ節約ニアリテハ吉清線最モ利益アリ次ハ韓國縱斷線ナリ第二ノ運賃額ニアリテハ大約左ノ如シ

大阪ヨリ門司大連航路ヲ經南滿線ニヨルモノ

約四拾參圓貳拾錢(汽車汽船共二等ニテ)

韓國縱斷線ニヨルモノ

約四拾五圓

吉清線ニヨルモノ

約貳拾七圓

第三ノ條件ニ至リテハ韓國縱斷線最モ良ク次ハ吉清線ナリトス

以上ニヨリテ之ヲ考フルニ是レ亦吉清線經由ノモノ最モ利便ナリ

要之以上荷客共ニ大阪ヲ基點トスレハ長春以北以東ニ對スル通路ハ吉清線最モ有利ノ地位ニアリト云ハサルヘカラサルナリ

附錄　物價表

龍井村一般小賣物價表（日本人側）

明治四十一年六月一日調

品目	單位	價	品目	單位	價
白米	一舛	円 〇・三〇〇	牛久葡萄酒	一本	円 一・四〇〇
大豆	同	〇・〇四〇	生葡萄酒	同	二・三〇〇
小豆	同	〇・〇四〇	角ウヰスキー	同	二・三〇〇
清酒	同	〇・六八〇	三矢印平野水	同	〇・一五〇
醬油	同	〇・六〇〇	ロンドレス葉巻莨	百本入一箱	五・五〇〇
赤味噌	百匁	〇・一二〇	エムシシー金口莨	同	一・八〇〇
白味噌	同	〇・一四〇	エスデー金口莨	五十本一箱	〇・九〇〇
奈良漬	同	〇・二五〇	リベット金口莨	十本入一箱	〇・一八〇
カラシ漬	同	〇・二五〇	敷島	四百本入一箱	一・七〇〇
麥酒	一本	〇・三五〇	大和	同	一・五〇〇
蜂印香竄葡萄酒	同	〇・六〇〇	朝日	同	一・三〇〇

品目	單位	價格
梨罐詰	一個	〇・三〇〇円
桃同	同	〇・三〇〇
蟹同	同	〇・五〇〇
蒲鉾同	同	〇・五〇〇
鰕同	同	〇・三五〇
白魚同	同	〇・三五〇
螺同	同	〇・三〇〇
章魚同	同	〇・三〇〇
鰒同	同	〇・三〇〇
烏賊同	同	〇・三〇〇
松茸同	同	〇・三三〇
筍同	同	〇・二〇〇
栗同	同	〇・三五〇
鯛デンプ	同	〇・三五〇

品目	單位	價格
刻莨白梅	一袋	〇・六〇〇円
巻紙上	一本	〇・一五〇
同中	同	〇・一二〇
同下	同	〇・〇八〇
狀袋上	百枚	〇・四〇〇
同中	同	〇・三五〇
同下	同	〇・二〇〇
半紙	一帖	〇・〇四〇
半紙野紙	百枚	〇・三〇〇
ちり紙	一帖	〇・〇三〇
櫻紙	同	〇・二三〇
煉歯磨	一個	〇・四五〇
ライオン歯磨	一袋	〇・〇三〇
角歯磨楊枝上	一本	〇・二五〇

鯛味噌	同	〇・一五〇
昆布巻	同	〇・一五〇
鹽カラ大	同	〇・二五〇
同中	同	〇・一八〇
同小	同	〇・一五〇
ジャム	一罐	〇・五五〇
コフキー大	同	〇・四〇〇
同中	同	〇・三〇〇
同小	同	〇・一五〇
鰯油漬	同	〇・三五〇
片栗	一袋	〇・一六〇
晒餡	同	〇・〇九〇
砂糖	一斤	〇・二〇〇
酢	一本	〇・五五〇
刻莨サツキ	一袋	〇・四五〇

同中	同	〇・二〇〇
同下	同	〇・一二〇
竹楊枝	同	〇・〇二〇
妻楊枝	一把	〇・〇七〇
金糸印石鹼	一個	〇・六〇〇
花印同	同	〇・四五〇
菊花同	同	〇・二五〇
競馬印三號同	同	〇・三五〇
地球印同上	同	〇・二五〇
同下	同	〇・一〇〇
洗濯同	同	〇・一五〇
巻莨入	同	〇・三〇〇
錢入上	同	〇・八〇〇
同中	同	〇・五〇〇
同下	同	〇・一五〇

品目	單位	價
手帳上	一冊	〇・三〇〇円
同　中	同	〇・二〇〇
同　下	同	〇・一二〇
鉛筆　筆	一本	〇・〇五〇
筆　上	同	〇・〇七〇
同　中	同	〇・〇五〇
同　下	同	〇・〇四〇
バタ　小	一罐	〇・五〇〇
ヘツド	同	〇・九〇〇
鷲印ミルク	同	〇・四五〇
正喜撰四半斤入茶	同	〇・三〇〇
川柳茶	半斤	〇・四〇〇
靴刷毛	一個	〇・二〇〇
カタン糸大	同	〇・一二〇

品目	單位	價
同　中	一足	一・五〇〇円
同　下	同	一・二〇〇
ジカバキ・女下駄	同	〇・四五〇
表付同上	同	二・五〇〇
同　中	同	一・七〇〇
同　下	同	一・三〇〇
メリケン粉	百匁	〇・一〇〇
椎茸	同	一・五〇〇
干瓢	同	〇・四〇〇
素麵	同	〇・一五〇
干ウドン	同	〇・一六〇
ライトシヤツ	一組	三・八〇〇
メリヤスシヤツ	同	一・二〇〇
荒毛メリヤスシヤツ	同	三・七〇〇

同　小	同	〇・一〇〇
二枚續キ白毛布	一枚	二五・〇〇〇
鼠色毛布	同	一六・〇〇〇
綿毛布上	同	二・八〇〇
同　中	同	一・八〇〇
同　下	同	一・二〇〇
キツト皮靴	一足	八・〇〇〇
半靴上	同	五・五〇〇
同　中	同	四・〇〇〇
同　下	同	二・五〇〇
麻裏上	同	〇・五五〇
同　中	同	〇・四五〇
同　下	同	〇・三〇〇
ジカバキ男下駄	同	〇・四〇〇
表付同上	同	一・八〇〇
同　ジヤケツ	同	五・〇〇〇
香水上	一瓶	一・二〇〇
同　中	同	〇・八〇〇
同　下	同	〇・五〇〇
香油上	同	〇・八〇〇
同　中	同	〇・五〇〇
同　下	同	〇・二五〇
粉白粉上	同	〇・七〇〇
同　中	同	〇・五〇〇
同　下	同	〇・三〇〇
水白粉上	同	〇・五〇〇
同　中	同	〇・四〇〇
同　下	同	〇・三〇〇
ツメエリ洋服	一組	一〇・〇〇〇
三ツ揃同	同	一五・〇〇〇

品目	單	價
ツメエリカラー	一本	円 ○・○九○
折エリカラー	同	○・一二○
タヲル上	一筋	○・六○○
同　中	同	○・三○○
同　下	同	○・一五○
手拭	同	○・一○○
韓紙大形	一枚	○・○三五
同　中形	同	○・○二五
同　小形	回	○・○一○
神戸紙洋紙	同	○・○三○
釣ランプ(八分)	一組	一・五○○
同(五分)	同	一・二○○
同(三分)	同	○・九○○
掛ランプ	同	○・六五○

品目	單	價
五徳下	一個	円 ○・三○○
火箸	一對	○・一二○
蠟燭上	一本	○・○五○
同　中	同	○・○四五
同　下	同	○・○三○
カンテラ	一個	○・○六○
一升徳利	同	○・五○○
燗徳利	一本	○・一○○
盃	一個	○・○四○
小皿	一枚	○・○五○
依	一個	○・一○○
墨上	同	○・三○○
同　中	同	○・二○○
同　下	同	○・一五○

藥罐大	一個	〇・七〇〇
同中	同	〇・五〇〇
同小	同	〇・三五〇
薄鍋大	同	〇・四〇〇
同中	同	〇・三五〇
同小	同	〇・二五〇
大和鍋大	同	一・五〇〇
同中	同	一・二〇〇
同小	同	〇・八〇〇
鐵スキ燒鍋	同	〇・八〇〇
鐵七輪	同	〇・八五〇
臺ランプ	同	一・五〇〇
石鍋	同	〇・六〇〇
アルミニユームスキ鍋	同	〇・七〇〇
五徳上	同	〇・五〇〇
ビスケット	一斤	〇・四〇〇
菓子松風	同	〇・四〇〇
ボーロ	同	〇・三五〇
懷爐	一個	〇・一二〇
同灰	一袋	〇・〇五〇
アルミニユーム水呑	一個	〇・三〇〇
紋付壁紙上	一本	〇・三〇〇
同中	同	〇・二七〇
同下	同	〇・二五〇
飯茶碗上	一個	〇・二〇〇
同中	同	〇・一五〇
同下	同	〇・一二〇
飯櫃三升入	同	一・五〇〇
同二升入	同	一・三〇〇
卷莨パンプー	十本入一個	〇・〇二五

品目	單	價
卷莨ホニービー	五本入一個	〇・〇二〇円
同	五十本入一箱	〇・九〇〇
豆油	一合	〇・〇五〇
硯箱	一個	〇・四五〇
硯	同	〇・三〇〇
清酒金露	四合入一瓶	〇・四〇〇

品目	單	價
スコツトウ井スキー	一瓶	二・〇〇〇円
晒木綿	一尺	〇・〇五〇
同	一反	一・一〇〇
夏メリヤスシヤツ	一枚	一・一〇〇
サゲランプ	一個	〇・五〇〇

龍井村小賣物價表（韓人側）

明治四十一年六月一日調

品目	數量	價格	物品輸入ノ經路及産地
洋木（金巾）上	一疋	七・二〇〇円	上海製ニシテ水路仁川、釜山、元山、清津、會寧ヲ經テ輸入セラル
同　下	同	六・五〇〇	同
廣木（大金巾）	同	七・二〇〇	同
白洋木	同	七・〇〇〇	同

白木	同	一・五〇〇	同
洋紗	同	一・六〇〇	同
亢羅(紹)	同	四・六〇〇	同
苧亢羅(苧紹)	同	一・七〇〇	同
旭紬	同	二・一〇〇	同
紬銀羅紗	同	七・六五〇	同
紬官紗	同	七・六〇〇	同
白夏布	同	五・〇〇〇	韓國製元山ヨリ輸入ス但シ慶尙道ノ産
苧	同	四・五〇〇	日本品ト上海品トアリ上海品ハ洋木ト同經路ナリ
木官紗	同	一〇・〇〇〇	上海製
官紗	同	一〇・〇〇〇	同
毛紗	同	一四・〇〇〇	浦鹽製ト上海製トアリ浦鹽品ハ水路元山ニ到リ更ニ淸津ニ輸入セラル
明紬	同	六・〇〇〇	韓國製ニシテ平安北道熙川、同南道肅川及咸鏡南道永興ノ産ナリ
色明紬	同	三・〇〇〇	同
如意紗(紋紗)	同	三・五〇〇	元山製

品目	數量	價格	物品輸入ノ經路及產地
紬亢羅	一尺	円 〇・二七〇	上海製ニシテ元山經由
合絹(紋入サ巾)	一疋	五・五〇〇	元山
倭增(カイモ)	同	七・〇〇〇	日本
白花(綿)	一枚	〇・〇七〇	同
大三合糸	一束	三・七〇〇	同
燐寸	十個	〇・〇五五	同
白紙	百枚	〇・九〇〇	韓國製
白鷺紙	一連	二・五〇〇	日本
卷莨朝日	一箱	一・二五〇	同
同ヒーロー	同	〇・七〇〇	同
剪子	一個	〇・一八〇	同
花紙	一本	〇・二〇〇	同
女花粧鞋	一疋	一・二〇〇	韓國製
烟管	一本	〇・二四〇	同

花柳鏡子	一個	〇・一〇〇	同
銀釦	同	〇・〇四〇	日本
貝釦	同	〇・〇五〇	同
茶桶	同	〇・三五〇	同
開花鏡	同	〇・一二〇	同
福字小鏡	同	〇・〇五〇	同
錢匣	同	〇・五五〇	同
唐眞腰巾	同	〇・三七〇	元山ニ於テ支那人製
甕永子(甕紐)	同	〇・〇四〇	韓國製
芦田(アンペラ)	一枚	〇・六〇〇	同
蠟燭	一袋	〇・二〇〇	日本品
洋傘上	一本	一・三〇〇	同
同下	同	一・一〇〇	同
洋紙	六十枚	一・五〇〇	同
同	同	〇・〇三〇	同

品目	數量	價格	物品輸入ノ經路及産地
洗面器	一個	円 〇・一五〇	日本品
眞紐	一尺	〇・一六〇	韓國製
手帖	一冊	〇・一〇〇	同
黑繻子	一疋	九・〇〇〇	上海製
兵隊古洋服	上下	一・〇〇〇	會寧ヨリ
鹽	一斗	〇・四五〇	咸南道永興、雄基ヨリ輸入シ外ニ少許ノ煙台産ノモノアリ之ハ吉林ヲ經由シ來ル
䌳	一連	〇・八三〇	日本品
釘三寸	一斤	〇・二五〇	同
油壺(ランプ代用)	一個	〇・〇七〇	同
ズボンツリ上	一掛	〇・八〇〇	同
同下	同	〇・五〇〇	同
餅網	一枚	〇・二〇〇	同
乾蕃椒	一袋	〇・〇六〇	韓國製
莨巻洋紙	一匣	一・〇〇〇	浦鹽製ニシテ陸路琿春局子街又ハ東盛湧ヲ經テ來ル

鞋	一足	〇・二五〇	韓國產
菓子匣	一個	〇・四〇〇	浦鹽製ニシテ琿春ヲ經テ來ル
冠　上	同	二・五〇〇	韓國製
同　下	同	〇・五〇〇	同
鉛筆	一ダース	〇・二〇〇	日本
浦鹽更紗　上	一尺	〇・二〇〇	浦鹽ヨリ水路元山ニ行キ更ニ清津ヲ經テ來ルモノ及琿春東盛湧ヲ經テ來ルモノトアリ
同　下	同	〇・一二〇	同
木炭	一俵	〇・七〇〇	當地方支那人製
薪	牛車一載	〇・八〇〇	同及韓人製
眼鏡	一個	〇・一六〇	大阪品ト上海品トアリ
カタン糸	一巻	〇・一二〇	日本
ナイフ	一挺	〇・三〇〇	同
鰱魚（鮭）　大	一尾	〇・六〇〇	
同　小	同	〇・一〇〇	

品目	單位	價格
白米	一斗	吊 一一・〇〇〇
紅糧	一石	一二・〇〇〇
大豆	同	一四・〇〇〇
綠豆	同	二〇・〇〇〇
芸豆	同	二〇・〇〇〇
莞豆	同	一二・〇〇〇
粟	同	一五・〇〇〇
稗	同	一四・〇〇〇
黍子	同	一五・〇〇〇
小麥	同	三六・〇〇〇
大麥	同	一五・〇〇〇
蘇子	一斗	一・五〇〇
芝麻	同	八・〇〇〇
蕎麥	一石	二六・〇〇〇

品目	單位	價格
日本更紗	一尺	吊 〇・二五〇
天鵞絨	同	一・五〇〇
綿緞子	同	一・二〇〇
羅紗	大巾一尺	五・六〇〇
繭紬	同	〇・六〇〇
虎紋毛布	一枚	一五・〇〇〇
綿花毛布	同	六・〇〇〇
白銀布	水色木綿裏地 四〇ヤード	三〇・〇〇〇
濃淺黃布	支那服用 四〇ヤード	四〇・〇〇〇
白縞	大巾四〇ヤード	三五・〇〇〇
淺黃裏地	同	三八・〇〇〇
羽綢	一尺	〇・六〇〇
羅ヤ板	同	一・〇〇〇
露國製毛布	小形一枚	一五・〇〇〇

包米	一石	一二・〇〇〇
海帶	一斤	〇・二〇〇
海參	同	三・五〇〇
亮魚肚	同	一一・〇〇〇
芙蓉翅	同	三〇・〇〇〇
亮魚骨	同	一二・〇〇〇
解肉	同	三・〇〇〇
大巾生金巾	四〇ヤード	二六・〇〇〇
同晒金巾	露國製SS印 四二ヤード	三四・〇〇〇
緋金巾	一尺	〇・四〇〇
露國更紗	同	〇・三五〇
綢子	同	二・八〇〇
黒緞子	大巾一尺	四・〇〇〇
白緞子	同	二・五〇〇
綾綢	一尺	二・六〇〇
蚊帳用紗布	一尺	一・〇〇〇
タオル	一筋	〇・二〇〇
露國製雲齊	大巾一尺	〇・六〇〇
天竺黒木綿	同 四〇ヤード	四〇・〇〇〇
絹手巾	一枚	一・〇〇〇
支那縫入手巾	同	二・〇〇〇
天津織リボン	一尺	〇・三〇〇
白大地袋	穀物運搬用一口	二・八五〇
紀州名古屋綿ネル	一尺	〇・三五〇
石油	一箱	二五・〇〇〇
燐寸	千個入一箱	一八・〇〇〇
棉花	一斤	一・二〇〇
孔雀印紙卷煙草	一箱	六・〇〇〇
ピンヘット	同	六・〇〇〇
猿印紙卷煙草	同	六・五〇〇

品目	單位	價格
朝日紙卷煙草	一箱	(吊)六・五〇〇
刻煙草	十兩入一包	一・六〇〇
高麗紙	百九十五枚一套	五・二〇〇
火紙	同	一・五〇〇
八行紙	百枚一盒	一・二〇〇
洋連紙	一套	五・〇〇〇
紅紙	一枚	〇・一五〇
蜜蜂印紙卷煙草	一箱	二・五〇〇
花形紙	一卷	〇・六五〇
洋蠟燭	四本一包	〇・七〇〇
綿糸	十五斗一釜	一八・〇〇〇
鐵鍋	一尺八寸物	一〇・〇〇〇
鐵貨	一斤	一・〇〇〇
洋釘	同	〇・六〇〇
豆麥麵	一足	(吊)〇・三六〇
烏拉靴	一足	二・五〇〇
短布靴	同	六・〇〇〇
長布靴	同	一〇・〇〇〇
ミルク	一罐	一・〇〇〇
鳳梨	同	一・〇〇〇
古新聞紙	一斤	〇・三六〇
染粉	一兩	〇・七〇〇
窓硝子	一枚	一・五〇〇
牛肉	一斤	〇・四五〇
雨傘	一本	二・五〇〇
バケツ	大 小	二・四〇〇 一・二〇〇
洗面器	一個	〇・三〇〇
セト引同	同	二・〇〇〇

鐵線	一斤	一.〇〇〇
銅線	同	三.〇〇〇
燒酒	同	〇.五〇〇
黃酒	同	〇.三〇〇
木炭	百斤	三.五〇〇
茶葉	一斤	三.五〇〇
蘭茶	同	三.二〇〇
扇子	一把	〇.七〇〇
銅盆	同	三.〇〇〇
茶碗	一個	一.〇〇〇
硝子コップ	同	〇.七五〇
香油	一斤	一.四〇〇
桐油	同	〇.八〇〇
蘇油	同	〇.三二〇
落花生	同	〇.六〇〇

食鹽	一斤	〇.三〇〇
石炭	百斤	三.〇〇〇
石灰	同	二.六〇〇
薪	一車	六.〇〇〇
葱	百斤	三.〇〇〇
白菜	同	四.〇〇〇
大根	同	三.〇〇〇
豚肉	一斤	〇.四五〇
板	厚二寸 長七尺五寸 一枚	四.五〇〇 四.〇〇〇
同	厚一寸五分 長七尺五寸 一枚	三.五〇〇 三.〇〇〇
同	厚一寸 長七尺五寸 一枚	二.〇〇〇
同	厚八分 長七尺五寸 一枚	一.八〇〇
同	厚六分 長七尺五寸 一枚	一.六〇〇
同	厚五分 長七尺五寸 一枚	一.五〇〇
同	厚四分 長七尺五寸 一枚	一.〇〇〇

品目	單位	價格
椽子	長七尺五寸 一枚	吊 〇・九〇〇

附

琿春商業調査

第一　琿春ニ於ケル一般商況

琿春ハ豆滿江ノ左岸二十清里、琿春河ノ右岸ニ沿ヒ琿春平野ノ北部ニ位シ東浦塩ニ五百清里、東南「ポシェット」ニ九十清里、西豆滿江ヲ隔テヽ慶源ニ四十五清里、訓戎ニ三十清里冷水泉子ヲ經テ西北寧古塔ニ六百清里ニシテ露、清、韓ノ境ニ接シ商業上ノ中樞タルト同時ニ政治並ニ軍事上ノ要地タリ故ニ清國ハ古來吉林省邊境ノ地トシテ之ヲ重視シ旗人ノ居住ヲ奬勵シ以テ邊防ニ宛テ特ニ副都統衙門ヲ置キ光緒七年始メテ琿春城ヲ設ケ爾來頗ル繁榮ヲ極メタリシカ彼ノ北清事變ノ際露軍ノタメニ占領セラレ副都統ノ吉林ニ避難シタルニ次キ官衙兵營ノ多クハ兵燹ニ罹リ城壁ハ處々毀壞セラレ商戸亦災ヲ被リタルモノ尠カラスサレハ昔時ノ盛況ハ今日竊知スヘカラサルモ城內外ヲ通シテ戸數約七百餘內四百戸ハ殆ント商店ニシテ年々ノ捐餉税金凡ソ五萬吊（九厘税一萬七千吊一分一厘税三萬三千吊）木頭税約一萬吊、山海税約三萬吊、斗量税約一萬吊、牛馬税約四千吊ノ收税アリテ中部ノ大都會ニ比スヘカラサルモ邊境ノ都會ト稱スルニ足ル市街ハ東西ニ長ク南北ニ短ク主ナル商舗ハ孰レモ東西ノ長キ大道ニ軒ヲ並ヘ車馬ノ輻輳頻繁ニシテ豆、豆粕、野菜等ノ運搬盛ナリ此地ハ浦塩向ケ「ポシェット」經由ノ豆粕出產地ナレハ從テ油房ノ數多ク浦塩ヨリ我國ニ輸入スル豆粕ノ大部分ヲ占ム現在城ノ內外ニテ油房ヲ業トスルモノ四十餘戸、主ナル雜貨店十五戸、問屋業三戸、皮舖十二戸、爲替取扱業二戸、其他木匠、肉舖、估衣舖、藥舖、飲食店、點心舖等合計四百戸ニ上リ西ハ吉林、局子街ヨリ東ハ浦塩「ノオキエフスコエ」ヨリ輸入スル支那、西洋ノ反物雜貨ハ街路ノ店舖ニ陳列サレ恰カモ我カ內地都市ノ一部分ニ彷彿タリ

上述ノ如ク問屋アリテ貨物ノ卸賣買ハ問屋ニ托シ荷主ハ自己ノ貨物カ販賣セラルヽ迄問屋ニ宿泊スルヲ通例トス問屋ハ委托サレタル貨物ノ賣捌キ或ハ買入ヲ委托サレタル場合ニ於テ各取引ノ終了シタルトキ賣買主双方ヨリ取引價格ノ一分ヲ口錢トシテ受領スル規定ナリ又爲替ノ取組ハ同地東盛泉ニテ局子街マテノ送金ハ百吊ニ付一吊、吉林迄ハ百吊ニ付二吊ノ手數料ヲ徵收シ同順成ニテモ同樣ノ取扱ヲナシ居レリ只タ山西人ノ票莊ノ如ク廣ク各地ニ取引先ヲ有セサルヲ以テ單ニ局子街吉林等ニ過キス皮舖ハ又同地ニアリテ盛ナル商舖ノ一ニ數ヘラル就中皮舖ノ主ナルモノハ孰レモ回々敎信者ニシテ城內外ヲ通シテ四十戸アリ從テ又信者中ニ有力者少ナカラス現ニ琿春商務會總理馬某モ其一人ナリ其他磨房ハ小麥ヨリ麵粉ヲ製シ饅頭、燒餠、麵ノ材料ヲ供シ野菜ハ附近ノ菜園ヨリ盛ニ市場ニ運搬サレ牛肉、豚肉、鷄、鴨等モ頗ル潤澤ニシテ我カ對岸ノ守備隊ハ全部材料ヲ本地ニ仰キツヽアリ市況總テ龍井村及ヒ局子街ニ比シ車馬ノ絡驛物資ノ集積スル點ニ於テ遙カニ活氣ヲ有スルヲ見ル

第二　主ナル輸入品

輸入品トシテ第一ニ指ヲ屈スヘキハ金巾、石油、燐寸、更紗各種裝飾品、昆布、鹽、鹽魚、烟草、紙、棉花、京貨等ナ

リ此等輸入品ノ當地ニ來ル通路ニ二アリ一ハ上海及ヒ我カ敦賀港ヨリ浦鹽ニ陸揚シ同地ノ再輸出品トシテ更ニ「ポシエツト」ヲ經由シ陸路東ヨリ來ルモノト二ハ營口ヨリ吉林ニ輸入サレ同地ノ再輸出品トシテ局子街ヲ經由シ陸路西ヨリ來ルモノ即チ是レナリ而シテ東路ニヨルモノハ主ニ棉布、和洋雜貨ニシテ西路ニ因ルモノハ主ニ京貨ト稱スル首飾、綿布、紙類等ナリ最モ蘇杭州產ノ絹織物ハ東西ノ兩路ヨリ輸入サル但シ東路ニ因ルモノハ價廉ナレトモ外國輸入港タル浦鹽ヲ目宛テニ仕入レタルモノナレハ其品質ノ異ナルト種類ノ少ナキカ爲メ廣ク一般清人ヲ顧客トスル吉林ニ仕入レタルモノニ比スレハ清人ノ嗜好ニ適スルモノ少ナキカ爲メ値段ノ差ハ免モ角注文者ハ勢ヒ吉林ヨリ仕入ルヽ方多キ有樣ナリ左レハ琿春ニ輸入スル總價格ハ商務總會ノ昨年度ニ於ケル調査ノ綱概ニ依レハ一百五十萬吊(時價參拾七萬圓)ニシテ内六分ハ浦港ヨリ四分ハ吉林ヨリ輸入セシ割合ナリ

一、金巾ハ三井雙蟹印(一四二十二吊)上海公平洋行BBB印(二十三吊)米國地球印(二十一吊)英國製鷲印(二十三吊五百文)マンチエスター鰐印(二十六吊)等何レモ優劣ナク輸入サル

二、石油ハ美孚印「ノウエル」石油多ク需用サレ我カ北越石油ハ極メテ少シ

三、燐寸ハ我カ神戶、大阪地方ニ於テ製造スル黃燐マッチ盛ニ輸入セラレ街路ノ各店頭ヲ初メ露店ニ至ルマテ周ク供給サレ殆ント一手販賣ノ如キ姿ナレハ比較的高價ナル露國製安全マッチ「ノオキエフスコエ」以西ニ需用ナシ

四、更紗ハ露西亞製ノモノ殆ント專賣ノ有樣ニテ市中ノ雜貨店ニハ孰レモ五六種乃至十數種ノ品柄

ヲ陳列セリ同品ハ地質ニ於テモ褪色セサル點ニ於テモ到底本邦粗製品ノ及フ所ニアラサルヲ以テ直段ノ安キニ拘ラス本邦品ハ賣行極メテ少ナク多クハ店棚ノ先ニテ已ニ褪色シ一見古物ノ如キ看ヲ呈シ市場ヨリ驅逐セラレツヽアルハ同業者ノ深ク考慮スヘキコトナリ

五、各種裝飾品及ヒ家具類ハ露淸製ノモノ多ク就中窓掛、壁紙、硝子器等ハ主ニ露製ニテ敷物、金具類、錠前等ハ淸製ニ係リ時計、姿見、花瓶等ハ日本製ノモノ多シ

六、昆布ハ浦港附近ノ海岸ニ産出スルモノ盛ニ輸入サレ我カ北海道産ノモノハ極メテ稀ナリ露領産ハ北海道産ニ比シ品質ハ劣等ナルモ直段ノ安キカ爲メ需用者多ク遠ク吉林地方ニマテ駄馬ノ歸リ便ヲ以テ運搬サレ供給盛ナリ

七、鹽ハ「ポシエット」附近ヨリ來ルモノト北淸ノ粒鹽トアリ價格ニ見積リ約五萬吊内外ヲ輸出ス

八、煙草ハ露西亞ヨリ輸入スルモノ六七分ヲ占メ本邦ヨリハ孔雀印、ヒーロー、專賣局ノ蜂密印等ニシテ其外英國煙草會社ト記載スル兵隊印及ヒ米國製ノ「ピンヘット」等ナリ

九、毛布及ヒ毛織物ハ露國ヨリシ棉花ハ日本大阪製ノモノ上等品トシテ需用サレ粗製品ニハ吉林ヨリ來ル玉綿アリ一杷ノ(半斤)價九百文内外トス其他紙、筆、墨、京貨、香料ノ類ハ吉林ヨリ金物類殊ニ製板用大鋸、洋釘、食器類トシテ湯沸、汁鍋、模様附湯呑等ハ露國ヨリ鹽魚及ヒ一部ノ日本雜貨ハ雄基ヨリ輸入セラル

當地商人ノ語ル所ト實査シタル點トヲ綜合スレハ大約左ノ如キ輸入アリ

品目	數量	價格
綿布及諸織物		十萬吊
金巾	四萬匹內外	二十萬吊
石油	五千箱	十萬吊
燐寸	大小合シテ二千箱	五萬吊
更紗類	二千匹內外	十萬吊
昆布	五百萬斤	二十萬吊
鹽		五萬吊
鹽魚		三萬吊
燒酎	二十萬斤	十萬吊
毛布及毛織物		五萬吊
棉花、罐詰		十萬吊
家具、裝飾品、煙草		十萬吊
其他		三十萬吊內外
計		百五十萬吊內外

以上ハ當地輸入品ノ主ナルモノナルカ今試ニ日本製品ノ店舗ニ顯ハレ居ルモノヲ列擧スレハ燐寸諸罐詰類、綿布、綿毛布、洋手拭、模樣入「ハンケチ」、綿ネール、蒔繪箱、大阪製棉、白粉其他ノ化粧品、風景額面、繪模樣付姿見、懷中鏡、時計、紙入、蝦蟇口、玩具類、陶器、齒磨刷子、及ヒ齒磨粉、洋燈、石鹼、卷煙草、古新聞、便利墨、手帖、ペン、封筒、淸快丸、寶丹等ノ賣藥、美人風景等ナトノ模樣入リノ絹團扇、砂糖ノ如キモノ是レナリ

第三　產物及輸出品

琿春ノ平野ハ局子街ノ平野ニ比シ約三倍大ノ面積ヲ有シ地味又豐沃ニシテ頗ル農作ニ適ス之ヲ局子街ノ平野ニ比スレハ豆、粟、稗、小麥、大麥等ノ如キ穀類ハ殆ント同一ノ比例ヲ以テ產出シ敢テ軒輊ナキモ玉蜀黍(包米)ハ琿春ノ地ニ適シ從テ產出額モ局子街ヨリ多シ之ニ反シテ高粱ハ局子街ノ地ニ適シ產額ニ於テモ自然著シキ差異アリテ局子街ノ十ニ對スル漸ク一ナレハ單ニ此ノ點ニ於テハ局子街ニ仰ク所以ナリ

穀類ニ次テハ木材ニシテ一ハ豆滿江ノ上流ヨリ流下シ琿春ヲ經テ北韓ノ各港ニ輸出スルモノト一ハ琿春河ノ上流ヨリ琿春ニ集リ來ルモノ之レナリ此ノ琿春河ハ一名紅綏河ト稱シ琿春ニ取リテハ頗ル有益ナル河流ニシテ木材ノ外沿岸ヨリ石炭、金、銅、鉛等ノ鑛物ヲ出シ且ツ諸種ノ獸皮ヲ產ス古來慶源郡守ヨリ韓帝ヘ献貢セル鹿耳、麝香、熊膽、羚羊角等ハ孰レモ琿春河上流ヨリ琿春市場ニ出テタルモノヲ購買シテ献上シタルモノナリト又琿春ヨリ每年北京朝廷ニ献納スル野鷄、細鱗魚等ハ本河ノ流域及ヒ豆滿江ヨリ獲タルモノナリト言フ只タ是等諸物產ノ年々產出額ヲ精細ニ調査シ得サリシ

ハ甚タ遺憾ナリ

主産物

豆、豆糟、粟、玉蜀黍、大麥、小麥、各種野菜類

木材及ヒ石炭、金、銅、鉛等ノ鑛物類

虎皮、豹皮、狐皮、水獺皮、熊皮等ノ毛皮類

輸出品トシテハ豆、豆糟、毛皮、木材、野菜、豆油、等ノ數種ニ過キス豆、豆糟、豆油等ノ輸出品ヲ述フルニ當リ先ツ油房ノ製出高ヨリ打算セサレハ統計表ノナキ土地ニテハ具體的ノ數量ヲ知リ難キヲ以テ油房ニ就キ聊カ記述スル所アルヘシ

當地ノ油房ハ大小合シテ四十餘家アリ內二臺以上ノ磨臼ヲ備付テ居ルモノハ春成湧、滙源水、福成永、世興隆ノ四家トス彼等從業者ノ語ル處ニヨレハ七八人ノ役夫ヲ使用シ終日服役セシムレハ一日一臺ニテ五石(琿春ハ大斗ニシテ六十斤ヲ以テ一斗、六百斤ヲ以テ一石トナス局子街ハ小斗ニシテ三十六斤ヲ以テ一斗、三百六十斤ヲ以テ一石ト計フ)ノ豆ヲ挽キ割リ豆粕百六十五塊(一塊十五斤)豆油二百五十斤ヲ得ヘシ若シ三四人ノ役夫ヲ使用セハ一日一臺ニ付二三石ノ豆ヲ挽キ割リ豆粕、豆油等モ從テ平額ノ數量ヲ製出スルニ過キスト此ハ最モ豆ノ好惡ニ依リ豆油ノ分量ニ差アルモ上述セル所ハ中等ノ豆ヲ以テ豆油ヲ搾リタルトキノ計算ナリト云フ今當地油房ニ就キ聞クニ油房中ニハ年中休ミナク製油ニ從事スルモノハ極メテ少ナク多クハ二三ケ月間若クハ四五ケ月間休業スルヲ以テ年

中通算シテ従業スルモノト(全部ノ油房ヲ)看做ストキハ其半數二十戸ト見サルヘカラス而シテ各戸平均一臺ノ壓臼ヲ備ヘ中等ノ豆ヲ撰ヒ搾油スルモノト假定セハ一臺一日ニ付キ一戸カ使用スル原料ノ豆ハ四石(假定六七人使用)一ケ月百二十石一ケ年四百四十石トナル即チ二十戸ノ年中使用スル原料豆粕及ヒ豆油ハ左ノ如シ

一臺	豆原料	豆粕枚數	豆粕價	豆油	豆油價
一日	四石(一石六〇〇斤)	(一枚一五斤)一三二	六六吊	二〇〇斤	五八吊
三十日	一二〇石	三、九六〇	一、九八〇	六、〇〇〇	一、七四〇
一ケ年	一、四四〇	四七、五二〇	二三、七六〇	七二、〇〇〇	二〇、八八〇
二十台	二八、八〇〇	九五〇、四〇〇	四七五、二〇〇	一、四四〇、〇〇〇	四一七、四〇〇

備考　豆粕十五斤ノ時價五〇〇文
　　　豆油一斤ノ時價二四〇文
　　　二十臺一年ノ豆粕代價四七五、二〇〇吊(約拾貳萬圓)
　　　二十臺一年ノ豆油代價四一七、四〇〇吊(約拾萬圓)
　　　豆粕ノ代價ハ如何ナル場合ニテモ豆油ヨリ多シ
　　　豆ノ好惡ニヨリ豆油ノ搾取高ニ左ノ如キ差アリ

大斗一石ニ付豆油四十八斤乃至五十五斤
小斗一石ニ付豆油二十五斤乃至三十一斤

品目	仕向地	毎月	一ヶ年	價格見積
豆粕	浦鹽方面	四萬以上六萬枚	六十萬枚	三十六萬吊
豆油	同	一萬斤乃至四萬斤	三十萬斤	十萬吊
牛	同	四百頭內外	五千頭	四十五萬吊
豚	同	五百頭內外	六千頭	二十萬吊
野菜	同	八千斤以上一萬斤	十、萬斤	二千吊
木材板	同及ヒ北韓	北韓へ千本以上 烟秋へ二千枚內外		二十五萬吊
雜貨	局子街及對岸	一萬吊內外	十二萬吊	十二萬吊
毛皮	浦港及ヒ韓國	不明		十萬吊
				計百五十八萬二千吊

其他零碎ノ物資ヲ合計シテ商務會ニテハ約二百萬吊ト稱ス

琿春附近ノ平野ヨリ產出スル穀類ノ數量

豆	四萬石	六百斤ヲ以テ一石
粟	三萬石	六百斤ヲ以テ一石

大麥　三千石　五百六十斤ヲ以テ一石
小麥　二千石　五百二十斤ヲ以テ一石
玉蜀黍　五千石　六百斤ヲ以テ一石

毛皮ノ相場（現品ノ有無ニ拘ハラス市價）

虎皮　一枚　三百五十吊內外
豹皮　一枚　百二十吊內外
狐皮　一枚　二十吊內外
水獺皮　一枚　百吊內外
熊皮　一枚（大小ニヨリ）　六十吊ヨリ百吊內外
牛皮　一枚　十六吊ヨリ二十五吊內外

琿春ニ於ケル主ナル商店

屋號	主ナル商業	兼業
同順成	雜貨	爲替
春成湧	雜貨	油房
福陞魁	雜貨	
福起	雜貨	
廣順和	雜貨	
同興東	雜貨	

同發福	雜貨	
世興隆	雜貨	問屋客棧
義順日	雜貨	
福祥號	雜貨	
東盛泉	燒酎	雜貨
同義公	問屋	客棧
慶玉棧	問屋	客棧
滙源水	油房	
東昌慶	雜貨	
同福興	雜貨	
福成永	油房	

第四　琿春ノ商業範圍

琿春ト取引ノ多少ニ拘ラス直接ノ關係ヲ有シ商界ヲ接スル地方ハ西ニ在リテハ局子街ニテ里數二百四十清里、東ニ在リテハ「ノオキエフスコエ」ニテ其距離九十清里アリ而シテ局子街「ノオキエフスコエ」ノ兩所ハ單ニ其位置カ反對セルノミナラス種々ノ點ニ於テ情況ノ異ナルヨリ從テ琿春ニ對シ商業關係ニ於テ大ニ異ナルモノアリ即チ局子街、琿春間ニハ山嶺多ク大盤嶺、窰窿嶺、高麗嶺、小盤嶺、依蘭嶺(一名一兩嶺)等ノ五嶺アリテ貨物ノ運搬ニハ頗ル不便ナル(結氷後ハ氷上ヲ自由ニ通過シ得ルモ距離遠ク約三百清里アリ故ニ輕車橇ノ外一般貨物車ハ陸路ニ依ルモノ多シ)ニ反シ琿春「ノオキエフスコエ」間ハ坦々砥ノ如キ平野ニシテ只タ一ノ小嶺(「ノオキエフスコエ」ヲ去ル二十清里ノ處ニ)アルモ傾斜極メテ緩漫ナレハ敢テ不便ヲ感セス加フルニ「ノオキエフスコエ」ハ「ポシエット」ノ海口ヲ控ヘタレハ浦鹽斯德トノ交通便ナルハ局子街ノ吉林ニ於ケル比ニアラス從テ琿春トノ關係自然密接トナリ運賃ノ點ニ於テモ琿春、局子街間ハ百斤四吊ノ割合ナレトモ琿春「ノオエフスコエ」間ハ百斤一吊若クハ一吊五百文トナリ居レリ

當所員通過ノ際實見シタル所ヲ以テスルモ僅カニ如上ノ立證トナルヘシ即チ琿春「ノオキエフスコエ」間行程僅カニ一日ナルモ前後十八臺ノ荷馬車ハ豆、豆粕、野菜ヲ滿載シテ「ノオキエフスコエ」ニ向ヒ前後五臺ノ荷馬車ハ洋貨物ヲ積載シテ琿春ニ向ヒ行クヲ見タリ次ニ局子街、琿春間行程二日半ノ間ニテ高麗嶺（琿春ヨリ百二十清里）以東ニ於テ豆、鷄ヲ滿載セル馬車前後七臺琿春ニ向ヒ洋雜貨ヲ搭載シタル馬車三臺百草溝ニ向ヒ行クヲ見又高麗嶺以西ニ於テ燒酎ヲ駄馬ニテ運ヒ琿春ニ向フモノ十二頭雜貨、綿布ヲ駄馬ニ乘セ局子街ニ歸ルモノ六頭ヲ實見セリ

右ノ如ク「ノオキエフスコエ」琿春間ハ距離短ク日數少ナキモ琿春局子街間ニ比シ多量ノ貨物運搬サル更ニ琿春、局子街間ヲ二分シ高麗嶺ヲ界トスレハ嶺東ハ以西ニ比シ多數量ノ貨物カ運輸サレオルヲ見タリ尙ホ土人ニ就キ聞ク所ニヨレハ高麗嶺附近ニ産スル豆ハ殆ント全部琿春ノ市場ニ出タシ同地ノ油房ニ賣却シ局子街ニ出ツルモノナシ從テ馬車ノ往來ハ琿春間ニ繁ク局子街間ニ少シ又實際土地ノ情況ヨリ見ルモ局子街トハ同距離ノ處ナルモ山嶺ノ數局子街ノ方面ニ多ク琿春方面ニハ盤嶺アルノミナレハ土人ハ馬車ノ幸便アル琿春ニ物資ノ供給ヲ仰クカ一般ノ通則ナルニ特ニ洋雜貨ハ琿春カ廉價ナレハ往々嶺西ヨリ琿春ニ注文スルコト亦尠シトセス

琿春「ノオキエフスコエ」間ノ商境ハ所謂露西亞琿春ト稱スル地點ヲ以テ牆壁トナシ露國ハ此ノ地ニ稅關ヲ設ケ進入シ來ル貨物ヲ嚴査シテ課稅ス之レヨリ以東「ノオキエフスコエ」ニ至ル四十五清里間ニ散居スルモノハ皆韓人ニシテ物資ノ供給ヲ「ノオキエフスコエ」ニ仰キ以西琿春ニ至ル四十五清里間ニ小群居ヲナス清韓人ハ需用品ヲ琿春ニ求ム

以上ノ如ク西ハ高麗嶺ヲ境トシテ豆、粟、鷄ノ如キ物資ヲ蒐メ東ハ露西亞琿春ヲ境トシ豆、粟ノ如キ農產物ヲ集中シ豆油、豆粕ヲ製シテ露領ニ轉送シ粟ハ對岸ヲ越ヘテ遠ク西水羅、雄基經由更ニ清津、境城地方ニ輸出シ北ハ琿春河流域ノ大部分ヲ一括シ南ハ對岸慶源、訓戎ヲ顧客トス要之琿春ノ商業範圍ハ高麗嶺以東百草溝、蛤蟆塘ニ及ヒ南ハ東崗子、黑頂子ヨリ豆滿江ヲ渡リテ對岸ノ慶源訓戎ヨリ穩城ニ延ヒ北ハ琿春河ノ流域ヨリ東ハ國境ヲ越ヘテ露西亞琿春ニ至ル圈線內ニアルモノト見テ可ナリ

第五　商業ノ盛ンナル時期

北韓北滿ノ如キ氣候寒冷ノ地方ニアリテ交通ノ最モ便利ナル季節ハ冬季結氷後氷上ヲ通路トナス頃ナルコト何人モ熟知スル所ナリ此ノ交通ノ便ナルカ上ニ年末ノ取引年始ノ買入準備等アルヲ以テ此際市況ノ活氣ヲ呈スルハ寒地ニ於ケル慣例ナルカ琿春ニ在リテハ此等ノ情況ニ加フルニ浦鹽及ヒ沿海州ヘノ出稼人モ歸來スル時ニシテ尙ホ一層盛況ナル時期ニ際シ「ポシエツト」港氷鎖サルルヲ以テ浦港トノ交通不便ナルハ時々物價ノ昂騰暴落アリテ機敏ナル商人ノ機ニ投シ大ニ奇利ヲ獲得スルハ往々此ノ時ニアリト云フ

琿春ヨリ	經路	里程 清里	備考
局子街へ	涼水泉子	二百四十里	山嶺五アリ最モ急坂ナルハ高麗嶺
寧古塔へ	涼水泉子	六百里	涼水泉子マテ盤岺ノミナレトモ先方ニ山路多シ
吉林へ	局子街及ヒ大橋	千二百里	局子街ヨリ吉林マテ山岺六アリ張廣才岺上リ下リ三十里
涼水泉子へ	密占	九十里	張陽河、密占河ノ二流ト盤嶺ヲ越エ
「ノオキエフスコエ」へ	露西亞琿春	九十里	平坦路冬季ハ馬車一臺六頭ニテ二千斤ヲ運搬スヘシ豆滿江ヲ訓戎ニテ渡ル
穩城へ	訓戎	九十里	
訓戎へ		三十里	
慶源へ		四十里	
會寧へ	訓戎	百八十里	
會寧へ	慶源、古乾源	二百里	古乾源ヲ渡ル
會寧へ	慶源、北蒼洋、行營	二百十里	
慶興へ		百二十里	
雄基へ	新阿山	百五十里	

雄基へ	慶源、慶興	二百三十里	
雄基へ	慶源ノ下流	百六十里	慶源ノ下龍堂底ヲ渡ル

琿春物價表

品目	數量	價格	日貨
米	清一斤	吊〇・二六〇	円〇・〇七二
鷄卵	二十個	一・八〇〇	〇・五〇〇
粟	清一石	一六・〇〇〇	四・四四四
精粟	同	三七・〇〇〇	一〇・二七七
小豆	同	四〇・〇〇〇	一一・一一一
大豆	同	三三・〇〇〇	九・一六六
高粱	同	三二・〇〇〇	八・八八八
玉蜀黍（挽キ割）	同	三四・〇〇〇	九・四四四
黍	同	三二・〇〇〇	八・八八八
大麥	同	二二・〇〇〇	六・一一一

品目	數量	價格	日貨
小麥	一石	吊 六〇・〇〇〇	円 一六・六六六
綿蘇子	百斤	六二・〇〇〇	一七・二二二
阿片煙	一兩	一・六〇〇	〇・四四四
捲煙	百斤	一六・〇〇〇	四・四四四
高粱酒	一斤	〇・六〇〇	〇・一六六
	多賣	五二・〇〇〇	一四・四四四
黄酒	一斤	〇・二八〇	〇・〇七七
猪肉	同	〇・六〇〇	〇・一六六
牛肉	同	〇・六〇〇	〇・一六六
小鷄	一隻	〇・九〇〇	〇・二五〇
大鷄	同	一・六〇〇	〇・四四四
馬	一頭	一三〇・〇〇〇乃至三〇〇・〇〇〇	三六・一一一 八三・三三三
猪 ヤセタルモノ	百斤	三〇・〇〇〇	八・三三三
猪 肥ヘタルモノ	同	四五・〇〇〇	一二・五〇〇
片煙	百斤	二五・〇〇〇	六・九四四
芹菜	一斤	〇・八〇〇	〇・二二二

青靛	百斤	四五・〇〇〇	一二・五〇〇
白菜	一根	〇・一二〇	〇・〇三三
蘿蔔	一個	〇・〇三六	〇・〇一〇
葱	一斤	〇・二〇〇	〇・〇五五
甘藍	一個	〇・三六〇	〇・一〇〇
蕪青	同	〇・二〇〇	〇・〇五五
菜豆	一石	三〇・〇〇〇	八・八三三
綠豆	同	六五・〇〇〇	一八・〇五五
鹿肉	一斤	〇・三〇〇	〇・〇八三
豆餅	十五斤一塊	〇・五〇〇	〇・一三八
白麵	百斤	一六・〇〇〇	四・四四四
青蘇	同	二四・〇〇〇	六・六六六
胡麻	一石	六〇・〇〇〇	一六・六六六
黄米	同	六七・〇〇〇	一八・六一一
豆餅	百塊	八〇・〇〇〇	二二・二二二

品目	數量	價格	日貨
精高粱	一石	吊 四〇・〇〇〇	円 一一・一一一
紛條	百斤	二七・〇〇〇	七・五〇〇
豆油	同	二六・〇〇〇	七・二二二
蘇油	同	三五・〇〇〇	九・七二二
香油	一斤	一・六〇〇	〇・四四四
白砂糖	百斤	六五・〇〇〇	一八・〇五五
黄糖	同	五五・〇〇〇	一五・二七七
石炭	同	六・〇〇〇	一・六六六
白灰	同	三・〇〇〇	〇・八三三
赤、黒、煉瓦	百塊	六・〇〇〇	一・六六六
米（韓國産）	一石	八二・八〇〇	二三・〇〇〇
煙草（露國製）	二十本入	〇・三〇〇	〇・〇八三
菓子（同）	一斤	一・五〇〇	〇・四一六
白綿布	一匹	二二・〇〇〇	六・一一一

藍布	同	二四・〇〇〇	六・六六六
玉藍布	同	二七・〇〇〇	七・五〇〇
正藍布	同	三一・〇〇〇	八・六一一
青布	同	三二・〇〇〇	八・八八八
綿花	一斤	一・八〇〇	〇・五〇〇
八寸角材	長二丈一尺二寸	〇・七〇〇	〇・一九四
板（長七尺五寸 厚五寸乃至八寸 巾一尺三寸ヨリ六寸）	一寸	一・二〇〇	〇・三三三
松丸太樑木	最小 / 最大	〇・九〇〇 / 一・一〇〇	〇・二五〇 / 〇・三〇五
楊木樑木	同 / 同	二・〇〇〇 / 三・〇〇〇	〇・五五五 / 〇・八八三
松棟木	同 / 同	一一・〇〇〇 / 一三・〇〇〇	三・〇五五 / 三・六一一
木炭	百斤	三・七〇〇	一・〇二七
古鐵	百斤 / 一斤	一〇・〇〇〇 / 〇・一〇〇	二・七七七 / 〇・〇二七
延鐵	百斤	一四・〇〇〇	三・八八八
洋鐵	一箱（長一尺五寸、巾一尺二寸、高一尺二寸 百二十塊乃至百五十塊）	三〇・〇〇〇	八・八三三
錫	一兩	〇・五〇〇	〇・一三八

品目	數量	價格	日貨
鉛	一斤	吊 〇.四〇〇	円 〇.一一一
金	一匁	一三.〇〇〇	三.六一一
藍（一樽）	百斤	三〇〇.〇〇〇	八八.三三三
玻璃	百枚入	七〇.〇〇〇	一九.四四四
大工	一日	二.〇〇〇	〇.五五五
苦力	一箇月 一日	二一.〇〇〇 一.〇〇〇	五.八三三 〇.二七七
粟殼	四斤一根	〇.一二〇	〇.〇三三
稗子草	同	〇.一七〇	〇.〇四七
畑地	一晌	一五〇.〇〇〇 二〇〇.〇〇〇	四一.七七七 五五.五五五
牛皮	一斤	〇.七二〇	〇.二〇〇
虎皮	一枚	二五二.〇〇〇	七〇.〇〇〇
豹皮	同	九〇.〇〇〇 一四四.〇〇〇	二五.〇〇〇 四〇.〇〇〇
水獺皮	同	五四.〇〇〇 九〇.〇〇〇	一五.〇〇〇 二五.〇〇〇
熊皮	同	二八.八〇〇 七二.〇〇〇	八.〇〇〇 二〇.〇〇〇

品目	數量	價格	日貨
鹿皮	同	二八・八〇〇	八・〇〇〇
狐皮	同	二一・六〇〇	六・〇〇〇
羊皮	同	七・二〇〇 二一・六〇〇	二・〇〇〇 六・〇〇〇
狢皮	同	七・二〇〇	二・〇〇〇
露國更紗	一ヤーシン	一・四〇〇	〇・三八八

露國製更紗、羅紗類ノ如キ總テ一「ヤールシン」(我カ一尺八寸ニ相當ス)ヲ以テ賣買ヲナセリ

琿春公議會準行定價表(福記シテ抄寫セシ分)

品目	數量	價格	日貨
毛藍(清水布)	一尺	吊 一・四〇〇	円 〇・三八八
干藍(同)	同	一・二〇〇	〇・三三三
正藍(大尺布)	同	二・四〇〇	〇・六六六
毛藍(同)	同	一・八〇〇	〇・五〇〇
干藍(同)	同	一・六〇〇	〇・四四四

品目	數量	價格	日貨
三藍（洋線）	一尺	吊 〇・八〇〇	円 〇・二二二
正藍（花其布）	十丈	九・五〇〇	二・六六六
毛藍（同）		七・〇〇〇	一・九四四
千藍（同）		二・六〇〇	〇・七二二
硬魚（同）		二・八〇〇	〇・七七七
足青（裕連布）		四・〇〇〇	一・一一一
雙（同）		九・六〇〇	二・六六六
品紅（同）		六・〇〇〇	一・六六六
品綠（同）		七・〇〇〇	一・九四四
品紫（同）		六・〇〇〇	一・六六六
茶青		七・〇〇〇	一・九四四
套正（藍布）	一尺	〇・六〇〇	〇・一六六
套毛（同）		〇・四五〇	〇・一二五
套魚（同）		〇・四〇〇	〇・一一一

套	長正（同）	○·六五○	○·一八八
套	長毛（同）	○·五○○	○·一三八
套	亮（青布）	一·○○○	○·二七七
套	雙（同）	○·九五○	○·二六六
套	藍（回亮布）	○·九五○	○·二六六
套	紗（藍布）	一·○○○	○·二七七
套	品（紅布）	○·六○○	○·一六六
同	（綠布）	○·七○○	○·一九四
同	（紫布）	○·六○○	○·一六六
套	香（色布）	○·七○○	○·一九四
套	茶（青布）	○·七○○	○·一九四
套	鶯（黃布）	○·五○○	○·一三八
套	月（細布）	○·六○○	○·一六六
套	亮（灰布）	○·四○○	○·一一一
套	對（同）	○·四○○	○·一一一

品目	數量	價格	日貨
套（灰布）		吊 〇・三〇〇	円 〇・〇八八
正藍（清水布）		一・八〇〇	〇・五〇〇
香色（同）		七・〇〇〇	一・九四四
古銅（同）		七・〇〇〇	一・九四四
竹杆（同）		一〇・〇〇〇	二・七七七
鵞我（同）		五・〇〇〇	一・三八八
桃紅（市布）		六・〇〇〇	一・六六六
影白（同）		五・〇〇〇	一・三八八
鴨青（同）		五・〇〇〇	一・三八八
正藍（連布回足青）		四・〇〇〇	一・一一一
正藍（洋机布）		五・八〇〇	一・六一一
毛藍（同）		四・八〇〇	一・三三三
干藍（同）		二・〇〇〇	〇・五五五
硬干（同）		二・〇〇〇	〇・五五五

足青(同)		二・四〇〇	〇・六六六
灰洋(同)		一・二〇〇	〇・三三三
藍(盤帶)		一・〇五〇	〇・〇四一
足青(同)		一・〇〇〇	〇・〇二七
襍色洋線		一・二〇〇	〇・三三三

該換算ハ時價三吊六百文トス

第二　吉林商業調査

第一章　總論

吉林省城ハ松花江ノ左岸ニ向テ凸字形ヲナシ東西ニ長ク南北ニ短カシ而シテ其長キ東西ノ一面ハ松花江ノ左岸ニ沿フテ水運ノ便最モ善ク上流小額河ト本流トヲ合スル地點及輝發河ノ上流朝陽鎮附近ヨリ下流ハ遠ク新城ニ付(伯都訥)賓江廳(哈爾賓)其他下流ニ通スル各都市ノ間總テ舟揖ノ便相通シ陸ニハ西方伊通州ヲ經テ鐵嶺奉天ニ通スル大路即チ北京朝廷ニ貢物ヲ献納スル所謂御路ヲ初メトシ西北寛城子懷德ニ北ハ烏拉伯都訥ニ東ハ寧古塔ニ東南ハ敦化琿春延吉地方ニ通スル官道アリテ四通八達ノ要地ニ當ル故ニ明末ヨリ以來要衝ノ地トシテ紹介セラレ商買漸ク多ク其後康熙年間ニ副都統ヲ設置セラレ商業上ノ中心タルト同時ニ本省政治上ノ中樞地トナリ旭日ノ勢ヲ以テ繁盛ノ域ニ進ミ優ニ北滿洲ニ覇タルニ至レリ而シテ本地ニ於ケル主ナル商業ハ從來四大行ト稱シ全市ノ商況ヲ左右ス曰ク錢舖曰ク當舖曰ク店行(問屋)曰ク雜貨舖即チ是ナリ其内錢舖及票莊ハ山西人ノ多クカ經營セルモノニシテ店行雜貨舖ノ二行ハ山東人ノ經營ニ成レリ以上ノ外木舖銀炉藥舖等總テノ店舖完備シ金融機關補助商業倉庫業爲替業運輸業等商業上ニ於ケル必要ナル機關ハ一トシテ間然スルコトナク之ニ加フルニ物資豐富ニシテ木材ハ下流伯都訥哈爾賓ニ出ツルモノト陶頼船ヨリ東清鐵道ニヨリ南滿洲ニ向フモノトアリ人參ハ奉天營口北京ノ各地ニ分散シ煙草ハ滿洲各地ヲ

主願トシ藍靛モ亦タ同シク其他夾皮溝ノ金及萬寶山ノ石炭等ハ古來有名ナル寶庫ト稱セリ

上記ノ如ク物資ノ豐富ナル上ニ商業機關ノ完備セルヲ以テ東清鐵道敷設以前迄ハ所謂吉林ノ全盛時代ナリシモ近ク該鐵道ノ貫通以來著シキ打撃ヲ蒙リタルモノヽ如シ其所以ハ諸種ノ貨物カ吉林ヲ經由セスシテ集散セラルヽニ在リ往時奉天方面トノ取引ハ同省海龍城ヲ通シテ朝陽鎭ヨリ輝發河ヲ下リ松花江ノ本流ニヨリテ一旦吉林ニ入リ更ニ通シテ下流ノ諸市街ト取引セラレ或ハ御路ニヨリテ伊通州ヲ經由シ鐵嶺奉天營口等ヨリ入リシモ鐵道ノ全通ハ此ノ迂遠ナル通路ヲ壓倒シ吉林對寛城子ノ位置ヲ轉倒シ懷德農安伯都訥等ノ商業範圍ヲ奪取シタリ故ニ今日ノ吉林ハ往時ノ吉林ニアラス諸機關ノ完備セル割合ニハ取引價格少ナシ現時ノ商業範圍トスヘキハ松花江ノ上流一帶樺甸縣濛江州ノ全部磐石縣伊通州ノ一部烏拉街附近寧古塔ノ一部琿春延吉廳等ナリトス

今吉林ニ於ケル重ナル各種商店ニシテ四十戸以上ヲ有スル商舖ヲ擧クレハ左ノ如シ是ニヨリテ該地ニ於ケル商業ノ一班ヲ推知スルニ足ランカ

店名	戸數	店名	戸數
皮舖	九四戸	藥材舖	七五戸
靰拉舖	四六	首飾舖	八六
鞋舖	八五	成衣舖	九二

肉舗	五二
老光餅舗	四四
蒸食舗	一八八
雑貨舗	一二九
木器舗	一二六
鐵器舗	六一
磁器舗	九一

第二章　吉林ノ産物

第一節　總説

吉林省城ニ來集スル産物ノ主ナルモノハ葉煙草、麻、小麥、藍靛、雑穀、木材、人參、菌類、薪炭、水産物、鑛物、獸皮等トス

第二節　農産

一、葉煙草ハ本省物産中重要品ノ一ニシテ特名ヲ厰菸ト稱ヘ或ハ南山菸ト稱ス本省ノ菸ハ地味ト氣候トニ適シ香氣最モ佳良ナリトテ廣ク清人間ニ賞讃セラレ東三省及ヒ北清一帶ニ輸出シ古來吉林煙草ノ名アル所以ナリ

松花江ノ上流各溪谷ノ土地及ヒ松花江各支流ノ沿岸即チ拉發河沿岸、漂河沿岸長山屯、四間房、恒道河子、木欽河、八道河子、金沙河、蒙古河、額勒河等ハ其主ナル産地ナリ

葉煙草ニハ片子煙、柳子煙、大把煙、ノ三種アリ片子煙ハ最モ上等品ニシテ葉形稍ヤ扁平ナリ士人ハ葉形ノ完全ナルモノヲ撰ミ葉柄ヲ麻ノ小繩ニテ縛リ屋下庭内等ニ懸垂シ約一週間位乾燥シタル後數十枚ノ煙草ヲ適宜ニ重ネ一把トナス柳子煙トハ菸葉ノ多少破碎セルモノ或ハ小形ニシテ片子煙ト爲サザルモノヲ一括シテ横ニ卷キ合セタルモノヲ云ヒ、大把煙ハ其品質最下等ニシテ市井通稱シテ團煙ト云フ其形團塊ノ如クナリ居ルヲ以テナリ

省城ヘノ出廻リハ毎年陰曆十、冬、臘ノ三ヶ月間トス此ノ期ニ至レハ已ニ刈入レタル煙草ヲ荷馬車或ハ橇ニテ運搬スルカ便利ナリト一方農事ノ暇ナルヲ以テニ盛積送シ來ル慣例ナリ

產地ヨリ城内ノ問屋ニ積ミ送ルニハ高粱ノ幹即チ秫稭ト稱スル草稈ヲ編ミ簀ヲ作リ葉煙草ヲ簀中ニ卷キ込ミ長サ五尺計リ周五六尺ト爲シ斤量凡ソ百五六十斤ヲ以テ一括シ麻繩ニテ縛リ一梱トナス若シ梱中乾燥不充分ノモノ含有スルトキハ目引ヲナシ百二十斤ヲ以テ百斤ト計算スル習慣アリ是等菸類ヲ取扱フ問屋省城内ニ五戸アリテ菸店ト稱ス恒升店、永升店、裕泰店、源發店、復成店之レナリ

各問屋ニ就キ支那官憲ノ調査シタル所ヲ聞クニ毎年八百萬斤乃至八百五十萬斤ニ達シ價格二百五十萬吊乃至三百萬吊ニ上ルト云ヘリ

二、麻、本省重要物產ノ一ニ數ヘラレ特ニ廠麻ノ名アリ種類ハ線麻(一名大麻)青麻ノ二種ニシテ產出額ハ線麻ノ方多シ

線麻ハ我カ國內ニ產スル同種類ノモノニ屬シ葉形尖カリテ紅葉ノ如クナルモ靑麻ハ葉形桐ニ似テ小サク黃色ノ花ヲ開ク

煙草ノ產地ト同シク松花江上流一般ノ地域ニ產出ス就中木欽、河柳樹河子、恒道河子、黑石屯等ハ主產地ニシテ之ニ次クモノヲ拉發河岸黑林子等トス每年吉林省城ニ集散スル高ハ一梱六七十斤ヨリ百斤以內ノモノニテ二萬五千梱乃至三萬五千梱アリトハ商人間ノ定評ナルモ支那官憲側ノ調査ニ依レハ每年斤數百六十萬斤乃至二百萬斤アリ價格ニ見積ルトキハ三十五萬吊乃至四十萬吊ヲ上下スヘシト云ヘリ

三、小麥　北滿洲ノ地ハ爾來小麥ノ產地トシテ著名ナルカ就中松花江沿岸ハ殊ニ其產地ノ中樞ニテ上流四間房、長山屯ヲ初メトシ輝發河沿岸ヲ一段トナシ北方下流ノ地ハ吉林、寧古塔、三姓、阿什河、哈爾賓新城ヲ圈界トセル尨大ノ土地ナリ當省城ニ集散スル小麥ハ松花江ノ上流輝發河沿岸、烏拉街天興鎭等ノ附近地方ノ產出ニ係リ省城內ニテ殆ント消費セラル吉林斗稅總局ノ調査シタル光緒三十二年中ニ於ケル課稅小麥ノ總額ハ吉林城ノミニテ四萬一千石トナリ居ルモ脫稅其他ノ事故ノ爲メ帳簿外ノモノヲ計算スレハ約七萬石ニ上ルヘシ

四、藍靛　省ノ西南伊通州ノ管內ハ一般ニ藍靛ノ產地ナレトモ就中煙筒山ヲ以テ主產地トス煙筒山ニ次テハ磨盤山及ヒ江東沿岸一帶ノ地ニシテ品質亦良好ナリ

伊通洲磨盤山、煙筒山等ニ產スル藍ハ運輸ノ便宜上伊通河ニヨリテ長春ニ出テ吉林ニ來ルモノ極

メテ少シ只タ江東產ノミハ悉ク吉林ニ集合ス其出廻リ時期ハ舊曆八月中トス此ノ期ニ至テハ荷馬車ノ周圍ニ高粱稈ヲ簀ニ編ミテ結ヒ付ケ下部モ同樣ノ簀ヲ敷キ內部ニ土布ヲ廣ケ其上ニ製藍ヲ載セ敷キ延ヘタル土布ニテ藍靛ヲ包ミ運搬シテ省城ニ來ルモノ多キハ一日四十臺ニ上ルコトアリ藍靛取扱問屋ハ永升店、恒升店ノ二戶ニシテ每年ノ取扱高約百萬斤內外ナリト云フ

五、雜穀　大豆ノ產地ハ省內呼蘭、賓洲、阿什河、長春雙城子等ナレトモ當省城ニ集散スル大豆ハ松花江ノ上流吉林ヲ去ル約四五百淸里ノ兩岸地方ヨリ產出スルモノニシテ斗稅總局ノ調査ニヨレハ五萬四千四百二十四石三斗トナルモ其實量ハ七萬石以上ナルヘシ荷造ハ四斗入麻袋ニ百六十斤ヲ入レ賣買ノ單位ハ石ヲ以テ數フ高粱ハ南滿洲ノ如ク產額多カラス省城附近（縣地ヲ除ク）ニテ年々四五萬石ヲ越ヘス穀子（粟、小米）ハ省城ノ四近ニ產スルモノ少ク寧古塔街道ニ產スルモノ多シ其他玉蜀黍、蕎麥、稗、大麥等ノ產出アルモ省城四近ニ於テハ何レモ一萬石ヲ以テ計算スヘキモノナシ

第三節　林　產

一、木材　ハ吉林省物產中ニテ第一位ヲ占メ年年松花江ヲ流下スル額ハ莫大ナリト云フ松花江ノ上流所謂八大溝ノ地ハ古來有名ナル木材ノ產地トシテ世間ノ噂高カリシモ數百年來濫伐シタル結果江岸ニ近ク運搬ニ便利ナル地方ハ殆ント赭山禿岡ト化シ昔時ノ影跡ヲ止メス江ヲ溯リ各支流ノ溪谷ハ水量少キヲ以テ伐採シタル木材ハ夏季ノ出水ヲ待チ流下シテ江ノ本流ニ入リ筏ニ組ミテ需用地ニ流出ス其重ナル溪谷ハ古洞河一帶二道江頭道江ノ溪間トス

木材ノ種類　ニハ椈松、杉松、黄花松、楡、楊、柳、柞、椴等アリ
椈松　ハ産額最モ多ク椈松以下列記スル諸材ヲ合スルモ産額ハ椈松ニ及ハス一名紅松ト云フ五葉ニシテ長サ三四寸計リ木質稍ヤ紅ヲ帶フルカ故ニ紅松ト稱ス又椈松ト稱スルハ其實ノ食用トナルヲ以テナリ用途又頗ル廣ク棟梁、板、船材、棺材等苟クモ木材製ノ器具家具等ニ至ルマテ椈松ヲ使用セサルコトナシ
杉松(沙松)　ハ我國ノ樅ニ同シ木質白クシテ軟カナレハ腐朽シ易キヲ以テ山中ニ於ケル數多キ割合ニ伐木ノ數尠シ
黄花松　ハ春季發芽カ黄色ヲ帶ヒ甚タ美觀ナリ本名ノ起リシハ之レニ因リ我國ノ落葉松ニ似タリ丈長クシテ百尺ヲ越ユルモノ少カラス棺材、旗竿、桅檣、寺院及ヒ樓閣等ノ柱ニ用ユ
楡　ニハ楡、刺楡及ヒ花楡ノ三種アリ楡ハ枝葉共ニ小サク孤立セルモノハ曲カレルモノ多キモ森林中ニ在ルモノハ樹幹直ニシテ地上四五丈ニ至リテ始メテ枝ヲ出ス橇材、車材、鐵道枕木等ニ用ヒラル刺楡ハ軸木ト稱シ樹皮ニ刺ヲ有ス木質堅キカ故ニ車軸ニ供ス花楡ハ處々突起ヲ有スルヲ以テ木質波狀渦狀ヲナシ机、卓子等ノ面ニ用フ
楊　ニモ白楊、青楊、黄楊ノ別アリ白楊ハ濕潤ノ地ニ適シ生成速カニ木質白クシテ粘力アレハ燐寸ノ軸木ニ適スヘシ青楊ハ材質白楊ト大差アリ黄楊ハ其質堅牢ナレハ棺材ニ供ス
柳　ハ多ク山麓ノ濕地ニ産ス木質脆クシテ屋材ニ適セス

柞　ハ我國ノ楢ニシテ到ル處ノ崗地ニ產シ枕木橇材トシテ可ナリ

椴　ハ木質白ク粘力アリ燐寸ノ軸木ニ適ス土人ノ俎トシテ使用スルモノハ總テ椴木ヲ横ニ車切リトナシタルモノナリ皮モ强靭ニシテ水ニ浸シテ製法宜シキヲ得ハ麻ノ代用トナルコトアリ

上記セル材木ノ取扱店タル木廠即チ材木商ハ省城內外ヲ通シテ百餘戶アリ其內主ナル木廠二十戶年々十萬〇內外ノ材木取引ヲナス商店ハ次ノ如シ

屋號	街名	價格
萬發木廠	西關	二十萬吊內外
和發木廠	西關	二十萬吊內外
祥發和廠	西關	二十五萬吊內外
恒升木廠	德勝街	十萬吊內外
德泉木廠	西關	八萬吊內外
萬和木廠	西關	七萬吊內外
同聚成廠	江岸	八萬吊內外

吉林ニ於ケル大把頭ト稱スル木材取扱人ノ主ナルモノ左ノ如シ

張祥、王成全、孫起鳳、李清和、張五回子、韓子昇等トス

二、人參　滿洲ノ方言ニテ棒鎚ト稱シ其園圃ヲ棒鎚園子ト稱ス就中山苗即チ野生ノモノハ價格非常ニ貴ク成長年數古ク大ナルモノ最モ貴重セラルルモ其產額極メテ少ク殆ント商品トシテ取扱ハレス

山苗　長白山下ノ大森林及其他ノ窩集ト稱フル森林中ニ自然ニ發生ス又人工栽培ノモノハ松花江ノ上流約六百淸里ノ東崗、西崗、黑崗ノ間ニシテ適宜ノ場所ヲ撰ミ人參ノ栽培ヲナス其外各所ノ森林中ニ二三戶ノ小屋ヲ作リ栽培ニ從事スルモノアリ

採取期　每年陰曆八月ノ頃山東移民ヨリ組織サレタル數人ノ團體長白山下ノ森林中ヲ跋涉シ捜シ獲タル人參ハ松皮ニ包ミ即夜蒸氣ヲ透フシ翌朝日光ニ乾燥ス形狀ハ大小種々アリテ色合モ紅白ノ別アリ紅色ノモノ尊重セラル

荷造　高サ四寸深サ五寸長サ一尺許ノ木框中ニ積ミ累ネ上ヨリ壓迫シ紙及油紙ニテ二重ニ包ミ框ニ蓋ヲ付ケ其上ヲ小サキ麻繩ニテ從横ニ縛リ椀ノ如キ形トナス一箱ノ重量ハ千斤ヲ以テ通例トス

長白山下ノ人參ハ吉林ニ集マルモノ少ナク多クハ營口方面ニ輸出サル但シ輸送ノ方法ハ產地ヨリ新賓堡迄ハ駄子ニテ同地ヨリ營口方面ニハ車ニテ運搬セラル其吉林ヲ經由セサル理由ハ道路ノ遠キニアラス之レ冬季結氷期ヲ利用セハ左程ノ困難ナク只タ碍害トナルハ問屋口錢ヲ二重ニ支拂フト採取者及ヒ栽培者カ多ク山東人ナルニヨリ年々得タル物資ヲ鄉里ニ歸ル序ヲ以テ營口

ニ立チ寄リ賣却シテ銀トナシ同地ヨリ芝罘ニ航シ歸家スルカタメナリ

三、菌類　總稱ヲ蘑菇ト呼ヒ古樹ノ天然ニ倒レタルモノニ發生スルモノ或ハ畑地ノ濕地ニ生スルモノ多ク人工ニヨリテ栽培サレタルモノ少シ其種類ハ左ノ八種トス

楡蘑　ハ楡樹ニ生シ其味美ナルヲ以テ特ニ樹鷄ト稱ス榛蘑ハ榛樹ニ生シ黄蘑ハ(凍蘑或ハ冬蘑)椴木ニ生ス産出額最モ多クシテ蘑菇ト稱スルモノノ七八分ヲ占ム口蘑ハ草地ニ生シ松散蘑松花蘑ハ松樹ヨリ發生ス其他莿磨對子磨等何レモ樺樹ニ生ス

省内各處ノ森林中ニ生スルモ主産地トシテハ長白山下ノ窩集地方松花江上流ノ森林地帶等ヲ最トス

採取期ハ各種ノ菌ニヨリ多少時期ニ前後ノ差アルモ毎年九月中旬ヨリ十月下旬マテトス採取者ハ大概ネ農夫人參栽培者獵夫等ノ副業ニ係リ殆ント專業ノモノナシ

毎年十月中旬ノ候ヨリ諸産物ト共ニ城内ノ各問屋ニ集リ來ル荷造リハ「アンペラ」ヲ以テ包ミ一梱大約五六十斤トス清官ノ調査ニヨレハ光緒三十二年中ニ於テ九十九萬九千七百八十九斤之レヲ價格ニ見積リ四十一萬九千八百六十吊三百文ナリト云ヘリ

四、薪炭　燃料ニハ柈子、劈柴、枝子、秫稭等ノ別アリ

柈子　ハ雜木ノ直徑二三寸ヨリ五六寸位迄ノ丸太小材ニテ産地ハ木材産地ニ同シ賣買ノ單位ハ積載シタル車ニテ定メ一車幾何ト勘定ス劈柴ハ柈子ヨリ大ナル木材ノ切レ端ニテ一定ノ長尺ニ

足ラサルヲ以テ斧ニテ割リ燃料ニ供ス産地及ヒ賣買ノ單位モ𣏐子ニ同シ枝子ハ木材ノ小枝或ハ年數ヲ經サル樺、柞、楊、柳、ノ大小枝ヲ一括シ馬車ニ積載シ恰モ小山ノ如キ格好ヲナシ市中ニ出ツルモノ即チ枝子ナリ賣買ノ單位モ總テ𣏐子ニ同シ

秫稭ハ高粱ノ稈ニシテ南滿州ハ至ル處ニ燃料トシ殆ント薪柴ヲ用ヒサル程ナレトモ吉林附近ハ高粱少キカ爲メ燃料トシテ使用サルルヨリモ屋根裏及ヒ壁ノ木舞ニ供セラルルコト多シ

薪木ノ出廻リ時季ハ毎年冬季ニテ山東門外ノ江岸ニハ日々數十臺ノ馬車、橇輻輳シテ盛ニ賣買セラル

木炭ノ需用ハ冬季ニ多ク夏季ニ少キハ到處同一ナルカ殊ニ吉林ノ如キ寒冷甚タシキ地方ニアリテハ夏冬兩季ニ於ケル需用ノ差額最モ著シ産出地ハ木材ト同シク松花江上流ノ沿岸七八十清里ヨリ四五百清里ノ距離ニアル崗山地方トス

木炭ニ二種アリ一ヲ黑炭ト言ヒ他ヲ白炭ト云フ黑炭ハ楊柳、柞等ノ雜木ヲ炭竈ニ入レ速ニ燒キ上ケタルモノナレハ炭質粗ニシテ輕ク隨ツテ品質モ惡シ白炭ハ竈ノ構造モ異ナリ材料モ柞樫ノ如キ堅質ノモノヲ撰ヒ黑炭ニ比シ長時間ヲ費シ燒キタルヲ以テ炭質蜜ニシテ其品質モ亦好良ナリ用途ハ種類ニヨリテ異ナリ一般食物ノ煮焚及ヒ防寒用ニハ黑炭ヲ用ヒ强度ノ熱力ヲ要スル金銀細工屋等ニハ白炭ヲ用ユ

第四節　水産

松花江ニ產スル魚類ハ鯉、鮭、一遍花魚、胖頭魚、鰲花魚等アリ烏拉街附近ノ江流ニハ漁民多ク刻網(投網)拉網(曳網)流網等ヲ用ヒ是等ノ魚類ヲ捕獲シ吉林ノ市場ニ出スモノ少ナカラス殊ニ冬季ハ氷結シテ腐敗ノ處ナケレハ遠ク寬城子方面マテ輸出ス

泥龜モ亦松花江ニ產シ夏季ニハ往々省城ニ出ツルコトアルモ土人ノ迷信ニヨリ忌避スルヲ以テ捕獲ニ從事スルコトナシ

眞珠ハ人參ト共ニ滿洲物產中ノ貴重品ナリ產地トシテハ松花江牡丹江共ニ有名ナルモ吉林附近ニ其採取ヲ專業トスルモノナシ牡丹江ノ支流ニ張廣才嶺ヨリ發スルモノアリ眞珠ヲ產スルヲ以テ特ニ珠爾得河ノ名アリ

第五節　礦產

一、金鑛ニハ有名ナル夾皮溝アリ近來吉林勸業道監督ノ下ニ鑛政調查局ヲ設ケ調查ノ結果官業ニテ開採スル方針ナリト言フ又吉林府ノ境內ニ杏山ノ金鑛アリ

二、銀山ニハ日清交涉懸案中ナル天寶山銅山ニハ省城ノ西南盤石縣城ノ東北約三十淸里ニ石嘴子ノ銅鑛アリ

三、石炭ニハ左ノ數鑛アリ

老若堂　省城ノ東北方缸窰ノ東八淸里ニアリ

口前　烏拉街ノ東方

東荒　老若堂ノ東方約十淸里

以上ノ三種ノ炭ハ其質極メテ惡シク火力弱ケレハ用途狹シ

萬寶山　省城ヲ去ル東南百八十淸里交河ノ上流十淸里ニアリ該炭ハ本省城ニ使用スル石炭總額ノ殆ント半ヲ占ムルモ炭坑ニ海水アルカ爲メ汲出機械ヲ用ヒサレハ採掘自由ナラス現時ノ狀況ハ工夫五百人ヲ使役シ半數ハ水ノ汲出ニ半數ハ採掘ニ從事スト云フ

天河煤窰　ハ松花江ノ上流輝發江ヲ溯リタル江ノ左岸ニアリ炭層ハ地上ニ露出シ處々試掘シタル跟跡アルモ炭質不良ナリ

燋子「コークス」ハ吉林ニテ需用甚タ多シ產地ハ奉天城下海龍府附近ノ杉松崗トス此ノ地ハ吉林ヲ距ル西南四百淸里朝陽鎭ヨリ七十淸里ノ遠距離ニアルモ松花江ノ支流輝發河ノ沿岸ニ近キヲ以テ夏期出水ノ頃小舟ニ搭載シテ吉林ニ下リ冬季結氷後ハ橇ニ積載シ吉林ニ輸出セラレ更ニ進ンテ下流ノ下場ニ出ツルコト珍ラシカラス

省城ニテ石炭ノ需用ハ每年約五百萬斤ノ額ニ上リシモ北淸事變以後機器局火藥局ニ使用スル高モ減シタレハ每年約三百五六十萬斤乃至四百萬斤ニ滿タス內萬寶山炭ハ百五十萬斤乃至二百萬斤ニ缸窰附近ノ產モ略ホ同一額ヲ產出ス之レ等ノ產額ハ吉林ニ需用スル高少キヲ以テ單ニ其需用ヲ滿タサンカ爲メノ產額ナレハ今後吉林カ多額ノ石炭ヲ要スル時期ニ至ルカ或ハ他ヱ輸出ノ方法ヲ設ケタル曉ニハ更ニ多額ノ石炭ヲ產出供給スルコトトナルヘシ

石炭取扱店　缸窰炭ノ問屋ハ西門外ノ煤礦公司及ヒ萬寶炭ノ問屋ハ糧米行ノ德興公司ナリ

四、石英、閃緑岩　ハ省城ノ南方百十清里ナル大海龍小海龍ト稱スル地ニ産ス産地ハ江岸ニ近ク且ツ低キヲ以テ出水期ニハ獲石ニ不便ナリ

省城ヨリ江ヲ溯ルコト三十五清里ノ阿什哈達及ヒ省城ヨリ西南九十清里ノ石澗溝モ亦石英ノ産地ニシテ夏季增水ノ頃ハ舟ニ搭シ冬季結氷ノ候ニ至レハ橇ニテ吉林ニ運ハル更ニ吉林ノ西北百八十清里ノ石家窩棚ニ産スルモ寬城子ニ輸送サレ吉林ニ來ラス石英、閃緑岩ハ其質堅牢ナレハ礎石其他ノ建築材料ヲ初メ製粉製油ニ用ユル磨輾石ニ至ル迄周ク使用サル

五、白石　ハ省城ノ北方百十清里ナル史鷄嶺ニ産ス前二者ニ比シ堅牢ナラサルモ光澤ヲ有シ美麗ナルカ故ニ碑石ノ材料ニ供セラル

其他吉林ノ西方大水河ノ南ナル石炭窰子ト省城ノ西南二百清里ノ臭李子樹トニ産シ孰レモ吉林ニ車送サレ城內外ノ建築用其他ノ需用ニ供給セラレ外城ニ輸出スルモノナシ

第六節　獸皮

獸皮ノ種類ハ貂、狐、鹿、羊、熊、虎、鼹、獐、豹、狢、獺、灰鼠、等ニシテ其產地ハ松花江上流殊ニ長白山一帶ヲ主トシ之ニ次クモノハ省城附近ノ山林地及ヒ荒地等トス

第三章　製造工業品

第一節　總說

吉林ノ地ハ松花江ノ水流ニ接シ江源ニハ木材及ヒ燃料豐ナリ加フルニ附近又石炭坑ニ乏シカラサレハ製造工業起地トシテノ必要條件ヲ備フルヲ以テ今後吉長鐵道ノ完成シタル頃ニ至ラハ幾多ノ工業一時ニ勃興スヘキヤ明カナリ然レハ現下ノ如ク交通不便ニシテ殊ニ雨期ノ如キハ長春ニ至ル僅カニ二百四十淸里ノ行程ニ一週間ヲ要シ陶賴昭ニ往復スル汽船モ一週一回ノ如キ有樣ニ於テハ製造工業トシテ見ルヘキモノナク只タ家內工業トシテ數フヘキ製造業アルニ過キス即チ製粉業、製油業、製紙業、製瓶業、製膠業、製香業、製皮業、造船業、染色業等是レナリ

第二節　製粉業

製粉業ニ機械製粉ト支那固有式製粉トノ別アリ機械製粉所ハ西門外ニアリテ同和公司ト稱ス市內唯一ノ大工場ニシテ蒸汽力ヲ用ヒ製粉ニ從事ス

今本公司ノ沿革ヲ閱クニ最初光緒二十年吉盛公司ト稱スル製粉會社ヲ設立シ以後四年ヲ經テ解散シ同二十四年更ニ業務ヲ擴張シ慶吉公司ヲ設立シ製粉ニ從事セシカ光緒三十年ニ至リ再ヒ慶吉公司ヲ解散シ三十一年正月ニ至リ本公司ヲ設立シ銀十四萬兩ヲ拂込マシメ新ニ哈爾賓ヨリ十八碼力ノ古蒸氣汽罐二臺ヲ購入シ製粉ニ從事スル傍ラ油房ヲ起シ雜貨ヲモ販賣セリ

本公司ハ原料ヲ專ラ吉林附近松花江岸ノ各所ニ仰キ平常日々ノ使用原料十五六石ヲ以テ麵粉三千

四五百斤ヲ製シ得ルモ需用ノ多寡ニ應シ製粉額モ加減スレハ平均シ難シ一昨三十二年中ノ製粉總額ハ百五十萬斤ニ上リタリト云ヘリ

固有式製粉業即チ磨房ハ市內通シテ大小約三十戶アリ總テ穀物商ノ兼業ナルモ城外ノ各部村落ニテハ農業ノ副業トシテ製粉業ヲナスモノアリ之レ等固有式製粉業者モ總製產額ニ於テハ同利公司ノ製產額ト大差ナシト云フ

第三節　製油業

製油業ニ從事スル家號ヲ通稱油房ト呼ヒ豆油豆糟ヲ製出スル業務ナリ油房モ亦多ク穀物商或ハ雜穀商ノ兼業トシテ營マレ城內外ニ於ケル總數ハ三十六戶アルモ規模小サク使役人モ三人乃至五人位ナレハ琿春ノ如ク盛ナラス大概一戶一臺ノ輾臼ヲ備ヘ一日約四石(三百六十斤一石)ノ大豆ヲ壓搾シ得ヘク之レヨリ得ル豆糟ハ七十五枚(十五斤一枚)ト豆油ハ百二十斤ナリ之レヲ年中ニ見積ルトキハ原料豆千四百四十石ヲ以テ豆糟七十五萬枚及ヒ豆油四萬三千二百斤ヲ產出シ得ヘシ更ニ總房數三十六ニ乘スルトキハ非常ナル額ニ達スルモ實際年中ニ於テハ休業期其他臨時ノ休日モアレハ年中ノ通算ハ二十戶ト見サルヘカラス即チ原料大豆二萬八千八百石產出豆糟五十四萬枚豆油八十六萬斤トナル計算ナリ

第四節　製紙業

當省城ニテ製紙ヲ業トスルモノ十五戶アリ孰レモ舊式ノ手漉ニテ新式ノ機械ヲ使用スルハ吉林志

強製紙有限公司ノミナリ本公司ハ當春ヲ以テ設立サレ製紙機械ハ獨逸製ノモノヲ購入シ一日ノ漉上高二千斤(未乾ノ儘ニテ)ト稱ス一株百兩ニテ總數二千株アリ株主ニ對シテハ拂込ノ當日ヨリ二月分ノ利子ヲ附シ純益ハ十五分シ其五分ノ一ヲ積立金トシ十五分ノ二ヲ發起人ノ報酬トシ十五分ノ一ヲ社長及ヒ社員ノ給料ニ宛テ五分ノ三ヲ株主ニ配當スル豫算ナリト云フモ其實行サレ得ルヤ否ヤハ大ニ疑問ナルモ兎ニ角聞キタル儘ヲ記述ス

製紙ノ原料ハ紙ノ種類ニヨリ異ナリ毛頭紙ハ綿麻製古繩古網舟車用ノ古繩等ノ朽廢サレタルモノヲ原料トシ底紙ハ極メテ下等ナル麻屑及ヒ粟稈、稗稈等ヲ原料トス製法ハ兩種共ニ頗ル粗雜ニシテ原料ノ下拵ヘナトニ注意セス漂白ニ藥品ヲ用ヒサレハ製紙ハ簡單ナレトモ紙質極メテ惡シ今後大ニ改良スヘキ點多シトス試ニ粗製ノ順序ヲ記セハ先ツ原料ヲ刀ニテ細斷シタル後蒸釜ニ投シ若干ノ石灰ヲ混シ水ヲ入レ熱煮スルコト凡ソ六七時間ヲ經レハ麻ノ細末ハ極メテ柔軟トナル此ノ時原料ヲ取リ出シ水ニテ洗滌シ盤石上ニ置キ石製ノ「ロール」ヲ以テ原料ヲ壓迫シ馬匹ヲ使用シテ「ロール」ヲ回轉セシメ纖維ノ微細トナリタル頃「ロール」ヲ除キ水槽ニ移シ紙漉器ニ入レ簾ヲ以テ手漉ニシ乾燥壁ニ張リテ乾燥セシム

毛頭紙ハ其用途ニヨリ數種ニ別ツ普通紙ヲ二枚合セタルモノヲ双紙ト云ヒ九十五枚ヲ以テ一疋ト數ヘ單ニ一枚ノモノヲ單紙ト稱シ百九十枚ヲ以テ一疋トス而シテ單双兩紙トモ六十疋ヲ以テ一束トナシ荷造ノ單位トス底紙ハ馬糞紙ノ如ク厚キ黄色ノモノ一種アルノミ

第五節　製甎業

製煉瓦業ニハ新式機械使用ノモノト舊式製法ノモノトノ二種アリ機械使用ノ會社ハ吉新造甎有限公司ト名ツケ資金二十萬吊ヲ募集シ五百株ニ別チ一株四百吊ノ負擔トス昨三十三年舊十月ノ設立ニ係リ機械ハ天津ノ獨商逸信洋行ヨリ獨逸製ノモノヲ購入シ一日ノ製產額約一萬五千個ナリト云フ舊式製造法ニヨル工場ヲ甎窰ト稱シ域外ノ各所ニ小山形ノ竈ヲ造リ製煉ニ從事ス其數十二戶アリ當城內外ニ於ケル煉瓦ノ使用高ハ近ク數年前迄ハ全市通シテ每月百萬個ニ滿タサリシヲ以テ產額モ之レカ供給ヲナスニ過キサリシカ近年官制ノ改革ニ關聯シテ諸種ノ官衙ヲ增築シ諸種ノ學校ヲ建築スルコトトナリ本春以降ハ每月煉瓦ノ使用高約三百萬個以上ニ達シタリ從テ其需用ニ應スル丈ノ數量ヲ城內外ヨリ供給スルヲ以テ目下ノ產額ハ每月三百萬個內外ト見テ大差ナカルヘシ

第六節　製膠業

製膠ヲ業トスルモノ吉林ニ三戶アリ每年ノ總產出額ハ約二萬斤ナリト云フ製膠ノ時期ハ春秋兩期ニシテ夏冬ノ二季ハ乾燥ノ際溶解シ或ハ凍結スルヲ以テ製膠ニ從事セス原料ハ城內外ノ各皮舖ヨリ供給サレ總產額ノ大半ハ當城ニテ消費シ其餘ハ長春始メ附近ノ各縣及ヒ敦化延吉廳ニ至ル迄モ吉林ニ供給ヲ仰ケリ

第七節　製香業

製香業者ハ省城內ニ四戶アルモ工場ハ原料ノ採集ニ便利ナル官馬山村(西南六十淸里)ニ設ケ製品ノ

販賣ハ專ラ城内ニテ營メリ原料ハ樹皮ニシテ紅色ヲ帶フルモノハ杏樹皮ニテ製シ灰色ノモノハ柞樹皮ヲ用ヒ黃色ノモノハ柞皮ニ顏料ヲ施シタルモノナリ種類ハ「金定香」、「深香」、「京截香」、「京門香」、「京二門香」、「小平香等」アリ

第八節　製皮業

製皮業ニ數種アリ其取扱フ毛皮ノ種類熟皮ノ方法ニヨリ細皮舖、燻皮舖、黑皮舖等ノ名稱アリ

一、細皮舖　狐、貂、猨、虎、豹、山猫、山羊、水獺、熊等ノ獸皮ヲ精製スル業ニシテ原料タル生皮ヲ各產地ニ求メ鞣皮ヲ業トスル商舖ナリ

二、燻皮舖　專ラ牛皮ノ精製ニ從事シ生牛皮ノ毛ト油ヲ取リ去リ數回燻ラシタル後清水ニテ洗ヒ土人ノ常用ニ供スル烏拉靴ノ材料トス

三、黑皮舖　馬、驢、騾等ノ毛皮ヲ精鞣シ表ニ松脂ヲ塗リ黑色トナス綠皮白皮モ亦馬、驢、騾等ノ皮ヲ精製シ顏料ヲ施シタルモノニシテ黑、綠、白ノ孰レモ支那靴、馬鞍及ヒ附屬品、大鼓、車輛用力革等ニ用ユ

第九節　造船業

昔時永樂皇帝カ東方ノ諸族ヲ征セシ頃盛ニ軍用船ヲ造リ爾來船廠ノ名ヲ得タルモ今日ニテハ造船ヲ以テ專業トスルモノナク必ス材木商ノ兼業トナレリ其種類ハ改巧船、牛船、槽船、艥舡、掛艣ノ五種トス

一、改巧船　吉林附近ヲ航行スル諸船中ノ最大ナルモノニシテ長サ四丈内外巾一丈ニ餘リ吃水二尺

ヨリ三尺ニ及ヒ積載量二萬斤內外トス

二、牛船　船首尖リ船底ハ平ニシテ檣ヲ有シ順流ニハ帆ヲ用ヒ逆流ニハ檣柱ニ繩ヲ附シ江岸ニ沿ヒ曳船ヲナス改巧船ノ小形ノモノヲ曰フ

三、槽船　形木槽ニ似タルヲ以テ其名ヲ得タリ船形ハ前後略ホ同一ニシテ吃水淺ク積載量三千斤ヨリ五六千斤迄トス

四、槭舦　獨木ヲ以テ作リ太古ニ用ヒタル「キアノオ」式ニテ長サ一丈五尺內外巾二尺內外アリ汲水漁魚用ニ使用サル

五、掛蠟　多ク渡船艀船ニ用ヒラル長サ一丈五尺乃至二丈巾三尺乃至四尺ニシテ農家ノ于草薪炭等ヲ積載シ遠ク上流ヨリ吉林ニ往來スルモノハ專ラ掛蠟ナリト云フ

第十節　染色業

吉林ハ藍靛ノ集散地ナルヲ以テ染色業モ其數多ク城內外ヲ通シテ專業者二十五戶アリ紺染「中紺、淺黃水色及ヒ形付等ヲ染ムルニハ藍靛ヲ用ヒ其他ノ彩色ニハ顏料ヲ用ユルコト他省ノ染房ト異ナラス

第四章　輸入品

第一節　種類

輸入品中主ナルモノハ綿布、綿絲、砂糖、絹織物、中外雜貨、茶、紙類、卷煙草、石油、燐寸、海産物、鐵器、綿花、鹽等ナリ

一、綿布　當省城ニ輸入スル綿布ハ打連布、花尺布、套布、大尺布、清水布、土布等ノ種類アリ

打連布ハ我カ雲斎織ニ似テ地質稍薄ク巾二尺五寸長サ四十「ヤード」重量十二斤内外アリ從來米國製英國製、日本製ノ順序ニテ輸入サレシモ日露戰役以來三井物産會社及ヒ其他ノ本邦商人ヨリ盛ニ輸入シ現今ニテハ殆ント米國製ト相拮抗シテ輸入サルル有樣ヲ呈セリ

商標ノ種類　ハ眞龍、跑馬、狐狸頭、回獅頭、小猫頭、大小鷹、双狗アリ、打連布ハ藍ニテ黑色ニ染メ巾ヲ二ツ折リトナシ縦ニ小形ニ卷キ店頭ニ陳列サル支那服上着襯子等ニ用ヒラル

花尺布ハ金巾ニシテ其質稍々粗ナルモノヲ謂フ巾（二尺六寸 二尺四寸）長サ四十「ヤード」目方十斤乃至十二斤アリ英、米、日本、上海製ノ各種アリ英國製ハ漂白シタルモノ多ク一名漂白布ト稱ス日、米、上海製ノモノハ晒サザルモノ多シ輸入ノ數量ハ米、日、英、上海ノ順序トナレリ其商標ハ圏狗頭、大鹿角、三兎・鶴桃四品菓、盆大象、双蟹等ナリ

套布ハ上海製ノモノ最モ多シ近年三井洋行ニテ此種ノモノヲ模造シテ試驗シツツアリ幅一尺一寸長サ二丈目方二斤内外トス用途ハ種々ニ彩染シタル上婦人小兒ノ着物及ヒ裏等ニ用ヒ漂白シタルモノハ足袋ノ材料トナス

清水布モ亦上海地方ノ産出ニ係リ幅一尺二寸長サ四丈ヲ以テ一疋ト稱ヘ二卷トス四十疋ヲ以テ

一件ト名ツケ目方ハ八十五六斤乃至九十二三斤アリテ一定セス藍ニテ淺黃或ハ紺染トナシ農夫ノ着物トシ漂白シタルモノハ足袋ヲ製ス

大尺布ハ所謂山東產ノ土布ニシテ幅一尺四寸長サ二千四百尺アリテ四十疋續キナリ目方四十疋ニテ百二十斤內外アリ用途ハ染メテ衣服トシ形付ハ手拭及ヒ蒲團トシ粗製ノモノハ肌衣トナス

土布ハ南淸地方ニテ製スル粗布ニシテ幅二尺五六寸長サ四十碼アリ衣服(仕事衣)トシテハ外見惡シキモ久シキニ堪ユルヲ以テ田舍ニ賣行好シ

二、綿絲　日本製、英領印度製、米國製ノモノ輸入サルルモ未タ其額多カラス日本製ハ鐘ケ淵、大阪、岡山紡績ノ十六手ヨリ二十手迄ノ所可ナリノ賣行アリ

三、砂糖　紅糖、氷糖、白糖ノ三種アリ從來ハ紅糖カ價安キヲ以テ歡迎セラレタルモ世ノ進步ト共ニ白糖ノ方需用多ク總輸入額モ年一年ニ增加スル傾向アリ產地及ヒ輸入數量ノ順序ハ、福建、臺灣、廣東等トス

四、絹織物　蘇杭州產ノ獨占ニテ南京產ノモノハ少シ輸入經路ハ上海ヨリ營口ヲ經過シ同地ヨリ直ニ省城ニ輸入サレ長春ニテ中繼キセス

五、中外雜貨　淸國雜貨ニテハ廣東北京ノ兩雜貨卽チ首飾類、食器類、日用品、家器類、文具類等一般支那內地ノ市街地ト異ナルコトナシ露國品ニテハ時計、靴、蠟燭、石鹼、洋食器、洋酒、更紗、帽子、手袋、靴足袋、手拭、毛布等ナリ就中露國製懷中時計ハ體裁惡シキモ機械ノ堅牢ナル點ヨリ愛用サル獨逸品ニハ時

計、「ナイフ」、洋鐵皿、牡丹、洋燈、額面、鏡、燭臺、石鹼等其主ナルモノナリ英米貨トシテハ時計、洋燈、手拭、石鹼、絨氈、敷布、支那向毛布羅紗地等ニシテ日本品ハ例ノ姿見、額面、蝦蟇口、紙入、陶器、枕時計、置時計、封筒、卷紙、手帳、「ペン」、「インク」、石鹼、吸殼落、化粧品ヲ初トシ柳行李、模擬支那鞄、手提鞄、毛布縮、タオル、鑵詰類、棉毛布、手袋、便利墨、賣藥類、眼鏡、「ナイフ」等ニ至ル迄枚擧スルニ遑アラス

石鹼ハ各國ヨリ輸入セラルルモ露國品、英國品最モ歡迎サル其理由ハ香氣强クシテ外面及ヒ內部ノ品質同一ナルヲ以テナリ本邦製ニテハ芙蓉、都花、象印等アルモ香氣少ク且ツ品質劣等ナルヲ以テ賞賛サレス彼ノ英商ノ製造ニ係ル茂生印、石鹼ナトハ香氣ノ點ニ於テモ品質ノ點ニ於テモ最モ支那人ノ嗜好ニ適シ賣行盛ナリ洗濯石鹼ニハ露國製ノ藍花睇子ト稱スル白地ニ藍ノ班點アルモノ多ク需用サレ次ハ清國製、日本製使用サル殊ニ石鹼ニ就テ注意スヘキハ吉林ハ井水惡シク孰レノ井戶ヲ問ハス總テ鹽分ヲ含メルカ故ニ普通ノ石鹼ニテハ其効力少シ

六、茶　安徽省福建省ノ產ヲ仰キ上海ヨリ營口ヲ經由シ輸入セラル種類ハ六安茶、雨前、龍井、彝山茶等ニシテ近來露西亞紅茶ノ輸入アルモ其額極メテ尠シ日本茶ハ單ニ本邦居留民間ニテ需用セラルルノミニテ未タ清人間ニ供給セラレス

七、紙類　輸入紙中淸國產ノ主ナルモノヲ海紙ト稱ス南淸產ニシテ葬式用ニ供ス紅紙ハ名刺、對聯ニ用ヒ表心紙ハ喫煙用トシ主ニ長江及ヒ廣東製ニ係ル外國紙ニハ朝鮮ヨリ來ルモノヲ高麗紙ト稱シ强靭ナルヲ以テ窓張用トシテ妙ナリ擬洋壁張用トシテハ富士製紙株式會社及ヒ大阪製ノ孔雀

印最モ多ク需用サレ裹用トシテハ露國製ノ壁紙獨逸製ノ夾板紙好評アリ包紙トシテハ古新聞ニ日本紙及ヒ露紙、清紙アリ就中露紙ハ破レ難キヲ以テ購買者多シ(清紙ト稱スルモ過半ハ日本製ニシテ唯タ清家ヲ印刷シタルノミ)

八、卷煙草　露國製最モ多ク輸入額ノ過半ヲ占メ米國産ト日本製ハ相半シ「マニラ」製「エジプト」製等ノ上等品ハ其額少シ日本煙草ハ孔雀印、雀印ノ外近來煙草專賣局ノ代理店ヲ設ケ賣擴メニ從事シツツアルモ先ツ目下ノ情況ニテハ年額壹萬五千圓以上ハ覺束ナキ見込ナリ

九石油　米國産美孚印最モ多ク輸入サレ殆ント總輸入額ノ七分ヲ占メ之ニ次クモノハ露國産ノ双鳥印米ノ勝利印等ナリ

十、燐寸　安全燐寸ニハ露國製ノモノ多シ同品ハ箱ノ大ニシテ且ツ堅牢ナルヲ以テ賣口好シ日本製ノ安全燐寸ハ輸入サルルモ露品ト競爭スル程度マテニ進歩セス之ニ反シ黄燐「マッチ」ハ殆ント日本製ノ獨舞臺ニテ製法粗雜ナルニモ拘ハラス價ノ廉ナル點ヨリ氣受ケ大ニヨシ其商標ハ大概次ノ如シ

富貴印、龍頭印、双鳩、月琴、胡蝶、鶴鹿、火車、三鮮、三童、啓昌、蝙蝠、猿猴桃印等ニシテ神戸製ノモノ多ク次ハ上海製トス

十一、海産物　昆布ハ其數量ニ於テ輸入海産物中第一位ヲ占メ輸入地ハ浦鹽方面ニテ經路ハ一部鐵道ニヨリ阿十河ヨリ車送セラルルモノト琿春方面ニ貨物ヲ送リ歸路ノ序ヲ以テ馱子ニテ運搬ス

昆布ノ外魚翅鰍魚、海參、乾鮑、水母等ハ主ニ營口ヨリ輸入シ浦港ヨリスルモノ少シ以上ノ海產物中ニハ最初日本ヨリ粗製ノモノヲ輸入シ上海營口等ニテ精製シタルモノ多シ

十二、鐵器　鐵ノ原料ハ山西ニ產スルヲ以テ同地ヨリ天津ヲ經由シ營口ニ來リ當城ニ輸入セラル鐵器中最モ賣高多キハ錫釜類トシ之レニ次クモノヲ農具類、刄物類、金釘等トス鍋釜ハ其大サニヨリ名稱ヲ異ニス即チ大京鍋、對口鍋、大眞州等ノ別アリ又製材用ノ大鋸家器類ニハ露國製ノモノ多ク洋釘ハ米國ヨリ輸入スルモノ多シ

十三、棉花　上海棉アリ粗製ニシテ半斤ヲ以テ一把トス日本棉ハ大阪製ノ中棉上等品トシテ使用サル

十四、食鹽　山東及ヒ直隷ノ長蘆鹽營口ヨリ輸入セラル

第二節　海外及ヒ外省ヨリノ輸入額及ヒ省內ヘ再輸出セラルル見積額（清官憲カ課税上取調ヘタルモノ三十三年度）

輸入品				再輸出品	
品目	數量	價額	經由地	價額	仕向地名
大尺布	一八、六一三梱	二、七七一、九五〇吊	營口	二、〇〇〇、〇〇〇	松花江上流、延吉、琿春、省城附近及敦化、寧古塔

輸入品				再輸出品	
品目	數量	價額	經由地	價額	仕向地名
白套布	一、二一五梱	一、六四〇、二八〇吊	營口	一、二〇〇、〇〇〇	松花江上流、延吉、琿春、省城附近及敦化、寧古塔
花尺布	四、四四五	九三三、四五〇	同	七〇〇、〇〇〇	同
打連布	二、七八三	六一二、二六〇	同	五〇〇、〇〇〇	同
清水布	一、二一五	一七〇、一〇〇	同	一二〇、〇〇〇	同
紅糖	一六、三九〇	二三二、七八〇	同	一五〇、〇〇〇	同
白目糖	九、〇二三	二七〇、六九〇	營口及ヒ哈爾賓	二〇〇、〇〇〇	同
中外雜貨	二三、三一二	五、〇九五、〇四九	營口、哈爾賓、浦鹽	三、五〇〇、〇〇〇	同
茶葉	五、九〇〇	五三一、〇〇〇	營口	三〇〇、〇〇〇	松花江上流、琿春、延吉、省城附近、寧古塔
海紙	五六、六五〇	二三三、二五〇	同	一〇〇、〇〇〇	同
面鹹（ソーダ）	一、一四八、〇八九	一、七二二、一三三	同	六〇〇、〇〇〇	同
土鹹	六八九、一二三	八二、六九四	同	三〇〇、〇〇〇	同
獸皮	―	五〇〇、〇〇〇	蒙古	三〇〇、〇〇〇	同
絹織物	―	一、二〇〇、〇〇〇	營口	八〇〇、〇〇〇	同

卷煙草	一	一五〇、〇〇〇	哈爾賓營口	八〇、〇〇〇	同
石油	一	六〇〇、〇〇〇	營口哈爾賓	三〇〇、〇〇〇	同
燐寸	一	二〇〇、〇〇〇	同	一五〇、〇〇〇	同
其他	一	三〇〇、〇〇〇		一五〇、〇〇〇	同
計	一	一七、〇四五、六三六		一一、四五〇、〇〇〇	

第五章　通貨及ヒ官帖

第一節　總說

省城ニ於テ通用スル淸貨ニ三種アリ一、葉錢、二、銅錢、三、銀貨卽チ是レナリ類似貨トシテハ吉林官帖局ヨリ發行スル永衡官帖及市中ノ錢舖、當舖等ヨリ發行スル一覧拂ノ錢票アリ外國貨幣ニハ露貨、日本金票、正金銀票及軍用手票ノ四種アリテ本位ヲ銀ニ定メ相場ニヨリ毎日相互ニ賣買サル

第二節　葉錢

一、葉錢ハ一名吉林中錢ト稱スルモ賣買取引ノ極メテ小ナル場合ニ使用サルルヲ以テ一般ニ小錢ト云フ一個ヲ二文ニ通用シ五個卽チ十文ヲ以テ一成ト稱ヘ十成ヲ以テ壹百文ト算シ五百個、卽チ百成ヲ一吊文ト計フ葉錢ノ形狀ハ我カ寛永通寶ニ似テ直徑約六分表面ニ鑄造年號ヲ印シ裏面ニ滿

洲文字ヲ刻ス一個ノ重量ハ約七分アリ此ノ官造葉錢ノ外ニ私鑄葉錢アリ其形小ナルハ直徑三分ニ滿タス錢質モ亦頗ル劣等ニシテ官錢ニ比スレハ四分ノ一乃至五分ノ一ノ價額ヲモ有セス然ルニ之等ノ悪貨私錢カ官錢ト共ニ通用サレツツアル所以ハ一度私錢ノ市場ニ出テテ以來忽ニシテ官錢ハ不良ノ徒ニ買收サレ甚タシキハ官錢ヲ私錢ニ改鑄シタルモノサヘアリ爾來官錢ノ欠乏ニ供ヒ法律上ハ之レヲ禁止スルニモ拘ラス公然通用サルルニ至レリ但シ納稅ニハ通用セス

二、銅貨ハ其形狀我カ一錢銅貨ト略ホ相同シ錢質ハ紅銅ト黄銅トノ別アリ光緒二十六年迄ハ銀元局ニテ鑄造セシモ銅ノ騰貴ニ伴ヒ鑄造ヲ廢シテ以來流通額少ク取引ニ不便ナリシモ本春天津ヨリ銅貨ヲ輸入(額不詳)シ稍ヤ潤澤トナレリ葉錢トノ交換ニハ銅錢一枚ヲ二戍五ト稱シ四枚ヲ以テ十成即チ百文ト交換ス又銀貨トノ交換ハ一定セス七分二厘ノ銀貨(我カ十錢銀貨大)カ三百文ノ相場アル頃ハ銅貨十二枚ヲ以テ七分二厘ノ銀貨ト交換スルモ今日ノ如ク二百八十文トナリタルトキハ十一枚ト葉錢三枚ヲ以テ交換ス

三、銀貨ハ吉林銀元局ノ鑄造ニ係リ種類五アリ、半角、一角、二角、半元、一元即チ之レナリ形狀及ヒ大サハ、半角ハ我カ五錢小銀貨ニ一角ハ我カ十錢銀貨ニ二角ハ我カ二十錢銀貨ニ半元ハ我カ五十錢銀貨ニ一元ハ我カ舊圓銀ニ略ホ相同シ之レ等五種銀貨ノ重量及ヒ純分ハ左ノ如シ

種類	重量(庫平)	純分百分比例
半角	三分六厘	八二%

一角	七分二厘	八二%
二角	一錢四分四厘	八二%
半元	三錢六厘	八六%
一元	七錢二分	九〇%

右ノ外江南、湖北、福建廣東等ノ諸省鑄造ノ銀貨入リ込ミ使用サルルモ吉林銀貨ニ比シ好純分ナルニ拘ラス法定シテ吉林銀貨ヨリ安ク(例ヘハ吉林銀貨七分二厘ノモノ三百文ナルトキニ他省鑄造同格ノ銀貨ハ二百八十文トスル如キ)通用セシムルヲ以テ直ニ外省ニ流出シ省內ニ殘留スルモノ極メテ少シ

第三節 官帖

一、官帖　葉錢ニ對スル紙幣ニシテ吉林官帖局ヨリ發行ス吉林ニ於ケル物價ハ總テ官帖ヲ以テ標準トナシ全市場ニ於ケル通貨ノ大部分ヲ占ム官帖ノ起源ハ光緒二十三四年ノ頃銀ノ暴落シタル爲メ省內各所ニ於テ豪商ノ破產シタルモノ少ナカラス引テ商況不振ニ陷リタルヨリ當時ノ將軍大ニ之ヲ憂ヒ翌二十五年官帖局ヲ設ケ始メテ官帖ヲ發行シ商店及ヒ其他ニ信用貸付ヲ爲シ廣ク市場ニ流通セシメタルカ濫觴トナリ翌二十六年以降銅錢ノ鑄造ヲ廢シタレハ官帖ノ發行高ハ次第ニ多ク最初ハ發行高ニ對スル三分ノ一ノ準備銀ヲ有スル筈ナリシモ露ノ東方經營ニ連レ留(ルーブル)ノ爲メ壓倒サレ官帖ノ流通意ノ如クナラス從テ省ノ財政紊亂スルニ伴ヒ官帖ノ發行額益々多ク爲メ

ニ銀ニ對スル當初ノ法定價額ヲ維持スル能ハス姑息ノ彌縫手段ヲ講シタルノ結果準備銀ハ何時シカ空乏ニ歸シ終ニ濫發ニ濫發ヲ重ネ最近ニテハ二千萬吊以上ニ達シタリ官帖ト銀貨トノ交換方法ハ最初官帖發行ノ當時ハ銀一元ニ對シ官帖二吊五百文ノ法定ナリシモ濫發カ及ホス一般經濟上ノ趨勢ハ之レヲ許容セス官帖ハ漸次下落シ本年七八月頃ハ一元ニ對シ三吊トナリ目下ハ三吊二百文トナリ居レリ

官帖流通ニ對スル當局者ノ保護ハ租税其他ノ上納貨トシテ其使用ヲ許シ官吏ノ俸給モ亦タ之ヲ以テ支拂フコトトシタリ

官帖ノ種類ハ一吊、二吊、三吊、五吊、十吊、伍十吊、百吊ノ七種アリ

二、錢票　城内ノ各錢舖ヨリ預金ニ對シ預證樣ノモノヲ發行シタルカ起源ニシテ各錢舖カ信用アリ且ツ金錢ノ豐富ナル點ヨリ一般人民ハ錢舖ヲ深ク信用シタル結果例ノ預證樣ノモノカ轉輾受授流通サルルコトトナリ遂ニ一ノ種票ヲ發行シ一覽拂トセリ過去數十年間ハ錢票盛ニ流通シ從テ其發行額モ多カリシカ近年之レカ發行ヲ停止スルモノ多ク漸次回收ニ着手シツツアルヲ以テ現時ノ流通額ハ左ノミ多カラス

第四節　外國貨幣

露國紙幣　通稱羌帖ト呼ヒ北清事變ノ頃露軍ノ侵入ト共ニ市場ニ流通シタルモ昨春露軍ノ引揚ケ後ハ其數大ニ減シ現今ニテハ哈爾賓、雙城堡等ノ商人ト取引スル一部ノ商人間ニ受授サレ一般

ニ流通スルコト少シ

二、日貨　老頭兒票（主ニ一圓紙幣ナレトモ金票ヲ意味ス）正金ノ鈔票、軍用手票ノ三種アリ孰レモ流通額多カラス明治

四十一年九月下旬ノ相場左ノ如シ

正金鈔票一圓ニ對シ日本金貨八十四錢

軍用手票一圓ニ對シ日本金貨八十四錢

日本金貨一圓ニ對シ吉林官帖四吊百文

鈔票軍票一圓ニ對シ吉林官帖三吊四百五十文

露貨一留ニ對シ吉林官帖四吊二百七十文

第六章　金融機關

第一節　種類

金融機關トシテハ票莊、錢舖、銀爐、當舖、官帖局問屋、露清銀行出張所等アリ

第一　票莊

山西人ノ經營セル票莊カ清國內地ノ各所到ル所ニ於テ爲替營業ニ從事シ金融界ニ稗益スル處多キカ如ク當吉林ニ於テモ亦然リトス其經營區域ハ鄕里山西地方ハ勿論トシ滿洲各地ノ大市街ヲ始メ本省十八省內到ル處ノ大都市ニ取引先ヲ有ス

店舗ノ構造ハ規模極メテ小サク特ニ一戸ヲ構ヘタルモノトテハ稀ニシテ多クハ問屋雜貨店等ノ內室二三若シクハ三四室ヲ賃借シテ營業事務所ニ宛テタリ其店員ハ掌櫃的、管賬的、跑市的等ノ數名ニ過キスシテ悉ク山西ノ本店ヨリ派遣シ三年每ニ各地ノ店員ヲ交代セシム此ノ店員トナルノ資格ハ幼少ノ頃ヨリ學徒トシテ本店內ニ收容サレ品行方正ナルカ上ニ着實勤勉ナルモノニ非サレハ撰定セラレス唯々店員ニ限ラス廚夫雜役ノ如キモ確實ナル保證人ヲ要シ多クハ鄉里ヨリ呼ヒ寄セ使用ス

吉林ニ於ケル票莊ノ給料及ヒ人員左ノ如シ

掌櫃的	一名	年給	二百五十兩以上一千兩
管賬的	一名	年給	百兩以上三百兩
跑市的	二、三名（店員ニテ市況其他雜務係）	年給	四十兩以上二百兩
廚夫	一名		三、四十兩

吉林ノ如キ比較的交通運搬ノ不便ナル所ニアリテハ貨匯（荷爲替）ヲ取扱フコト極メテ少ク殆ント送金爲替ヲ專業トス今票莊ニ托シ營口ニ送金セント欲セハ吉林ノ元寶銀ヲ以テ時價ニヨリ營口ノ過爐銀ヲ買ヒ爲替證ニ其額ヲ記入シテ營口ニ送ラサルヘカラス換言スレハ營口ニテ要スル過爐銀ノ額ニ比シテ元寶銀ヲ票莊ニ渡シ更ニ票莊ノ賣相場（票莊ニハ賣相場ト買相場トアリテ單ニ價額ノ平均シタル以上ニ手數料ヲ加入ス之レ取リモ直サス爲替料ノ如キモノナリ）ニ達スル差額ヲ支拂ヒ初

メテ票莊ヨリ營口銀幾何ト記入シタル票ヲ受領シ之レヲ營口ナル被送金者ニ送リ爲替ノ取組ヲ終ルナリ

滙票ハ三連單ヨリ成リ一ヲ送單ト云ヒ支拂先ヘノ通知ニシテ取引先ニ送リ一ヲ票根ト云ヒ發行店ニ留メ置キ一ヲ滙票ト稱ヘ送金委托者ニ交付ス送金者ハ票莊ヨリ滙票ヲ得テ營口ナル被送金者ニ送リ票莊ノ取引先ナル商店ハ被送金者ヨリ滙票ノ提示ヲ待チ現銀ヲ支拂フモノトス

預金トシテハ官衙ノ豫備金官吏ノ私金等ヲ預ケ入ルルモ其額多カラス一般ノ預金ハ票莊ノ親近ナルモノニ限リ之レヲ取扱フモ其利率甚タ低ク概ネ月利三厘ヲ越ユルコトナシ預金ハ全部當座預金ニシテ定期預金ナルモノナシ票莊ハ預金主ニ對シ摺子(通帳)ヲ交付シ預入引出ノ際ハ摺子ニ記入シ小切手ヲ使用セス

貸付ハ信用貸ニ止リ抵當ナシ此ノ抵當貸ナキハ全ク當地商人ノ慣習ニシテ擔保ヲ入ルルハ商人トシテ尤モ恥辱ノ如ク考フルヲ以テナリ信用貸ノ利率ハ月額一分五厘乃至二分マテトシ期限ハ三ケ月、半年、一年ノ三種ニ分タル又貸付ノ多キ時期ハ毎年冬季三ケ月(十、十一、十二月)ニシテ此時季ニハ利率モ三分乃至四分ニ騰貴スルコトアリ之ニ反シテ舊正月ハ取引キ皆無ナルヨリ利率ノ定マリナシ要スルニ利率ハ貨物取引ノ繁閑ニ起因スルコト言ヲ俟タス

第二　錢舖

錢舖ハ票莊ニ比シ資本少ク雜貨商ノ兼業トセルモノ多シ城内外ヲ通シテ總數百戸ニ餘リ店員ハ十

名乃至十五六名ヨリ多キハ二十名ニ上ルコトアリ

店舗ハ特ニ一戸ヲ構ヘ票莊ノ如ク間借リスルモノナシ資本主ハ一人ナルコトアリ或ハ二三人ノ合資ニ因ルコト一定セス資本亦區々ニシテ大抵二三萬吊ヨリ二十萬吊内外迄トス店員ハ大掌櫃的、二掌櫃的、三掌櫃的、管賬的、待客的、上市的、看銀子的等アリ大掌櫃的ハ店內總支配人ニシテ營業上ニ關スル一切ノ事ヲ處置スル權利ヲ有ス大掌櫃的ニハ資本主ナルト傭人ナルトアレトモ其何レニ屬スルヲ問ハス給料ノ外營業純利益ノ幾分ヲ配當セラル此ノ總支配人トナルノ資格ハ票莊ノ如ク一定セラレス營業上ノ經驗ヲ有シ才幹アリテ業務ニ熱心ナルモノヲ撰定ス

二、三掌櫃的ハ所謂副支配人ニシテ大掌櫃的ヲ帮助シ營業ヲ辨理ス其他管賬的ハ帳簿ヲ管理シ待客的ハ顧客ノ接待ヲ司リ上市的ハ市場ノ情況ニ注目シ看銀子的ハ銀兩ノ純分ヲ鑑定スル等夫レ夫レ職務ヲ分擔シ責任ヲ重ンス如上掌櫃的以下ノ店員トナルニハ最初徒弟ヨリ保證ヲ立テ數年間繼續シテ勤勞シ商情ニ通シ品行方正ニシテ店員以外ノモノニモ信用セラルルニ至リ初メテ店員ニ採用セラル

吉林ニ於ケル錢舖ノ給料及ヒ人員左ノ如シ

大掌櫃的	一名	年給五百吊乃至一千吊
二掌櫃的	一名	年給三百吊乃至七百吊
三掌櫃的	一名	年給二百吊乃至五百吊

管賬的	一名	年給二百吊乃至四百吊
待客的	一名若クハ二、三名	年給二百吊乃至三百吊
看銀子的	一名若クハ二、三名	年給二百吊乃至三百吊
厨夫	一、二名	年給八九十吊内外

錢舖ノ營業ハ貸附ヲ本業トシ兩替、預金、爲替ヲ兼業トスルモノ多ク或ハ錢票ノ發行ヲナスモノアリ

錢舖ハ商人ノ金融機關トシテハ票莊ヨリモ緊要ニシテ取引ニ關シ資金ノ運轉ニハ欠クヘカラサルモノトス其ノ貸出ノ方法ハ悉ク信用貸ヲナシ抵當貸ヲナサス故ニ信用薄キ商人等ハ保證ヲ立テ資金ノ融通ヲ計ルコトアリ

貸附期限ハ最長期ヲ一年トシ三ケ月、六ケ月ヲ普通トス利率ハ時期ニヨリ同シカラス冬季三ケ月ハ最モ利子ノ高キ季節ナレハ月利三分ニ上ルコトアルモ平常季ハ一分五厘乃至二分以内トス

錢舖ノ兩替ハ一種ノ賣買ニシテ清人ノ觀念ニ銀兩賣買ト稱ヘ恰モ商品ノ如キ意味ヲ解セリ之レ蓋シ清國ニテハ通貨一定セサルカ上ニ類似通貨アリ之等ノ貨件ヲ混同シテ通用セシムルヲ以テ時々價額ニ變動ヲ來シ自然一種ノ商品タルカ如キ感想ヲ與フル所以ナリ例ヘハ官帖ヲ以テ元寶銀ヲ買ヒ元寶銀ヲ以テ官帖ヲ購フカ如キ即チ好適例ナリ而シテ此等賣買ノ相場ハ日々城内財神廟ニ於テ開カルル銀市ニヨリ一定ス

錢舖ハ票莊ノ如ク資本モ多カラス取引先キモ狹キヲ以テ爲替ノ取組ヲナス區域モ亦狹シ通常何レ

ノ錢舖モ取引先ヲ有スル地方ハ長春、奉天、營口等ニシテ北京、上海、天津等ニ取引先ヲ有スルモノハ極メテ少シ然シテ山東及ヒ直隷人ノ開設セル錢舖ハ特ニ在留同省出稼人等カ年末或ハ節季ニ際シ若干ノ貯蓄ヲ郷里ニ送附スル唯一ノ機關トス左レト一般錢舖ハ一票(元寳銀二十塊)以下ノ爲替ヲ取扱ハサルコト票莊ニ同シ錢舖ハ預金ニ對シ利子ヲ附セサルヲ以テ遊金ヲ有スルモノハ錢經紀ヲ通シ他ニ貸出ヲナシ錢舖ニ預金スルモノナシ

錢舖カ發行スル一覧拂ノ手形ヲ稱シテ錢票ト唱ヘ從來銅貨葉錢ノ缺乏セル際補給代用トシテ市場ニ轉輾流通セシモ爾來官帖ノ濫發甚タシキヨリ銀ニ對スル變動著シク一方ニ有利ナルト同時ニ頗ル危險多キヲ以テ漸々回收シ目下繼續中ノモノハ左ノ數家ニ過キス會來永、會昌慶、德益厚、德通潤、寳升潤、福恒源等ナリ

錢票發行ニ關シ官憲ノ監督如何ト云フニ發行者ノ信用ト資力ニ注目スル外何等ノ干渉ヲナサス然ルニ各發行者ハ大ニ責任ヲ重シ濫發等ノコトヲ爲サスト聞ク處ニヨレハ準備金トシテ發行高ノ三分ノ一現銀ヲ有スト果シテ信ナルヤ否ヤハ問題トス

商人相互間ノ取引ハ抹錢ト稱スル單ニ帳簿上ノ貸借ニヨリ終了ハ當地ノ清商間ノ取引ハ總テ此ノ抹錢ヲ使用スルモノト知ルヘシ其方法ハ甲乙ノ兩商人丙ナル錢舖ニ對シ互ニ取引ヲ有スルトキニ於テ甲商カ乙商ニ一千吊ヲ仕拂フモノト假定セハ甲商ハ丙錢舖ニ至リ一千吊ヲ乙商ニ仕拂フヘキ旨ヲ告タレハ丙錢舖ハ甲商ノ口座借ノ部ニ一千吊ト記入シ乙商口座貸ノ部ニ一千吊ト記入シ商人

間ニ現金ノ受授ヲ省クコト恰モ我カ銀行ニ於ケル小切手ノ如クナルモ錢舖ハ預金ノ有無ニ拘ラス全ク信用ニ基ツキ振替ノ記帳ヲナス此ノ無形ノ一千吊ヲ稱シテ抹錢ト云ヒ其方法帳簿ニヨルヲ以テ過帳ト云フ

錢舖相互間ノ取引慣習ニ「五天一打卯」「二八打卯」ト唱フル符合アリ「卯」トハ結算期ノ名稱ニシテ「五天一打卯」ハ五日毎ニ一回結算シ「二八打卯」ハ二、及八ノ日ニ結算スル意味ナリ例ヘハ兩錢舖間ニ於テ取引ヲナシ假リニ五萬吊ノ貸借ヲ生シタリトセンカ「二八打卯」ニ依レハ取引ノアリタル日ヨリ二若クハ八ノ日ニ至ル期間ハ貸借其儘ニシテ先ツ二八中ノ日ニ逢ヒタルトキ二萬吊ヲ返却シタリトスレハ殘リ三萬吊ニ對シテ利子ヲ付シ次ノ二八中何レカノ日ニ至リ一萬吊ノ支拂アリタルトキハ次ノ期日迄ハ二萬吊ニ對シ利子ヲ付ス此ノ如ク再三同樣ノコトヲ繰リ返シ取引ノ貸借ヲ消滅ス

第三　銀爐

當城ノ銀爐ニハ自カラ進ンテ元寶銀ヲ發行シテ金融ヲ圓滑ナラシムルカ如キ大規模ノモノナク孰レモ元寶銀ノ改鑄ニ從事シ傍ラ錢舖、銀匠舖等ヲ兼ネ併テ金錢ノ貸附ヲナス

銀爐ハ孰レモ熔爐ヲ具ヘ錢舖商人ノ依賴ニ應シ銀塊、銀細工等ヲ元寶銀ニ改鑄ス其手數料ハ元寶一錠ニ付一吊五百文内外（時價ニヨルヲ以テ一定セス）貸附利子及ヒ期限ハ票莊、錢舖ト略ホ同一ナリ

今他所ノ兩銀一錠ヲ吉林元寶一錠ニ改鑄セントシテ銀爐ニ托スルトキハ錠ノ輕重純分ノ如何ニヨリ次ノ如キ加減ヲ爲サヽルヘカラス

元寶銀一錠ノ重量ハ吉平五十三兩五錢純分九八五%

寛城子一錠ヘ三錢五分ヲ加フ　奉天一錠ヘ約六七錢ヲ加フ
營口一錠ヘ約五六錢ヲ加フ　齊々哈爾一錠ヘ約三四錢ヲ加フ
哈爾賓一錠ヘ約三四錢ヲ加フ　北京一錠ヨリハ約四五錢ヲ減ス
天津一錠ヘ加減ナシ　上海一錠ヨリハ約四五錢ヲ減ス

第四　當舖

質商ヲ營業ノ目的トスルヲ以テ各種ノ物件ヲ擔保トシ金錢ノ貸出ヲナス資本ハ錢舖ノ如ク多カラサルハ言ヲ俟タス顧客トシテハ票莊等ニ信用ナキ小商人其他一般細民不良ノ徒等ノ金融機關ニシテ金銀、衣服、什器等ヲ擔保トシ金錢ノ貸出ヲナス店員ニハ掌櫃的、管賬的、看貨的等一舖ニ四五名乃至十名内外ノ店員アリ（店員ノ資格等ハ錢舖ニ同シ）

店舖ノ入口街側ニ面スル所ニ高サ四丈乃至五丈ノ赤柱ヲ立テ其中間ニ急須樣ノモノヲ（厚板ニテ造リタル徑四尺大ノモノ）嵌入シ飾ルニ白銅、錫等ヲ用ヒテ金具ニ擬シ急須ノ周圍ニハ彩色シタル彫刻物ヲ附シ中央ニ「當」ト記シ顧客ヲシテ一見當舖ナルコトヲ見易カラシム店舖ハ此ノ招牌ヨリ少シク入リ込ミタル所ニアリテ戸口小サク店櫃ノ高サハ四尺乃至五尺ニ餘リ店内ノ物品ハ容易ニ持チ去ルコト能ハサル樣ニ構造セリ

當舖カ擔保ヲ受取リ貸出ヲ爲ス際ハ質札ヲ交付ス之ヲ當票ト稱ス此ノ票ニ依ルトキハ「蟲咬鼠傷各

由天命」トアリテ辨償ノ責任ヲ有セサルコトヲ明ニスルモ火災盜難等ニ就テハ何等ノ說明ナシ當舖ニ就テ聞キタルモ明言セス單ニ斯ノ如キ災ハ無シト答フルノミナルヲ以テ確言シ難キモ此ノ場合ニ於テハ當舖ニ責任アルモノノ如シ

當舖ノ利子ハ十月、十一月ノ二ケ月ハ月二分五厘ナルモ其他ノ十ケ月ハ三分ナリ此ノ二ケ月ニ限リ利子ノ安キハ恰モ秋ノ收穫ヲ終リタル頃ニテ農民及ヒ細民等モ左程窮セサルトキナレハ質屋ニ取リテハ營業ノ閑散季節トモ言フヘク從ツテ利率モ低廉ナレトモ十二月ニ至レハ年末ノ事トテ平常三分ニ復ス

期限ハ二十四ケ月カ公定ナルモ其實三十ケ月迄ハ猶豫スル慣習ナリ利子ヲ付スルニ就テ三十日カ一ケ月ナレトモ三十五日迄ハ日割勘定ヲナシ三十六日目以後ハ直チニ二ケ月分ノ利子ヲ付ス

以上ノ猶豫期限ヲ經過スルモ擔保品ノ受領ニ來ラサルトキハ典品ハ變賣作本ト稱シ市情ヲ見テ一年ニ二回、二月、八月ニ於テ典物ニ番號ヲ附シ元利ヲ合算シ取引先ナル估衣舖ニ送リテ之レヲ賣却ス

小押兒トハ南清地方ニテ「押」ト稱スル者ニシテ當城苦力貧民ノ最モ多キ牛馬行ニアリ僅ニ數百吊ノ資本ヲ以テ舊衣其他零碎ナル物品ヲ擔保トシ金錢ヲ貸附ス期限ハ十日ニシテ猶豫ナク利率ハ每一吊ニ付一日一百文ナリト云フ

第五　官帖局

官帖局カ金融機關ノ部ニ數ヘラルルハ貸附ヲ爲スカ爲メナリ元來官帖ナルモノハ官帖局ニ於テ印

刷シタルモノヲ局ヨリ人民ニ貸附シ其貸借ノ關係ヲ生スルト同時ニ官帖發行高ノ一部トナルナリ而シテ其貸附ノ方法ハ市內ニテ相當ナル資財ヲ有シ且ツ信用アル商店ニ對シテハ更ニ信用厚キ豪商ノ保證ニヨリ貸附ヲ受クル商店ノ資財ノ六分位ヒマテノ額ヲ貸附シ地方ノ小商店ニアリテハ十數戶ノ連名ニテ連帶保證ノ下ニ適宜ノ金額ヲ貸附ス其期限ハ六ケ月ヲ限リ月利六厘トス

陳巡撫ハ昨今官帖ノ暴落セシニ鑑ミ爾後漸時官帖ヲ引揚ケ銀元票ヲ發行シ財政ノ整理ニ着手スヘキ計劃ニテ目下ノ場合成ルヘク官帖ノ貸附ヲ見合ス方針ヲ取レリ

光緒三十三年度ニ於テ官帖局カ利子ノ計算ヲナシ左ノ如キ純益ヲ得リト云フ以テ如何ニ多クノ貸附ヲナシ金融ヲ左右シタルカヲ窺知スヘシ

利息收入高	一、〇七三、〇三八・四九八吊
諸費及ヒ家屋建築費	六四、九七三・〇〇〇
差引純益	一、〇〇八、〇六五・四九八
內三割政府ヘ納	三〇二、四一九・六四八
內二割局內費(次年度ナルヘシ)	二〇一、六一三・〇九八
內五割積高金	五〇四、〇三二・七四八

第六　問屋

店員ニハ大掌櫃的、二、三ノ掌櫃的、管賬的、待客的、看貨的等總テ錢舖ノ如キモ其數多シ其他夥計ト稱スル學徒數人アリテ總店員少キモ十五人以上多キハ三十名ニ餘ル店行アリ資本主ハ一人ナルコトアリ或ハ數名ノ合資ヨリナルモノアリ大掌櫃的ハ主人ナルコトアリ資本主ナルコトアリ傭人ナルコトアリテ一定セス各傭人ノ資格給料等モ略ホ錢舖ニ同シ

家屋ノ構造ハ頗ル廣大ニシテ中庭ニハ馬車二十臺位ハ優ニ排列シ得ヘク各屋ノ庇下ニハ多量ノ貨物ヲ積載スルニ豐ナル空所アリ特ニ倉庫ト稱スル貨物ノ蓄藏所ヲ設ケ貨物ノ賣買主ノ爲ニハ構内ニ店(旅舍)ヲ設クル外尙ホ錢舖ヲ營ムモノアリ

營業ハ恰カモ吾國ノ問屋ノ如ク賣買ノ媒介ヲナシ綿布ニ對シテハ二分、雜貨ニハ三分其他ノ土產ニモ大概二三分ノ口錢ヲ以テ取引ヲ遂行セシム斯ノ如ク單ニ賣買ノ仲繼ヲ爲ス外金融機關トシテ價値アル點ハ商人カ貨物ノ賣買ヲナスニ當リ信用ニヨリ一時資金ノ立替ヲナシ或ハ錢舖ニ交涉シテ貸出(問屋カ證人トナリ)ヲナサシメ或ハ錢舖ヲ自營シテ貸出ス外銀塊ノ賣買ニ着手スル等金融上ニ尠カラサル影響ヲ及ホスモノナリ

第七　露淸銀行出張所

松花江沿岸ニアリ北淸事變以來無擔保ニテ多額ノ貸出ヲナシ一時人心ノ收攬ニ熱中シタリシモ日露戰役後ハ營業ノ不利ナルヲ見テ數十萬留ノ貸附ヲ一時ニ引キ揚ケタルヨリ大ニ信用ヲ害シ現時ノ狀況ニテハ淸人間ニ及ホス金融機關ハ微細ナリト云フヘシ

第八　錢經紀

金錢ノ貸借ヲ周旋スル一種ノ商人ニシテ我カ國ノ工入師ニ均シキモノナリ餘裕ノ遊金ヲ有スル者ハ票莊錢舖等ニ薄利子ニテ預金スルヨリ錢經紀ノ手ヲ經テ貸附ヲナシ月利二分五厘乃至三分ノ利子ヲ課ス借主ハ錢經紀ニ對シ口錢トシテ三厘乃至八厘ノ手數料ヲ支拂フヲ通例トス

第二節　商業補助機關

商業補助ノ機關トシテハ店行鏢局ノ二アルノミ

第一　店行

店行ノ本業ハ商業補助ニアリ即チ賣買ヲ仲介シテ貨物ノ受渡ヲナシ賣主ニ對シテ買主ヲ周旋シ買主ニ向テ賣主ヲ求メ且ツ兩者ノ中間ニ介在シテ取引ヲ遂行セシムル等商業ヲ補助スル重要機關タリ換言スレハ問屋アルカ爲メニ貨物ハ能ク集リ又能ク散シ加フルニ取引モ亦極メテ簡便ナリ左レハ市場ニ貨物ノ輻輳頻繁ナレハ一般需用者ノ多キニ起因スルヤ論ナシト雖トモ又問屋ニ待ツ所大ナリト謂フヘシ彼ノ問屋ニ金錢ノ融通ヲ計ルカ如キハ本業タル商業補助業ニ基ツク種子タルニ外ナラス

第二　鏢局

東三省ノ如キ馬賊徘徊スル地方ニ於テハ貨物ノ運搬ニモ頗ル危險ナレハ遠隔ノ地ニ在ル商人等ハ互ニ貨物ノ受授ニ不便ヲ感スルコト多キヲ以テ成ル可ク取引ヲ見合ス方針ヲ取ルモ亦一利ナキニアラス然ルニ航海地ニ海上保險業ヲ營ムモノアルカ如ク當城ニハ馬賊ノ遭難ヲ保險スル一種ノ保

險業者アリ名ケテ鏢局ト云フ此ノ鏢局アルカ爲メニ危險地ヲ通過スル貨物ニ對シテモ安全ニ取引ヲナシ得ルヲ以テ正シク商業補助機關タリ

鏢局營業ハ馬賊ノ遭難ヲ保險スルカ故ニ若シ豫定地ニ達セサル前ニ不慮ノ遭難アレハ事情ニヨリ全部或ハ一部ヲ辨償ス其保險料ハ距離ノ遠近ト貨物ノ價格ニヨリ一定スル能ハストモ普通ノ貨物ハ一件ニ付吉長間ハ五百文ト元寶長一錠ニ付五百文銀元百元ニ付三角官帖一千吊ニ付キ二吊文ノ割合ナリトス

該局ト數年以前迄非常ニ繁榮シ毎日五六千輛ノ貨物ヲ保險シ貨物ノ運搬ヲ安全ナラシメ一年一戶ノ保險料額二十餘萬吊ニ上リシコトアリシモ近時吉林ノ衰運ニ連レ保險料モ減少シタリト云フ

鏢局カ貨物ヲ保險スルヤ壯丁ニ銃器彈藥ヲ給與シ保險車輛各一臺ニ一二名ヲ座乘セシメ車上各自局名ヲ記シタル旗標ヲ樹テ荷主ト共ニ豫定地ニ護送スル由ナリ聞ク所ニヨレハ鏢局ハ孰レモ馬賊ト連絡ヲ有シ甚タシキハ營業主其者カ馬賊ノ變身ニシテ使用壯丁等モ多クハ馬賊ニ多少ノ經驗アルモノナリト

第七章　交通

第一節　陸上交通

吉林ハ水陸共通ノ便ヲ有シ水ニハ上流二道江下小額河ヨリ朝陽鎮ニ通シ下流ハ伯都納ヨリ哈爾賓

ニ至ル迄總テ松花江ノ水運ニヨリ陸ニハ伊通州ヲ經テ鐵嶺、奉天、營口ニ通シ北京ニ達スル御路アリ北ハ長春ニ通スル大路ト東北烏拉街ヲ經テ阿什河ニ至ル大路ト東方額木索ヲ經テ一ハ敦化、延吉廳琿春ニ一ハ寧古塔ヨリ涼水泉子ヲ經テ琿春ニ達スル大路アリ是等ノ諸路ヲ大別スレハ左ノ如シ

一、長春及ヒ伊通州ヨリ奉天ニ通スルモノ

二、阿什河及ヒ伯都納ニ通スルモノ

三、寧古塔及ヒ琿春ニ通スルモノ

四、寛街(官街)ヲ經テ奉天ニ通スルモノ

五、韓邊外ノ夾皮溝ニ通スルモノ

一、吉林城ノ西門ヲ出ツレハ長春ニ通スル大路ニシテ老爺嶺ヲ越ヘ省城ヨリ四十五清里ヲ隔タツル大水河站ニ至リ大路ハ二ツニ分タル之レヨリ西ニ向ヘハ波泥河子、放牛溝ヲ經テ長春ニ至ル里程二百四十清里、大水河ヨリ西南ニ向ヘハ伊通州ヨリ奉天ニ通スル御路ニシテ伊勒門站、蘇瓦延站、伊巴丹站等ノ諸驛ヲ經テ伊通州ニ到ル里程二百五十清里アリ伊通州ヨリ更ニ鐵嶺ヲ經テ奉天ニ達ス

吉林、長春間通路上ノ村落

吉林十五里、二道嶺子十五里、老爺嶺五里、出門子嶺十里、大水河五里、楊家居十里、蘇同河十里、憑家嶺五里、楊家店七里、王家窩子三里、楊大橋六里、段家屯七十四里、連道窪七里、和尚窩棚三里、三道嶺子六里、馬

屯以上百二十一清里

馬興屯九里、窑站十里、石灰窑子八里、孫家灣十里、河窑二里、范家屯八里、石廠四里、老燒鍋四里、放牛溝十里、大双頂子十五里、小双頂子十里、馬頭臺十里、稗子溝二十里、長春以上百二十清里

二、省城北極門ヲ出テ直チニ玄天嶺ヲ越ユレハ七十清里ニシテ烏拉街ニ達ス此ノ間道路ハ平坦ニシテ砥ノ如ク地味ハ肥沃ナルヲ以テ農産物ニ富ム更ニ北進シテ蘇蘭河站、法特哈站ヲ過キ登依勒折庫站ニ至レハ道路二分ス此ノ分岐點ヨリ左ニ進メハ伯都納街道ニテ盟溫站ヲ過キ陶賴略ニ至リ東清鐵道ヲ横斷シ孫札堡站、浩色站、社里站等ヲ經テ、伯都納ニ達ス六百清里

登依勒折庫站ヨリ右ニ進メハ楡樹、拉林多歡站ヲ經テ阿什河ニ到ル四百八十清里

三、東門ヲ出テ江沿兒ニテ松花江ヲ渡リ額赫穆勒站ヲ過キ老爺嶺、張廣才嶺ヲ越ヘ額木索ニ至ル四百清里額木索ヨリ正東ノ路ヲ進メハ必爾藤站、沙蘭站ヲ經テ寧古塔ニ達ス七百五十清里

額木索ヨリ正南ノ大路ヲ取レハ通溝崗子ヲ經テ西南ニ向ヒ敦化ニ至ル五百二十清里

通溝崗子ヨリ東南ニ向ヘハ哈爾巴嶺ヲ越ヘ甕聲磖子ヲ過キ延吉廳ニ到リ更ニ東南ニ進メハ琿春ニ至ル千百清里

吉林琿春間街道上ノ村落

吉林十二里、江沿兒十里、溝勾十里、皇山嘴十里、小茶棚五里、高家窪子五里、大茶棚十里、江密蜂五里、崔家屯五里、西三家子二里、三家子三里、八府屯五里、五家子五里、蒙古河五里、二家子八里、双岔河八里、額赫穆

勒站五里、皇山子五里、窩集溝五里、五道河五里、六道河五里、七道河五里、八道河五里、老爺嶺上七里、老爺嶺下十五里、西小孤家子七里、小孤家子八里、大孤家子五里、新站十里、磖子後十五里、岩巴河八里、腰子嶺五里、張嶺三里、額勒河十里、樺樹林子六里、八里堡十里、窩瓜站二十里、三道河十里、嶺西對家店十四里嶺頂八里、嶺東頂八里、東嶺下胡家店五理、窩集溝八里、意氣松站十五里、珠爾得河九里、梨樹溝三里、樺樹林子十三里、三嘴子五里、額木索計三百七十清里、

額木索二十五里、三岔口二十里、捕魚河十二里、四道門十五里、通溝崗子十五里、馬圏子五里、二河店七里沙河店八里、興隆川八里、大橋八里、黃土腰子一里、河西三里、河東六里、狐山子五里、涼水泉子五里、板橋子五里、巴家店五里、巴嶺二十里、減廠溝十五里、蜂蜜磖子十五里、兩平臺十五里、棍手磖子十三里、王巴脖子十二里、甕聲拉子十二里、土門子二十五里、五個頂子二十五里、楡樹川二十五里、老頭兒溝二十五里、銅佛二十五里、寺朝陽川二十五里、局子街累計七百七十清里、

局子街四十里、依林溝二十里、葦子溝五里、小盤嶺下十里、嘎呀河十五里、高麗嶺西下十里、嶺頂三十里、窟窿山西下二十里、涼水泉子三十里、密占十五里、大盤嶺十五里、用灣子十二里、陰楊河六里、用灣子十二里琿春累計一千〇十里

四、西門ヨリ十二清里ニシテ馬家屯ニ至リ左右ニ分岐ス一ハ三家子青嘴子ヲ經テ寛街ニ出テ朝陽鎮ニ達ス本路ハ小嶺アルモ車輛ノ往來ヲ妨ケス一ハ西南雙河鎮、烟筒山ヲ經テ磨盤山ニ至リ朝陽鎮ヲ通シ更ニ省界ヲ越ヘテ奉天省海龍ニ通シ海龍ヨリ奉天ニ達ス總テ八百清里

五、西門ヲ出テ溫德亨河ノ細流ヲ渉リ紅旗屯、藍旗屯ヲ經テ大鷹溝口ヨリ江流ヲ離レ韓邊外ノ樺樹林子ヲ通シ夾皮溝ニ到ル

備考（以上各項ノ終リニ里程ヲ記スルモノハ總テ吉林ヨリノ里數ト知ルヘシ）

吉林ヨリ省内外ノ各市街ニ至ル里程表左ノ如シ

地名	里數(淸)	地名	里數(淸)	地名	里數(淸)	地名	里數(淸)
寛城子	二四〇	哈爾賓	五七〇	鄭家屯	五五〇	海龍城	三七〇
烏拉街	七〇	寧古塔	七五〇	昌圖	五八〇	樺樹林子	三五二
双城堡	四八〇	琿春	一、〇一〇	磨盤山	二六〇	寛街	二五〇
北林子	七八〇	局子街	七七〇	營口	一、一六〇	奉化	四八〇
農安	三八〇	三姓	一、三〇〇	奉天	八〇〇	北京	二、三〇〇
懷德	三五〇	伯都納	六〇〇	鐵嶺	六七〇	山海關	一、六〇〇
賓州	六一〇	呼蘭	六〇〇	開原	六〇〇	敦化	五〇〇
齊々哈爾	一、二〇〇	阿什河	四八〇	伊通州	二五〇	額木索	三七〇

松花江ノ航行期ハ毎年四月中旬解氷期ヨリ十一月中旬結氷期ニ至ル間約七ヶ月間トス而シテ江水増漲シ舟楫ニ便ナルノ時期ハ四月下旬ヨリ五月上旬ニ至ル解氷雪期（上流地方）ト夏季七、八月ノ降雨出水期ノ二節トス此等ノ時期ニ至レハ各種ノ民船貨物ヲ積載シテ江流ヲ上下シテ頗ル殷賑ナリ

航路ハ小額河ト本流トノ合流以上ハ殆ント舟楫ノ便ナシ是ヨリ下流輝發河ニ至ル迄ハ水量多カラサルモ掛蠟船ノ航行ニ不便ヲ感セス輝發河ヨリ下流ハ水量俄カニ増加シ更ニ木欽河ヲ合セ大鷹溝ニ至レハ江流次第ニ廣ク約二百間アリト云フ大鷹溝ノ下流ニテ漂河、拉法河ヲ合セテ江身狹アリ吉林ニ至レハ江廣百五十間深サ六尺乃至八九尺ニ達ス（最モ調査當時ハ近年稀ナル出水中）之ヨリ下流ハ舟楫頗ル便ニシテ民船ノ外露國東清鐵路公司ノ汽船（吃水二尺、積載量五十噸）及ヒ吉林勸業道ノ經營ニ係ル汽船一隻、吉林、老燒鍋間ヲ航行セリ

船舶ノ碇繫所ハ官碼頭、二碼頭、三碼頭、頭碼頭ノ四ヶ所アリ

水運表

地名	吉林ヨリ水路	上リ日數	下リ日數	件數	價額	備考
老燒鍋	四百清里	下リ二十三時間	汽船（上下共）		一人二等四留一 一人三等一留五	一等室ナシ
上流長山屯	二百清里	四	一日半	一件	二吊五百文	民船

同大鷹溝	三百六十清里	七	三日	同	三吊九百文	同
同葦沙河口	百五十清里	十一	五日	同	五吊七百文	同
同朝陽鎮	一千清里	二十五	十日	同	八吊文	同
同寛街	六百清里	十二	四日半	同	六吊二百文	同
下流烏拉街	百清里	三	一日	同	九百文	同
同五棵樹	三百五十清里	八	三日	同	三吊文	同
同老燒鍋	四百清里	九	三日半	同	四吊文	同

第八章　運搬機關

第一節　種類

運搬機關トシテハ車輛ト駄子ナリ車輛ニ屬スルモノ數種アリ荷馬車、轎車、推車、即チ之ナリ駄子ハ騾驢ノ背上ニ荷物ヲ乘セ運搬ス其他冬季ハ爬犁アリ

一、荷馬車ハ一名大車ト稱シ荷物ノ運搬ニハ最モ必要ナリ吉林ヨリ各所ニ通スル街道ハ一トシテ馬車ノ通セサル所ナキモ就中寛城子街道ハ往來殊ニ頻繁ニシテ四時輪響鞭聲絶ユルコトナシ車輛ノ往來ニ最モ便利ナル季節ハ十一月初旬ヨリ翌年ノ三月初旬ニ至ル約四ヶ月間トス

馬車ノ載積量ハ車ノ大小ト挽馬ノ多少ニヨリ一定セサルモ一車ニ付馬、騾、驢合シテ四頭ニテ一千斤ヲ曳キ一日八十淸里ヲ歩行シ得ヘシ最モ山路泥濘ノ地ハ例外トシテ冬季ナレハ一千三百斤ヲ運搬シ得ヘシ

馬車ニハ二三頭曳ヨリ十頭十二頭曳マテアルヲ以テ一車何斤ト定メ難シ九頭曳ニテ三千斤十二頭曳ニテ四千斤ヲ運搬シ一日六七十淸里ヲ行クコトアリ普通馬車ハ馬、騾四五頭ニテ一千二三百斤ヨリ一千四五百斤ヲ運搬スルモノ多シ

二、轎車ハ專ラ通行者ノ乘用ニ供スルヲ以テ幌ヲ用ヒ殊ニ冬季ハ内部ニ毛皮ヲ張リ防寒用ニ宛ツ大抵騾一頭曳ナルモ寛城子ノ好キ遠距離ニ行クモノハ二三頭ナルヲ通例トス又轎車ハ乘用ノ外銀塊其他ノ貴重品ヲ積載シテ運搬スルコトアリ三四頭曳ニテ一千斤乃至一千四五百斤以内トス

三、推車ハ孤輪車ニテ人力ニテ推シ進ムル車ナリ市中ニテ肉類其他ノ食用品ヲ運フニ用フ推車ニ重量ノ貨物ヲ積ムトキハ一人先キ曳ヲナシ一人後方ヨリ推車ス又驢ニ引カシメ一人後方ヨリ推スモノアリ之レヲ大推車ト稱ス其外紅推車ト稱スルモノアリ大小二個ノ車輪前後ニ並ヒ後方ヨリ推進ス此等推車ノ積載力ハ二百斤乃至六七百斤以内トス總テ積載力少ナキ代リニ如何ナル經路ニテモ通行シ得ルノ特點アリ

四、駄子ニハ騾駄子ト驢駄子トアリ山路ノ多キ交通路ハ駄子ヲ以テ貨物ヲ運搬ス騾駄子ノ積載力ハ二百四十斤ニテ驢駄子ノ運搬力ハ百二十斤ヲ以テ定量トス

五、扒犁ハ冬季結氷後盛ニ使用サルル運搬器ニテ松花江ノ上流ヨリ木炭、薪、柴等ヲ運ヒ來ルコト多シ速力ハ馬車ニ比シテ速ク、積載力ハ馬匹二三頭ニテ七八百斤乃至一千斤以內ヲ運搬シ得ヘシト云フ

第二節　運賃

運賃額ノ概表左ノ如シ

馬車ハ一件ヲ以テ數ヘ大概百斤乃至百二十斤トス

馱子ハ斤數ヲ以テ計算シ或ハ一馱ヲ以テ定ム

地名	到着日數 夏	到着日數 冬	一件ニ付	運賃概額 夏	運賃概額 冬
寬城子	三日	二日	同	五吊文	二吊文
奉天	十一日	七日半	同	二十吊文	八吊小
鐵嶺	八日半	四日半	同	十二吊文	六吊文
伊通州	三日	二日	同	五吊二百文	二吊五百文
營口	十四日	九日	同	二十二吊文	九吊文
伯都納	十一日	六日	同	十五吊五百文	七吊文
哈爾賓	十日	五日半	同	十一吊五百文	五吊文

第九章　商業慣習

第一節　度量衡

一、尺度　吉林ニテ使用スル尺ニ三種アリ

一、栽尺　布帛ヲ計ルニ用ユ我曲尺一尺一寸六分ニ當ル

二、蘇尺　土布ヲ計ルニ用ユ我曲尺ト全ク同シ

三、木尺　戸部ノ制定セルモノニシテ一名魯班尺ト稱ヘ建築用及ヒ田畑ヲ計ルニ用ユ我曲尺一尺四分五厘ニ當ル

二、斗量　斗ニ官斗、市斗ノ別アリ

一、官斗ハ口經狹ク底經廣シ一般商界ニ使用サレス

二、市斗ハ口經廣ク底經狹シ一般商農共ニ使用ス

市斗ノ大サハ上部口邊一尺二寸七分底邊八寸八分五厘深サ七寸九分アリ

斗桝以下五升桝、一升桝、半升桝アリ、一升桝以下ハ桝角ヨリ桝角ヲ仕切ルニ薄板ヲ用ヒ五合桝代用トシ又四ツニ仕切リ二合半桝ノ代用トス一升桝以上ハ官衙ノ烙印ヲ受ケサルヘカラス其手數料七吊半乃至十五吊以内ニシテ桝ノ大小ニヨリ差異アリ

斗量ノ標準ハ各地方官衙ニ於テ被告人ヲ召喚スル際ニ用ユル籤ト稱スル竹篦若クハ小木片ヲ挿入

レアル箭ト稱スル錫製ノ器ニヨリ定メタルモノニシテ箭ノ長サハ各省共同一大ナリト云フ吉林地方ニテハ二十五箭半ヲ以テ一斗トナス我カ一斗二升八合ニ相當ス

三、權衡ニ左ノ三種アリ

一、戥子　藥材其他ノ貴重品ヲ秤ルニ用ユ

二、天平　金銀ヲ秤ルニ用ヰ我カ皿量ニ似タリ

三、秤　各種ノ貨物ヲ計ルニ用井我カ舊式秤ニ似タリ

戥子ニハ大小數種アリテ最大ハ五十五兩、最小ハ五錢ヲ秤リ得ヘシ大平モ亦最大限五十五兩トシ夫レ以下ヲ秤ルニ用ヰ以上ハ一時ニ秤ル能ハス秤ニ大秤、小秤ノ二種アリ大秤ハ百斤以上ヲ衡リ得ルモノヲ言ヒ百斤以下ヲ衡ルモノヲ小秤ト名ツク而シテ小秤ノ百斤ハ大秤ノ九十八斤強ニ當ルコトヲ記憶スヘシ

鹽ヲ衡ルニハ一種ノ秤ヲ用ヰ普通秤ノ百斤ハ鹽秤ノ約百二十斤ニ相當ス又薪炭ノ賣買ニハ極メテ不正格ナル秤ヲ用井大概百斤ニ付三斤乃至四五斤ノ差アルヲ以テ通例トナス

穀物ハ斗ヲ以テ算シ斤ヲ用ヰサルモ種類ニヨリ重量ヲ異ニスルヲ以テ試ニ斤數ヲ以テ示セハ次ノ如シ

粳米一斗	三十五斤	粟一斗	三十六斤
大豆一斗	三十五斤	高粱一斗	三十五斤

小豆一斗　三十八　　綠豆一斗　三十八斤

黑豆一斗　三十四斤　　小麥一斗　三十二斤

第二節　市

一、銀市　省城財神廟ニ於テ毎朝午前八時頃ヨリ九時半頃迄銀市ヲ開キ銀塊及ヒ小銀貨ト葉錢トノ交換率ヲ定ム此ノ銀市ニ於テ公定シタル相場ヲ以テ一般市中ノ相場トス

銀市ニ加入セル店舗ハ主ニ錢舖、票莊、雜貨店、店行等アルモ悉ク加入スルニアラス目下ノ銀市總加約商舖ノ數七十餘戸アリ一ケ年ニ付各戸五十吊文ヲ財神廟ニ納金スルノ規定ニシテ而シテ此等銀市組合ノ監督者ハ吉林商務總會ノ擔任トス今若シ組合以外ノ商戸カ銀市ニ於テ銀塊ノ賣買ヲ爲サント欲セハ假カニ組合ニ加入スルカ或ハ平素特意トスル錢舖ニ銀塊賣買ヲ委托セサルヘカラス

銀市ノ取引狀況　組合商戸ハ毎戸二三人ノ店員ヲ銀市場ニ派遣スルヲ以テ財神廟ニハ毎朝三百内外ノ組合員集合ス此ノ集合ニヨリテ相場ハ確定セラルルモノトス而シテ相場ノ確定ハ普通一日一回ナルモ經濟界ノ事情ニヨリ銀價ニ著シキ變動アル場合ニハ一日二回若クハ三回銀市ヲ開クコトアリ此ノ第一回ノ相場ヲ頭行ト稱シ第一回ヨリ第二回ニ至ル間ノ公定相場トス二行三行ハ之ニ準ス

銀市ニ於ケル銀塊賣買ハ其實物實額ヲ受授スルニアラス單ニ賣買ノ契約ヲナシ實物實額ノ受授

ハ更ニ次回ノ銀市（次回トハ單ニ其翌日ノ銀市ニ限ラサルナリ）ニ於テ時價ニヨリ實行サルルカ故ニ取引者ハ豫メ後日相場變動ヲ推側セサルヘカラス之レ等取引ノ受授期間ハ三ヶ月ヲ限リトシ短期ハ五日乃至十日ナルコトアリ

二、牛馬市　城内牛馬行通リノ牛馬税局門前ニテ日ノ出ト共ニ開市シ九時頃ニ至リテ閉市ス市場ニハ牛、馬、騾、驢等ヲ拉シ來リテ買手ヲ求メ直段ノ相談纏レハ賣手ハ税局ニ至リ税金ヲ納メ納税領收證ノ票ヲ得テ歸家シ又賣買主兩者カ直接取引ヲナサスシテ馬販兒ト稱スル我カ「牛馬賣買商」ト同一ノモノニ托シ賣買ノ目的ヲ達スルコトアリ此ノ場合ニハ賣買方ヲ托シタル者ヨリ馬販兒ニ對シ口錢ヲ支拂ハサルヘカラス牛馬賣買ノ最モ盛ナル季節ハ毎年十月、十一月、十二月ノ三ヶ月及ヒ毎年三四月ノ候トス前者ノ期節ニ於テハ農家カ秋ノ收穫ヲ終ヘ農事モ閑散トナリタルヲ以テ冬季中ノ馬糧代節減ヲ計リ飼養中ノ一部ヲ賣却センカ爲メニシテ後者ノ時期ニハ農作ヲ目前ニ控ヘタレハ耕耘用ニ馬匹ノ購入ヲ爲サントスルニ依ル加之ナラス以上兩期間ハ結氷中ノコトナレハ貨物ノ運搬ヲ專業トナサントスルモノ多ク恰モ需用供給ノ好配偶期ナレハナリ

三、穀物市　糧市ハ德勝門外ノ廣場ニ於テ毎朝開市セラルル各農民ハ各自ノ耕作物ヲ城内ノ問屋マテ運搬シ來リ宿泊シテ販賣方ヲ問屋ニ托ス問屋ハ此ノ賣付委托ヲ受ケ糧市ニ至リ買手ヲ求メ價格ヲ協定シ以テ賣買ヲ終了ス此ノ問屋口錢ハ大概賣却高ノ三分トス斗税總局ハ糧市ニ吏員ヲ派シ買主ヨリ徴税ス

四、野菜市　菜市モ牛馬行通ニアリ毎朝日出頃ヨリ開市シ終日閉市セス各野菜栽培者及ヒ小賣商人等ハ野菜其他ノ日用品ヲ市場ニ陳列シ需用者ノ購買ヲ待ツ菜市ハ馬行ノ外朝陽門内ノ一部ニモ毎朝小市開催セラル

五、苦力市　牛馬行ノ一部ニ毎朝多數ノ苦力集合シ各雜役ノ雇用ニ應ス夏季ハ總テノ工事多ケレハ供給苦力ノ數モ多ク市場ニ出テテ申込ヲ待ツ者百人ヲ越ユルコトアリト云フ

六、草市　江岸ノ白胡同道ニハ草料、瓜類、甘薯等ヲ時期ニ應シテ排列シ賣買ヲナス其他鷄市ト稱シテ鷄鴨卵等ヲ集メタル市アリ柴火市ト稱シテ燃料ヲ集積シテ販賣スル市モアリ

第三節　商店ノ休息日

商店ノ休息日　臘月大晦日ノ午後門戸ヲ關シ正月六日ニ至リ午後僅カニ二三時間開店シ猶ホ夫レヨリ十五日ニ至ルマテ毎日午前中ハ開店シ午後ハ門戸ヲ關シテ休業ス而シテ十六日以降ハ平素ノ如ク早朝ヨリ窓戸ヲ開キ營業スルモ黄昏ニ至レハ門戸ヲ關シテ營業ス

年末年始ノ休業日ヲ除テハ二月ノ立春五月ノ端午八月ノ中秋等ノ大節休業日アルノミ

商店棚卸　毎年正月三四日頃ニ點家貨ト稱シ棚卸ヲナシ帳簿ヲ改メ前年度ノ決算ヲナシ損益ヲ精算ス

第四節　決算期

一、商店ト顧客トノ決算期　官吏タルト商タルト農夫タルトヲ問ハス商店ニ信用アルモノニ對シテ

ハ商店ヨリ帖子（通帖）ヲ交付シ時ニ隨意ニ必要品ヲ取出サシメ五月端午、八月中秋、年末晦ノ三季以前二三日若シクハ五六日ニ請求書ヲ作リ品代ノ支拂ヲ請ヒ決算ス故ニ一年三回ノ決算期アリ

二、商店ト商店トノ決算期　前者ニ比シ一般ニ長期ニ亘ルモ各商店間特別ノ契約アリテ一定セス普通ハ一年三期ナレトモ期毎ニ精算スルニアラスシテ期内ニ於テ一部若シクハ大部分ヲ支拂ヒ殘餘ハ年末ヲ以テ精算期ト定ムルモノ多シ

三、票莊及ヒ錢舖ノ決算期　毎年一回十二月ニ於テ營業ノ決算ヲナシ支配人ハ貸借對照表ヲ作成シ本店ニ送リ本店ニ於テ之カ決算ヲナスモノナリト云フ

第十章　吉林在留本邦人

吉林在住者ハ明治四十年三月末初メテ領事館ニテ調査シタル頃ニテ戸數五十五戸、人口二百二十人ナリシカ其後次第ニ増加シ同七月ニハ二百六十七人トナリ然ルニ其後一般不景氣ノ爲メ他所ニ移轉スルモノ多ク最近ノ調査ニヨレハ百九十二人ニ減少シタリ

職業	人口	職業	人口	職業	人口
官吏	一二人	清官衙聘雇	五人	煙草（專賣局代理店）	一人
醫師	一	新聞通信業	一	煙草小賣	一
入齒師	二	貿易商（三井）	一	雜貨	一

職業	人口
銃刀劍商	一人
呉服商	一
料理屋	一三
飲食店	一
清涼飲料水業	一
藝妓	六
酌婦	三四
賣藥	二一
同行商	一
寫眞業	一
代書	一

職業	人口
硝子製造販賣	一人
理髪	二
女髪結	一
大工	一
旅人宿	四
雇人（銀行會社員）	一三
井戸堀	一
僕婢	四
有職者（家族）	四一
無職者（家族）	三
無職	一〇

職業	人口
計	一九二人
長崎 二三人　東京 一四人　佐賀 一八人　熊本 一〇人　山口 一〇人	
外國人	
佛宣教師	男 二
英宣教師	男 一　女 一
露醫	男 一
露銀行員	男 三　女 一
獨商	男 一
露東清鐵道員	男 一
計	一一

第十一章 延吉廳ヨリ吉林ニ至ル街道ノ情況

第一節 耕地及ヒ平地

局子街ヨリ朝陽川銅佛寺ヲ過キ官道溝ニ至ル間約六十五清里間ノ平地ハ所謂布爾巴通河ノ左右兩岸ニ屬シ幅狹キモ六清里ニ下ラス廣キハ十二三清里ニ及ファリ(局子街、朝陽川官道溝ヨリ老頭溝間ハ兩岸相迫リ老頭兒溝嶺下ニ至リテ地勢緩斜ス

以上ノ平地ハ頗ル耕作ニ適シ殆ント兩岸遠ク傾斜地ニ至ルマテ耕作サレ粟、大豆、大麥、小麥、稗、野菜等ヲ産ス

楡樹川、五ケ頂子間ニハ平地ト稱スヘキモノナク山間溪谷ニアル猫額大ノ耕地ニ過キス五ケ頂子ヲ過キ土門子ニ至ル間再ヒ布爾巴河ニ添ヒ銅佛寺大ノ平地アルモ濕地多ク耕作サレリルモノ三分許アリ土門子ハ布爾巴通河ノ左岸ニ位シ四外稍平地アリテ地味亦耕作ニ適シ濕地ナシ

土門子、甕聲磖子、ノ間ハ布爾巴通河ノ兩岸狹ク道路ハ右岸中最モ低キ崗丘(土丘ニ過キス)ヲ過キリ再ヒ河ヲ渡リテ甕聲拉子ニ逹ス路ハ丘陵ヲ過キリ左右崗巒ナルヲ以テ形チ恰モ土門ノ如シ今ハ牌ヲ立テ石門子ト名ツク一夫守レハ千卒越ヘ難キノ要害タリ

甕聲磖子ハ恰カモ甕ニテ取リ圍ミタル如ク磖子(岩ノ大ナルモノ)ヲ以テ繞ラシ北方ノ磖子ハ其上平坦ニシテ昔時ノ城趾カト疑ハル東北ハ大平溝ニ連リ三道灣兒ニ至ルヘキ經路アリ南方布爾巴通ノ一支流ト合スル平地ト相連リ恰モ大拉子ニ彷彿タリ四圍皆ク耕作サル之レヨリ王巴脖子ニ至ル十二清里間ハ平地ナルモ濕地多ク夏季車行ニ不便ナルノミナラス大半ハ不毛ノ地ニシテ水草アルノミ更ニ進ンテ棍牛磖子間ノ小平地ニ至レハ濕地ニアラサレハ耕作ニ適スヘキモ犂鍬ノ跡ヲ見ス人

家モ兩平臺ニ至ル間ハ僅カニ二戸ニ過キス

兩平臺、蜂密磘子、減廠溝、ヲ經テ哈爾巴嶺ニ至ル間ノ平地中耕地ハ三分ノ一ニ過キス殘部ハ荒地及ヒ濕地ナリ

哈爾巴嶺ヨリ敦化ノ界ニ入リ黄土腰子ニ至ル間ハ可ナリノ平地ニシテ朝陽川、銅佛寺間ノ平地ヨリ其幅廣シ主ナル耕作物ハ小麥、玉蜀黍、粟、稗、阿片等ナリ而シテ耕地ハ平地ノ二分ノ一ニ下ラス

黄土腰子ヨリ大橋ヲ經テ敦化ニ至ル路上ニテ最モ廣キ平地ハ八家子、大橋、興隆川、沙河店等ノ各村落ヲ一段トセル地帶ニシテ局子街大ノ廣袤アルモ人家僅カニ百五十戸ニ過キス耕作物ハ小麥、豆、玉蜀黍トス

敦化ノ平地ハ局子街ノ平原ニ比シ約二倍大ナルモ耕作ニ適セス阿許、小麥、稗等其主產物ニシテ粟之レニ次ク知縣謝祖蔭ノ語ル處ニ依レハ敦化縣管下ノ總耕地ハ僅カニ五萬晌ニシテ一晌地ニ付上下ノ別ナク六百六十文ノ地租ヲ徵收スト云ヘリ

敦化ヨリ馬圈子ニ出ツル間少許ノ平地ト通溝崗子ヨリ三岔口ニ至ル間殊ニ捕魚河ヨリ三岔口ニ至ル約十五清里間ニ緩斜ノ荒地アリ三岔口ハ珠爾得河ト牡丹江トノ合流點ニシテ吉林街道中唯一ノ大平原タリ地味ハ左ノミ饒豐ナラサルモ小麥粟ヲ產ス三岔口ヨリ額木索ニ至ル間二十五清里モ牡丹江岸大平野ノ一部ニ屬ス

額木索ヨリ張廣才嶺ニ至ル間約六十清里間ハ珠爾得河ノ沿岸ナレトモ河流ノ小サキ爲メ特ニ平原

ト稱スルニ足ルモノナシ張廣才嶺ヲ越ヘ吉林府ノ管下ニ入レハ濕地多キモ地味一般ニ好ク粟高粱等盛ニ栽培セラレタルヲ見受ク

張廣才嶺老爺嶺間ニハ額勒河ニ沿ヒ額勒及ヒ新站ノ小平地アリ耕作行キ屆キ煙草、粟、小麥、大豆等ヲ産ス

老爺嶺ヲ越ユレハ平地次第ニ廣ク兩側ノ山脈次第ニ低ク龍潭山ヲ繞リ江沿兒ニ出テ松花江ニ至リ吉林ノ大平地ニ合ス

要之哈爾巴嶺張廣才嶺ヲ以テ敦化ヲ狹ミ延吉吉林ノ界トナス如ク地味モ亦兩嶺ヲ界トシ著シク差異アリ吉林延吉地方ニテハ粟ノ穀稈三四尺ニ達スルモ敦化地方ニテハ二尺乃至二尺五寸以下ニシテ玉蜀黍ハ地上七八寸ヨリ一尺二寸内外ノ所ヨリ莢ヲ結ヒ高粱モ稈ノ長サ六尺ニ達スルモノ稀ナリ故ニ之レ等物資ノ生産表ヲ形ニ顯ハセハ敦化ヲ中間トシ「川」字形ヲ爲スモノト見テ差閊ヘナシ

第二節　通路

局子街ヨリ額木索迄ノ四百清里ハ半官道ニテ額木索ヨリ吉林間ハ昔時ヨリ寧古塔ニ通スルノ官道ナリ道幅官道半官道ヲ通シ二間乃至三間アリテ車馬ノ往來自由ナルモ處々ニ濕地アルト道路ノ修繕行屆カサル爲メ夏季ノ如キ降雨繁キ場合ニ於テハ交通ニ少カラサル不便ヲ感ス

左ニ大ナル濕地及ヒ山路ヲ擧クレハ

一、濕地

1. 老頭兒溝嶺ヨリ楡樹川ニ至ル緩降地帶五清里間
2. 五ヶ頂子、土門子間ノ平地一清里間
3. 甕聲磖子王巴脖子間八清里間(全部水草ノアル沮洳ノ地ニアラサルモ主ニ此ノ部ニ屬ス)
4. 兩平臺蜂密磖子間ノ一清子間
5. 蜂密磖子減廠溝間二清里間
6. 減廠溝、哈爾巴嶺間ノ二清里間
7. 板橋ノ前後八清里間(所々ニ水草ノ生スル所アリ其間ニ普通地アルモ雨天ニハ徒歩ニテ脚半ニ達ス)
8. 窩集溝及張廣才嶺ノ頂キ
9. 岩巴河ノ前後二清里及ヒ磖子後ノ東二清里間
10. 江密蜂、高家窪子、大茶棚及吉林附近各二三清里間

二、山路

1. 老頭兒溝嶺　2. 五ヶ頂子　3. 通溝崗嶺
4. 張廣才嶺　5. 老爺嶺

右ノ內、濕地及ヒ額木索、窩集溝間ノ小サキ濕地ニ對シテハ吉林工程隊カ材木ノ丸太ヲ並ヘ其兩端ヲ釘ニテ止メ修繕シアルモ其餘ノ濕地ニ就テハ何等ノ修繕ヲ施サス就中最モ甚タシキハ4.5.1.9.10.ニシテ支那荷馬車一臺ニ四百斤ヲ積ミ泥濘車軸ニ達ス山路ニ關シテ吉林工程隊ノ作業ハ單ニ降雨

ノタメ砂土ヲ流シ路上ニ石角ノ露出セルモノヲ石槌ニテ破壞シ去リ或ハ道路ノ一帶ヲ五寸乃至一尺堀リ下ケ地隙ヲ塡メ石片ヲ路ノ兩側ニ疊積ミタルノミニシテ別ニ排水溝ヲ設ケス其他急激ノ坂路ヲ新ニ改造シタルカ如キ形跡更ニナシ

河流ノ通過ニ關シテハ牡丹江通嗣子ノ砂河松花江等ニハ古來渡船ノ備ヘアルモ其他ノ河川若シクハ溪流ニ至リテハ唯ニ渡船ノ設ケナキノミナラス橋梁ノ備ヘナク折角露軍ノ遺物トセル架橋モ多クハ橋柱腐朽シ土人ハ跣足徒渉シテ相往來ス若シ一夕聚雨降ランカ溪水俄カニ汎濫シ忽ニシテ交通杜絶ノ不便ヲ見ルコト珍シカラス

第三節　沿道ノ人家

村落ハ散點シテ人家集合セス是ヲ以テ一部落ニテ二淸里乃至十淸里以上ニ亘ルコトアリ而シテ地名ハ單ニ人家ノ存在スル地點ノミヲ以テ普通稱呼スル地名ナリト考フヘカラス左レハ甲ノ地ヨリ乙ノ地ニ至ル里數ヲ問フニモ人家ハ戶々散在スルヲ以テ甲村ト乙村トノ距離ヲ確ムルニ困難ナルコトアリ

吉林街道ニテ人家多キ村落ハ銅佛寺、朝陽川、甕聲磖子、黃土腰子、大橋、通溝嗣子、額木索、江密蜂、皇山嘴等ニシテ如上ノ村落ニハ孰レモ三十戶以上ノ人戶アリ

地名	戶數
銅佛寺	一五〇
朝陽川	一〇〇
下官道溝	五
官道溝	八
老頭溝	一〇
楡樹川	五
五ヶ頂子	九
土門子	一六
甕聲磖子	三〇
王巴脖子	二
棍手磖子	一
八、七、六、五道河子	一二
窩集溝	九
蜂蜜磖子	一一
兩平臺	三
減廠溝	二
哈爾巴嶺下	四
板橋	二
涼水泉子	三
孤山子	六
石頭河	五
黃土腰子	三〇
大橋	四〇
興隆川	二〇
額嚇木兒站	四
双禽河	二五
馬圈子	一一
通溝嵦子	八〇
四道門 揷魚河	一三
三岔口	四
三道河	八
額木索	一二〇
三嘴子	五
樺樹林子	三
梨樹溝	三
珠爾後河	三
意氣松站	二
蒙古河 五家子	四
八府屯 三家子	二三
窩集溝 張嶺下	二
張嶺下西	五
三道河	四
窩爪站	二五
八里堡 花樹林子	七
額勒河	一二
岩巴河	六
磖子後	三
新站	八
大孤家子	一一
小孤家子	一〇
江密蜂	三四
大茶棚 小茶棚	二〇

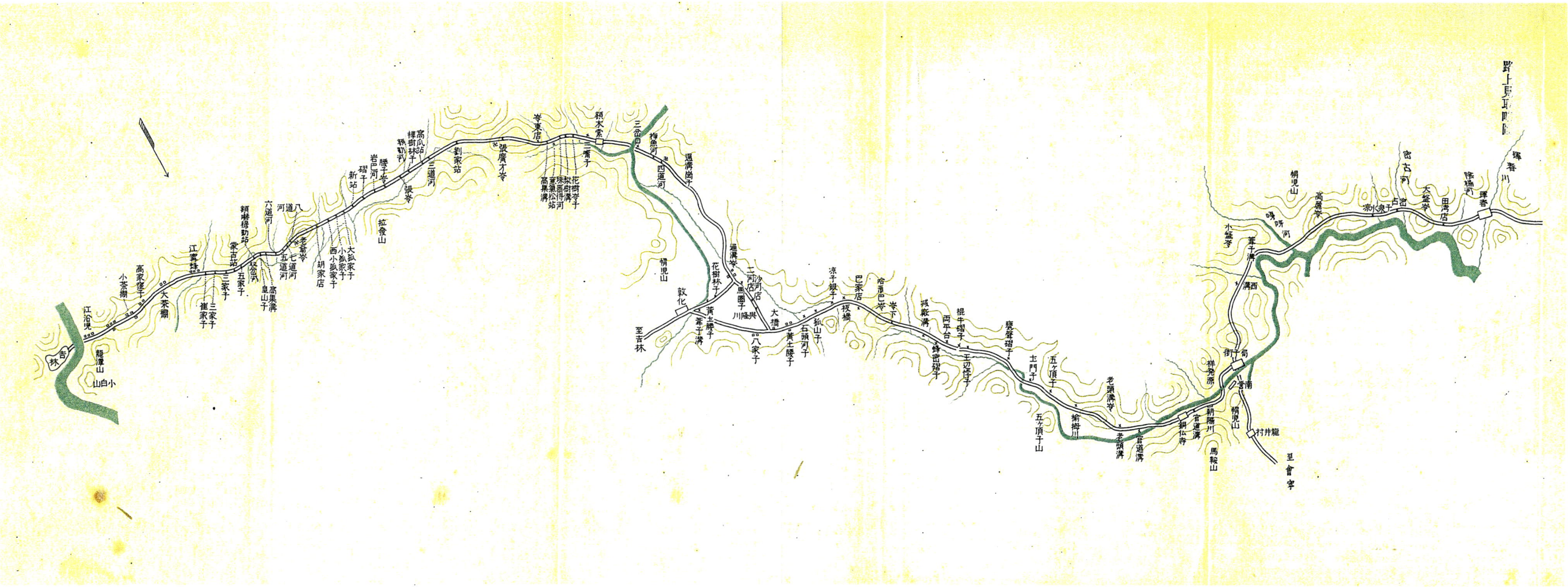

路上見聞図
琿春川
琿春
吉林
龍潭山
小白山
大茶棚
敦化
至吉林
至會寧
局子街
南営
龍井村
銅仏寺
帽児山
馬鞍山
大橋
拉發山
劉家站

皇山子	一三
二家子	一八
崔家屯	六
高家窪子	五
皇山嘴子	三〇
江沿兒	五
合計	一、〇一二戸

備考　韓人家屋ハ沿道上ニハ銅佛寺以北ニナシ

第十二章　結論

吉林ノ現狀カ沈淪不振ノ境遇ニ陷リタルハ東清鐵道開通シテ寬城子ノ爲メニ商業範圍ヲ減殺サレタルニ基因スルモ目下計畫中ナル吉長鐵路カ開通シタル曉ニ於テハ木材ハ吉林ヲ經テ南滿地方ニ輸送サルヘク南山荻及ヒ輝發河ノ藍靛ハ全部吉林ニ集合シ萬寶山ノ石炭モ需給ノ關係上其產出額增加スヘク烏拉街及ヒ吉林附近ノ大豆モ長春ニ向ハヘク缸窰產ノ磁器モ吉林ニ出テ長春ニ再輸出スヘシ之ヲ要スルニ以上主產物カ種々ノ障害ヲ排シテ吉林ニ集中スルヤ明カナリ即チ一例ヲ擧クレハ朝陽鎭ヨリ海龍ニ出ツル物資ノ如キ伊通州ノ東方二三十淸里間ノ地方ヨリ產出スル物資カ長春ニ向フカ如キ孰レモ吉林ニ向テ集合スヘシ左レハ巳往ノ如ク懷德、農安、伯都納等ノ需給品ヲ長春ヨリ奪取スルコトハ到底不可能ナルモ吉長鐵道開通セハ吉林地方ノ土產物騰貴シテ輸入物品低廉トナルコト必然ナルヲ以テ輸出輸入ヲ增額セシメ吉林ニ對シ多大ノ利益ヲ與フルノミナラス之レカ爲メ新事業ノ勃興穀物ノ需用多キヲ致シ耕地ノ擴張ト共ニ勞銀ノ騰貴トナリ無職ノ徒モ職ヲ得テ購買力ヲ增加スルニ至ルヘシ更ニ將來吉林淸津間ノ鐵道ノ開通ヲ想像セハ淸津吉林間ハ百十里乃至百二十里ノ軌長トナリ營口長春間ノ百二十二里(三百哩)ト大差ナキモ吉長間約二十五里ノ軌長ヲ加フルトキハ營口吉林間ハ約百五十里トナリ大連長春間百七十七里餘(四百三十四哩四鎖)之ニ吉長間約二十五里ヲ加スレハ二百二里トナルヲ以テ吉林ノ輸出入品ノ徑路ニ一大變化ヲ來スヘキヤ論ヲ俟タス唯タ玆ニ顧慮スヘキハ通貨ノ一點ナリトス營口吉林間ハ銀塊ノ賣買ニテ送金シ得ルノ機關完備セルモ清津吉林間ニハ何等ノ機關ナシ故ニ此ノ機關ニ對抗スルニハ第一銀行支店(吉清鐵道開通スル頃ニハ吉清會寧ニ支店ノ設立アルヘシ)ト正金銀行支店(目下ナキモ右ノ時期ニ至ラハ設置サルヘシ)カ相連絡シ互ニ爲替ノ便宜ヲ計リ必要ニ應シ隨時商人ノ請求ニ應シテ各兌換券ヲ交換シ(時價ニヨリ)通貨ノ融通ヲ計ルコト最モ緊要ナリトス目下吉林省ニ行使シアル官帖ノ下落ヲ挽回セノカ爲メ銀元ニ對スル銀票一元、五元、十元ノ三種ヲ發行スルコトトナリ已ニ五萬元ヲ發行シタリ今後一定ノ準備銀ヲ備ヘ銀票ヲ發行シ官帖ノ引揚ケカ確實ニ行ハルル時期ニ進マハ吉清貿易ハ益々有望タルヘキナリ今吉林ニ於ケル將來有望ナラント思考サルル起業ヲ列記セハ左ノ如シ

一、水道ヲ設計スルコト

吉林ノ井水ハ執レモ鹽分ヲ含ムヲ以テ衞生ニ害アリ宜シク官廳ノ保護金ヲ得テ設計スヘシ

二、水力ヲ應用シ製材器ヲ据ヘ付ケ板材製造ニ從事スルコト

三、燐寸會社ヲ起シ燐寸製造ニ從事スルコト

松花江ノ上流ニハ軸木ニスヘキ楊樹多シ故ニ河流ニヨリ吉林ニ流シ燐寸製造ノ原料トスヘシ

四、醬油製造業ヲ起スヘキコト

吉林附近ハ大豆ノ產額多ク價格モ亦廉ナルヲ以テ之ヲ原料トナスヘシ

五、製紙原料ヲ製シ兼テ製紙業ヲ起スコト

松花江ノ上流ニハ原料トスヘキ杉松アルヲ以テ上流適當ノ位置ヲ撰ヒ原料製造所ヲ設ケ且ツ各種ノ紙ヲ製造スルコト

六、目下製造中ノ製紙ニ改良ヲ加フルコト

七、主產タル煙草、藍ノ栽培ニ改良ヲ加フルコト

電氣燈ハ電燈有限公司ノ設計ニ係リ着々進行中ニテ已ニ電柱ヲ樹ツヘキ地穴ヲ堀リタレハ遠カラス點燈ノ運ヒニ至ルヘシ

道路ハ今回陳巡撫カ改修ニ苦慮シツツアリト云ヘハ改築迄ニハ多少ノ時日ヲ要スルモ實行サルヘク同時ニ下水モ改浚セラルヘシ

附錄

第一　吉林居住清人ノ職業及戶數人口表（光緒三十三年十二月吉林巡警總局ノ調査ニ據ル）

戶數ニ於テハ調査漏レトナリタルモノナキモ人口ハ旅居同居スルモノ多ク加フルニ官吏ノ住家モ多シ之レ等カ使用人等ハ算入セサルモノ少ナカラス

職業別	戸數	人口
官職	二二九	一、八二八
兵勇	二九八	一、七二五
巡警	二二	八四
紳商	七三	四一三
教讀	六七	四一三
醫士	一〇二	四七八
繙譯業	六	四九
澡堂	七	一〇八
氷窖	二	一二
磚窖	九	二〇八
煙士莊	三四	一三五
飯館	一二二	九八〇
茶館	二三	二一三
餃舖	三四	六六五
酒舖	一六	二二
油舖	二九	九七
水舖	一五	四八
尖餅舖	四四	三九
茶食舖	三四	四三二
米面舖	九一	一、〇六〇
茶葉舖	一二	六〇
首飾行	一四	一九六
廣貨行	七	五九
雜貨行	三四	七一六
鍾表舖	二三	八三
葯材行	五八	三四八
鹽店	｜	｜
客店	一〇四	九五六

農業	二三	一〇八
皮舖	九四	六四五
鞍鞊舖	一六	一五九
當舖	二一	四八六
車業	七七	五八六
船業	四	一八
山業	一七	五八
洋行	五	四五
鞋行	八	二七
靰拉舖	四六	三六三
估衣行	八	三三
帽舖	二三	二二三
鞋舖	八五	七二二
烟舖	三六	一七九
肉舖	五二	三二四
花廠	一一	六〇
傘舖	五	一六
木材舖	二七	三〇二
灰煤廠	三	一四
蒸食舖	一八八	八七四
雜貨舖	一二九	二、五四四
葯材舖	七五	六九八
廣貨舖	一四	三一三
燈籠舖	六	五四
首飾舖	八六	八二三
襪子舖	一八	二〇
書舖	八	五七
筆舖	八	三六
刻字舖	二九	五六
裱書舖	五	五

職業別	戸數	人口
刊木頭	一三五	七四四
鍼匠	三	二三
錫匠	一三	五一
銀匠	九〇	四三一
箍匠	一二	二一
紙匠	三八	二三
染匠	一二五	一四一
花匠	四	一四
油匠	四	一三
油漆匠	二	七
餜子舖	一八	八一
餑子舖	五	三一
蠟舖	一一	九九
筐舖	一四	一八

職業別	戸數	人口
菜床子	四八	一八二
香匠	二七	一〇九
車匠	四七	二三四
京貨莊	七	六九
繩子匠	二八	四〇
靴匠	二〇三	一、〇四一
鼓樂班	一五	九〇
人力車	六	五一
轎房	一八	九〇
電報局	一	二〇
石灰舖	一	二
傘匠	一二	五二
鋸匠	四六	一三六
洋貨舖	一四	八一

鏇舖	一〇	六九
蓆匠	一二	五二
鍘草舖	一三	一〇八
帶子房	三二	一五〇
棧房	一九	八七
木梳匠	一	四
刷子匠	二	八
鞍子匠	一五	一五
棉花匠	四	一六
磚匠	一五	一八
豬販	三五	六〇
馬販	一七一	一、〇九九
學堂肄業	四八	一九六
彩票局	一	一二
青灰舖	一	五

瓦盆匠	一二	四八
綢緞莊	四	六四
剃頭	九三	七四七
成衣舖	九二	五七七
蔴繩舖	三四	二九三
羅衣舖	一九	二二
木器舖	一二六	一、二七九
銅器舖	三五	一八九
錫器舖	一五	六五
鐵器舖	六一	四七七
磁器舖	九一	二八九
醬房	三〇	二二六
小手意	九四七	三、五二四
渡夫	五	二六
厨夫	二一三	九七一

職業別	戸數	人口
屠夫	五一	二二二
車夫	五二	二二二
卜易	一四	二八
照像	二〇	八〇
小生意	八七	四、六二九
出外	四八	二四三
孀居	一六九	五四一
差役	九二八	四、六五六
粉房	九	八六
糖房	一八	一五三
染房	三七	一〇三
磨房	三八	三六四
杠房	九	一五一
豆腐房	七六	四〇一

職業別	戸數	人口
局所	七五	二、六六三
鐵匠	一一二	五七〇
石匠	一六	五五
瓦匠	一一〇	四五三
棚匠	三三	一〇七
皮匠	八三	一、二七五
機器匠	一四	五二
扎粉舖	二五	一三四
魚夫	六	四六
鐵鑪	四八	三七九
鏵鑪	三	三九
清金鑪	五	三七
馬像	五	二〇
學堂	一七	一、七五七

紙作房	一三	二六九
洗衣舗	一二	七七
畫匠	五二	二八〇
木匠	三一三	一、六九七
銅匠	六七	三一〇
地保	一一	七四
無常業	八九二	三、五一九
苦力	一、二四四	五、三三一
娼妓	四七	三二五
和尚	一	一
道士	二	八
巫醫	—	—
空房	五八	—
官衙	八	五三二
屠戸舗	一〇	八一

鑵局	一一	三一五
信局	一〇	七四
教堂	四	六一
廟宇	二四	二三
祠宇	五	四
祺房	一四	一三九
瓦盆窑	九	五七
水膠房	一	四
拌子房	一四	六三
炮舗	一七	一六〇
菜園子	四二	三二九
牛乳舗	二	五
氈子房	一五	八二
鍋房	八	八八
機房	二八	一七〇

職業別	戶數	人口
鏡子匠	二	五
炕拉匠	四三	二五九
帽纓匠	二〇	四四
修工	五	二〇
報館	二	一四
紫火棚	四一	一八六
梨床	一一三	五二一
月戶	六四	二九二
豆牙房	二一	一二三
泥瓦作房	一五	二一四
香房	八	一三四
柳礶房	一一	六八
伙房	三三五	一、七〇三
火燧匠	八	四五

職業別	戶數	人口
戲子房	二	九五
商人	一、二七四	四、二一二
鐵器匠	四	二一
鞭桿舖	七	四一
蠟匠	六	五一
油漆舖	四	一五
車行	三	一七
施醫院	三	二八
耶蘇教	一一	五五
天主教	二三	九一
獸醫	三	一二
毬子匠	七	四七
山行壯	九一	一六九
燒餅舖	三一	一二六

切糕房	八	一二五
驢馬湯鍋	一	七
戯子館	一	｜
燒餅匠	二一	五七
計	戸數 一二、九六四	人口 七八、〇九一

第二 吉林ニ於ケル主ナル店舗表

一、店 行(問屋)

屋號	街名	資本主	掌櫃的	使用人數	資本金概略
〇恒升店	北大街	牛子厚	傅老雲	一〇	四〇〇、〇〇〇吊
〇永升店	回	牛子厚	賈老殿	一〇	四〇〇、〇〇〇
〇裕泰店	同	富某	晉老成	八	三〇〇、〇〇〇
源發店	牛馬行	西某	趙老世	三	一五〇、〇〇〇
復成信	同	宮某	吳鳳鳴	三	一〇〇、〇〇〇
天義店	德勝街	英七爺	張老景	四	八〇、〇〇〇
同發店	同	周關ノ合資	張老慶	三	四〇、〇〇〇
天成店	同	張、楊、劉	楊老某	三	四〇、〇〇〇

屋號	街名	資本主	掌櫃的	使用人數	資本金概略
○旭昇店	西大街	四股合同	劉老以	八〇	二〇〇,〇〇〇円
協成升	同	馮某	陳某	四〇	一〇〇,〇〇〇
增興店	北大街	張外二人	宋老萬	三〇	一〇〇,〇〇〇
泰來店	德勝街	袁某	劉老玉	三〇	四〇,〇〇〇
榮義店	同	胡榮二人	周老鴻	六〇	五〇,〇〇〇
義昌店	同	芳羅二人	呂老德	三〇	—
天慶店	同	費鴻、史三人	吳老澤	四〇	五〇,〇〇〇

○印ハ銀市ニ加入セル店

天義、同發、天成ノ三店ハ外城ニ連號ヲ有セス

連號トハ屋號ノ上一字若クハ中一字ノ同文字ヲ用ヒ互ニ相連絡シ資金ノ流通ヲナス契約ヲナセル商店ナリ

二、當舖

舖名	街名	資本主 掌櫃的	店員	一年ノ質高	兼業

會來	北大街	衣郝二名 孫老成	二〇	九〇、〇〇〇	
同裕	同	金某 李某	二〇	一五〇、〇〇〇	
同升	河南街	嵩某 崔玉全	二一	二〇〇、〇〇〇	雜貨
福升	同	牛某 程同武	一九	八〇、〇〇〇	
永慶	同	武某 潘老振	一五	一八、〇〇〇	
恒升	同	牛子厚 劉老茂	一五	一七〇、〇〇〇	錢舖
源升	同	牟子厚 楊連重	一八	二五〇、〇〇〇	雜貨滋器
會隆	同	衣郝黃三名 高老樹	一三	二五〇、〇〇〇	
世興	炭市	俊某 高老景	一七	一八〇、〇〇〇	
東和	糧米行	洪泰亨 徐來元	一五	一〇〇、〇〇〇	雜貨
源茂	同	不詳 劉義川	一三	九〇、〇〇〇	糧米名菓心舖
順成	同	盧某 都玉全	一一	八〇、〇〇〇	
同順	同	田某 橘老德	一七	一五、〇〇〇	
同合	糧米行	金某 裴老明	二八	八〇、〇〇〇	
東升	財心缸	卞子厚 揚某	二〇	七〇、〇〇〇	
公升	西大街	牛子厚 惠某	二八	七〇、〇〇〇	

舖名	街名	資本主 / 掌櫃的	店員	一年ノ賣高	兼業
日昇	西大街	牛子厚 / 馬某	二〇	八〇,〇〇〇吊	錢舖 雜貨
會祥	同	衣祁黃 / 朝老德	二一	一〇〇,〇〇〇	雜貨
萬和	西湖	張快來 / 張老利	二二	一〇〇,〇〇〇	
集升	同	牛子厚 / 郭清	一五	一〇〇,〇〇〇	

三　雜貨舖

舖名	街名	資本主 / 掌櫃的	使用人數	備考
同升泰	河南街	宮某 / 高某	四〇	
德興公	同	楊老德 / 單	二八	
慶發號	同	孫連元 / 傳某	三〇	
和興隆	同	馬岳章 / 服某	四〇	
謙德慶	同	俊振國 / 王某	五〇	破產
〇恒升慶	同	劉牛二名 / 王潤田	四〇	

○源升合	南河街	牛某 王老崑	四〇	
天義慶	同	李思逢 溫文	一三	
興隆公	上義街	信、正、充三人 黄心農	三五	
同升富	同	張嵩命 李崇如	二〇	
東和裕	糧米行	閻某 程俊臣	一四	
和盛號	同	和某 商成逢	三〇	梨問屋
福盛公	二道街	朝杜 董序五	七〇	估衣雜貨兼業
同合成	同	趙某 婁某	五〇	估衣兼業
景合號	北大街	不詳	四〇	
日昇號	同	崔某 王任結	二五	
洪泰號	同	張某 當復華	一九	
源升慶	同	牛某 楊再林	一〇〇	
怡合隆	同	單某 張忠吉	四三	
德昌廣	德勝街	庄、衣二人 張西園	六五	
興順號	北大街	興順恒 李鳳起	四五	

舖名	街名	資本主的掌櫃	使用人數	備考
廣東號	同	趙某 楊知忠	四二	
振興棧	翠花胡同	王 張昆山	二五	
咸昇號	同	立昇魁 楊岳忠	一八	
吉興順	同	單某 呂文海	四二	
隆豐泰	西大街	蕭某 朱昭林	三五	
廣和號	同	不詳 高鳳明	二四	
會祥成	同	郝、黃、衣 朝永	六三	
廣美成	同	蔡某 王國臣	二〇	
集升棧	西關	牛某 王雲澤	一五	
源隆棧	同	鴻太號 揚壽福	一九	
萬阜號	同	孫某 揚維章	一七	
慶發號	前魚行	孫 張錫五	四〇	
信泰全	西大街	喬 張鈞亭	一六	
信昌德	北大街	不詳	一	

廣泉號	西大街	劉、李二人 揚秀芳	—	
裕昌號	同	劉某 張宜	—	
日升恒	同	牛子厚 揚朋山	五四	錢舖當舖兼業
敦升慶	尚義街	衣某 王某	三〇	估衣舖兼業
會泰厚	北大街	會泉號 王福臣	六〇	
謙德成	同	奚某 李銘三	五二	
德昌慶	同	庄某 李榮	四一	
〇會來永	同	郝、衣、潘 孫懋榕	九四	
景和會	同	不詳	三〇	
同慶鴻	同	慶某 劉子言	一五	
天和號	西關	郎某 丁文	一九	
三裕興	同	李、揚、沈 程某	二〇	
天義順	同	天義粉房 盛某	二五	
天興順	棃花胡同	不詳	二八	
三和義	同	李金二人 張某	一二	京貨兼業

舖名	街名	資本主的掌櫃	使用人數	備考
德興號	翠花胡同	徐某 揚子清	三八	
會盛興	同	依莊二人 陳際盛	三五	錢舖、銀爐
怡和恒	西大街	單某 揚老爲	五〇	估衣
廣順號	翠花胡同	揚某 閻濂	七〇	
〇興順號	同	不詳 金育苓	一八〇	
〇會全號	同	依、都、黃 苗老興	二〇〇	
天合祠	財神屆	不詳	七〇	
東升隆	糧米行	不詳	一四	外國雜貨
德增興	西大街	增升合 黃岳逢	一九	
福升棧	大東關	牛子厚 方正齋	三九	
裕升源	糧米行	不詳	—	外國雜貨
福德成	魁發祥	永和盛	—	
同成慶	天合盛	寶升號	—	
寶春裕	福祥德	信昌德	—	

元亨泰	福興秋
萬會成	慶源昌

以上雜貨店ノ資本ハ最大五十萬吊最小十二萬吊ナリト云フ

四、錢舗

舗名	資本高	舗名	資本高
福恒源	五〇〇、〇〇〇吊	功成玉	二〇〇、〇〇〇吊
恒昇泰	一五〇、〇〇〇	公昇慶	一五〇、〇〇〇
徳昌源	二〇〇、〇〇〇	義發公	一〇〇、〇〇〇
同興成	一五〇、〇〇〇	正通廣	八〇、〇〇〇
謙徳裕	一〇〇、〇〇〇	源通潤	七〇、〇〇〇
徳裕厚	一〇〇、〇〇〇	慶泰成	九〇、〇〇〇
徳昌泰	八〇、〇〇〇	洪泰號	二〇〇、〇〇〇

五、票荘

屋號	街名	掌櫃的	店員	本店	原籍掌櫃的
世義信	西大街	胡友云	六	山西	太原府
志成信	同	房效韓	三	同	同
大德玉	同	張由鳳	四	同	王次縣
大德恒	同	品德普	五	同	平遙縣
中興和	同	賈成齋	四	同	玉次縣
蔚泰厚	同	張某	三	同	同
大升玉	同	四久武	二	同	同
大泉玉	同	趙七運	三	同	同
祥和玉	同	劉明先	三	同	同
獨愼玉	同	張助立	二	同	汾州
永泰蔚	同	趙熉文	二	同	太谷
桐生豫	同	王某	一	同	同
富泉湧	同	王代山	一	同	祈縣
咸元會	臭皮胡同	李敬亭			

大德隆		董彩亭	一	同	大谷
彙恒同		生俊	二	同	
王發魁		不明	不明		
大德通		不明	四		
存義公		不明	四	北京	
廣信會		不明	三	不明	

第三　吉林諸物價卸直段表

品目	單位	價額
葉烟草片孩烟	一斤	上五百八十文 下三百三十文
柳子烟	同	上五百二、十文 下三百十文
大把烟	同	上四百五十文 下百七十文
麻上等線麻	百斤	五十吊內外
中線麻	同	四十三吊內外
下線麻	同	二十五吊 三十二、三吊 內外

品目	單位	價額
青麻	百斤	十七吊 二十一吊 內外
小麥	一石	二十吊內外
大豆	同	十吊
紅粮	同	八吊
人參幹人參	一斤	八兩
藍靛上等	百斤	四十五吊

品目	單位	價額
中等	百斤	四十吊
下等	同	二十吊
煉瓦鼠色	百個	五吊五百文
鼠色ニ赤色ノ斑天アルモノ	同	五吊
黒色	同	五吊三百文
赤色	同	五吊四百文
豆糟	一枚十五斤	五百文
豆油	一斤	二百六十文
口前炭	百斤	九百文
東荒炭	同	一吊一百文
鬚人參	一斤	七兩五錢
菌類	同	一吊四百文内外
木炭黒炭	百斤	夏七吊内外 冬三吊内外
白燒炭	同	夏九吊内外 冬四吊内外

品目	單位	價額
上等膠	百斤	七十六吊
下等膠	同	四五十吊
香料類	一包	二百文以上一吊文以下
大尺布上、同興宏	一尺	八十四文
同下、天合錦	同	五十四文
綿毛布	一枚	二吊三四百文
紅糖	一包	二十三吊ヨリ二十五吊
花旗布圈狗頭	同	二十吊八百文
花旗(尺)布大鹿用	同	二十一吊文
同三兎	同	二十吊三百文
同四品菓	同	十九吊文
套布上祥順	同二丈一疋	二吊二百文
同下隆大	同	九百五十文
清水布大裕	同四丈一疋	三吊八百文

薪杵子	百本	夏百四十吊百八十吊内外 冬百三十吊内外
劈柴	百梱	夏九吊内外 冬五吊内外
枝子	同	夏十八吊ヨリ三十吊 冬十二吊ヨリ二十吊
秫稭	同	夏七吊内外 冬五吊内外
石炭老若堂炭	百斤	一吊三百文
打連布眞竈	一疋 問屋相場	二十三吊
同　跑馬	同	二十二吊五百文
同　大小鷹	同	二十一吊
同　双狗	同	十九吊八百文
萬寳山炭	百斤	三吊二百文
紙類ニ毛頭紙呈文紙	油紙用一疋	九吊文
窓張用連二紙	一疋	六吊文
帳簿用三五連紙	同	六吊百文
同　三六改連紙	同	三吊二百文
靴用底紙	一斤	三百文

刻煙草順和	十斤	八吊文内外
同　源隆	同	七吊三百文
洋連紙	九十六枚一疋	銀貨六十八錢
毛邊紙	二百枚	同　一圓四十五錢
襖紙	百枚	同　三十五錢
洋白糖	一包	三十八吊
蠟燭	一斤ニ付十二兩一箱	十九吊
同	一斤十五兩一箱	二十一吊
石油露國物	一箱	十八吊
同　米國物	一箱	十八吊五百文
燐寸	一箱二四〇入	二十一吊
昆布	百斤	十吊
緞子	一尺	小賣相場五吊
寧綢	一尺	同　二吊五百文

附

敦化商業調査

第一　敦化縣城及位置

敦化縣城、原名莪東城、光緒七年、知縣趙敦誠、監造築土爲牆、上蓋木板、城樓磚砌口、周五里、門五、東曰迎旭、南曰來薰、西曰挹爽、小西門曰德勝、北曰拱辰、池深一丈、(吉林通誌)ト記スルモ今ハ土牆モ所々崩壞シ上蓋ノ木板バ更ニ跟跡ナク池濠亦塡塞シテ深サ半減ス唯舊狀ヲ存スルハ僅ニ城樓ノミ城周ノ五清里ハ頗ル誇大ニシテ其實二清里以內ナリ城ハ松花江ノ支流牡丹江ノ北岸三清里清祖發祥ノ地ト通稱スル俄朶里、古城ノ西三清里寧古塔ノ上流二百四十清里吉林ノ東南直行四百清里額木索ヲ經由シテ五百清里廟嶺ノ北二百清里延吉廳ノ西北三百清里ニ當ル牡丹江ノ平原ニ在リ更ニ四境ノ關係ヲ記セハ東ハ馬鹿溝ニ百十清里、東北都林河ニ百四十清里共ニ寧古塔ニ界シ西ハ鰄鯱嶺ニ百八十清里、西北嵩嶺ニ二百二十清里、西南帽兒山ニ百二十清里、孰レモ吉林府ニ接シ南、大秣稭嶺ニ百四十清里、東南哈爾巴嶺ニ百清里、共ニ延吉廳ニ界シ北、小白山ニ百六十清里ヲ以テ五常廳ト境界ヲナス東西ノ廣サ二百九十清里、南北ノ袤サ三百清里アリ

第二　敦化ニ於ケル一般ノ商況

當初縣衙ヲ設ケタル頃ハ可ナリ殷賑ヲ極メタルモノト見ヘ商店ノ構ヘ家屋ノ建築モ僻陬ノ割合ニハ宏大ニシテ縣衙所在ノ地トシテハ中流ニ位スヘキ外見ヲ呈スルモ其內實ハ之ニ反シ現時ノ情況

ニテハ老朽貧弱ノ縣タルニ過キス戶數ハ城ノ內外ヲ通シテ約四百戶內商賈二百餘戶アリ市街ハ東西ニ長ク東北ニ短シ大道ハ東門ヨリ西門ニ通スルモノト南門ヨリ北門ニ通スル二大道路ニシテ商戶ハ東門外ヨリ城內ニ連リ南北通リノ十字路ニ至ル間ハ盛ナルモ江西ハ殆ント裏町ノ如クニシテ數フヘキ商家ナシ南北通リノ街路ハ商店少ク從テ市況振ハス縣地ノ主ナル商店ハ東門內ニ集リ雜貨店、陶器商、京廣靴店、兩替屋、問屋、藥舖成衣局、鞍站舖、皮舖、錫舖等軒ヲ並ヘ敎化ノ商業ハ此ノ一部分ニテ全部ヲ代表セリ此ノ商業上主眼タル東門內ノ商舖ヲ視察スルニ全部小賣商ニシテ卸屋ナク小取引ノミナレハ商店ノ多キ割合ニ取扱ヒ商品ノ金高ハ少シ

取引ノ最モ閑散ナル時期ハ夏季ニシテ最モ盛ナル時期ハ每年十月以降ノ三ケ月間トス此期節ニ至レハ縣城附近ノ農民ハ已ニ耕作物ノ收穫ヲ終リ農事モ暇ナルヨリ馬車ヲ使用シテ收穫物ヲ敎化ノ市場ニ出シ賣却シテ冬營用必要品其他ノ物品ヲ購買シ歸ルヲ以テ馬車ノ往來自然頻繁ニシテ夏季ノ閑散ナルニ反シ市況活氣ヲ呈ス又貨物仕入ノ時期ハ冬期好賣行ノ時カ目的ナレハ勢ヒ九月、十月頃カ吉林ヨリ仕入ノ最モ盛ナル時トス

當地ノ兩換屋ハ店舖ノ入口ニ四孔葉錢ヲ小繩ニ刺シタル形ノ招牌ヲ掛ケ兩替屋ノ目標トシ單ニ兩替ヲナスノミナラス送金ノ取扱ヲナス問屋ハ棧ト稱シ賣買ノ媒介ヲナシ賣買價格ノ二分ヲ口錢トシテ賣買双方ヨリ各一分宛ヲ申受ク今若シ外城ヨリ貨物ヲ運搬シ來リ當城ニテ販賣セントスル時ハ問屋ノ手ヲ經サレハ容易ニ買手ヲ見出シ難シ問屋ハ廣ク土地ノ事情ニ通シ信用アリテ取引先多

商業調查附圖

二百五十万分一

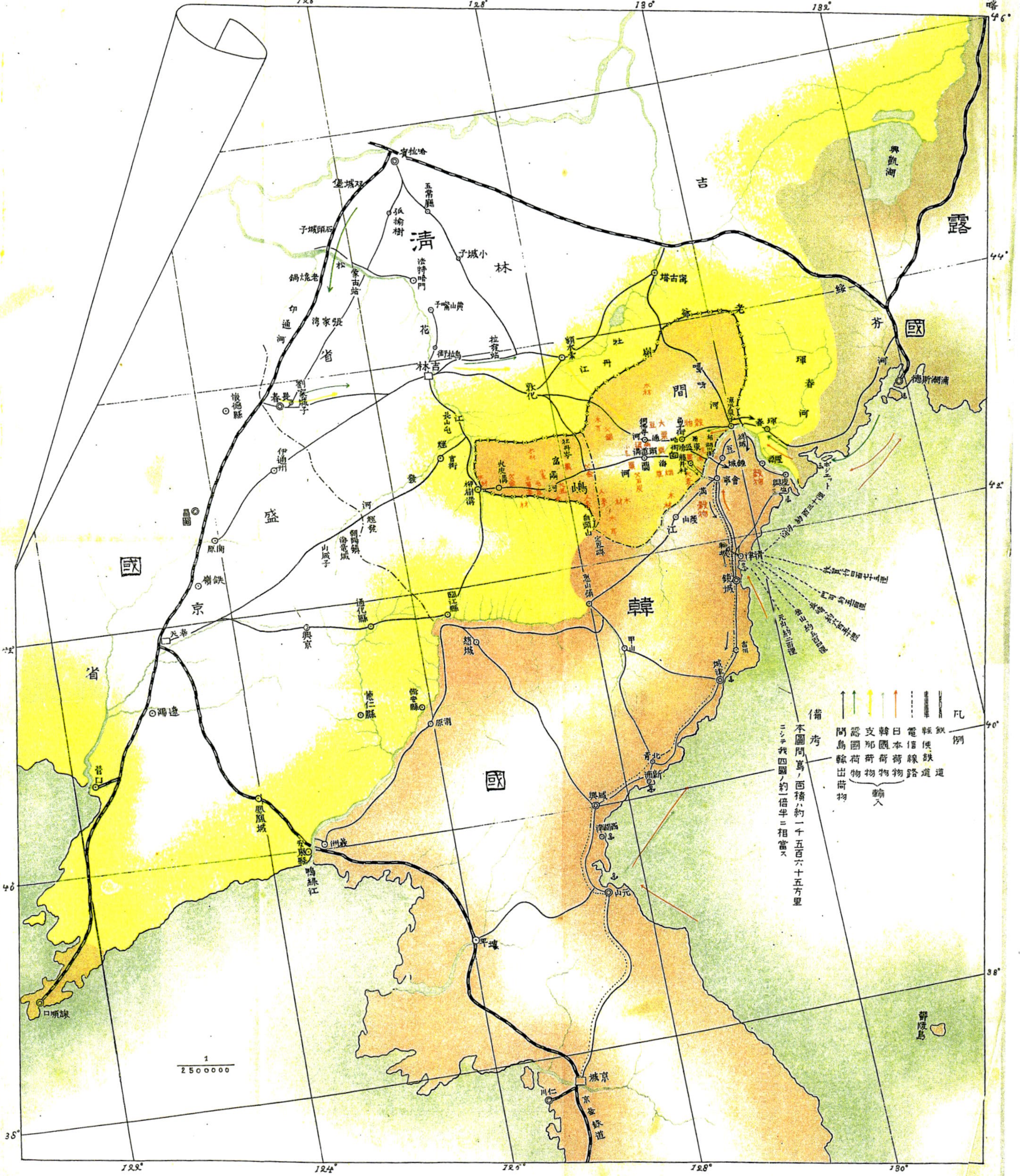

輸出		輸入	
品目	價格	品目	價格
歐皮	三萬吊	昆布砂糖	七萬吊
其他	十五萬吊	其他	二十萬吊
計	七十萬吊內外	計	八十萬吊內外

第五　敦化ノ商業範圍

敦化カ吉林ト商界ヲ接スルハ西方ハ玉龍屯、南方ハ庿嶺ヲ以テ牆壁ト爲ス換言スレハ庿嶺以南ハ松花江ノ源流域ニ屬シ吉林ト直接物貨ノ需給ヲナスモ嶺北一帶ハ河流ノ便ナキタメ比較的近距離ニアル敦化カ物資ノ需給上便利ナレハナリ更ニ吉林街道ニ依ル商界ノ接觸地點ハ東北通溝子ヲ以テ額木索ニ東南甕聲拉子ヲ以テ局子街ト相接ス前者ハ額木索ニ七十清里、敦化ニ五十五清里、後者ハ敦化局子街ノ中間ニシテ雙方各百五十清里アリ左レド敦化方面ニハ哈爾巴嶺ノ小坂アリテ局子街方面ニハ五ケ頂子老頭兒溝嶺ノ山嶺アルモ管轄官廳ハ局子街ニアルヲ以テ諸種ノ關係上局子街ヨリ貨物ノ購買ヲナスモノ多シ殊ニ洋雜貨ハ敦化ヨリモ廉價ナリ之レニ反シ吉林ヨリ仕入ルル支那織物及京貨ノ額ハ局子街ニ比シ敦化カ廉價ナルヲ以テ單ニ之レ等ノ物品ノミヲ購ハントスルモノハ敦化ニ出テテ需用ヲ充タスモノ少カラス

リ知縣始メ一般耕作者モ大ニ苦慮シ居レリ
煙草ハ阿片ニ次ク物產ニテ本縣城附近及ヒ牡丹江岸一帶ニ產シ舊曆十月、十一月ノ頃市場ニ集リ吉林方面ニ輸出ス小麥モ煙草ト同シク敦化ノ平原及縣下ノ各鄕村ニ產シ舊式製粉器ヲ用ヒ麵粉ヲ製ス本年四五月ノ候局子街方面ニ於テ價格ノ騰貴シタル頃當城ヨリ輸出シタル總額ハ約五萬斤ニ達シタリト言フ
右ノ外豆、大麥、粟、稗等ノ產出アルモ外城ニ輸出スル程ノ餘裕ナク全部縣內ニテ消費スルモノト見テ差支ナシ

主ナル輸出入ノ價格（本地商人ノ見積左ノ如シ）

輸出		輸入	
品目	價額	品目	價額
阿片	二十萬吊以上	綿布	十五萬吊內外
葉煙草	十五萬吊內外	絹織物	五萬吊內外
小麥及麵粉	五萬吊內外	內外雜貨	十萬吊以上
藍及木姑類	五萬吊	石油及マッチ	十五萬吊
麻	五萬吊	毛布類	三萬吊

大尺布カ地質堅牢ナルヲ以テ農民等ノ常衣用トシテ賣行キ尠カラス

染色ノ綿布ハ金巾、大幅物、山東ノ大尺布、小幅木綿吉林ニテ染色シ黑淺黄色等染藍ノモノ最モ多ク赤青、紫、等ノ彩色モノハ輸入少シ

絹織物ハ蘇杭州製ノモノ上海ヲ經テ營口ニ來リ吉林ヨリ輸入ス洋雜貨、京貨、石油、砂糖、燐寸等ノ諸物品モ總テ營口、吉林經由ナルカ露貨ノミハ哈爾賓ヨリ吉林ヲ經由セリ主ナル露貨ハ更紗、煙草、石鹼、防寒用靴、手袋ノ類ニシテ本邦品ハ白粉其他化粧品、懷中鏡、蝦蟆口、手帖、陶器、洋燈、玩具等ナリ

第四　主ナル輸出品

敦化ノ平原ハ牡丹江ノ上流ニアル著名ノ平原ニシテ之レヲ局子街ノ平野ニ比スレハ約二倍大ノ廣袤ナルモ地味肥沃ナラス加フルニ處々ニ濕地ヲ有スルヲ以テ穀類ノ收穫割合ニ少シ穀類中最モ適セサルハ高粱玉蜀黍ニシテ物產中最大ノ額ニ上ルモノハ阿片ナリ

高粱ハ漸ク其禾幹三四尺ヨリ大キモ五六尺ヲ越ヘス從テ熟リ穗小サク局子街平原ニ產スルモノノ二分ノ一若シクハ三分ノ一ニ及ハス玉蜀黍ハ地上一二尺ノ中幹ニテ小莖ヲ結フ有樣ナレハ收穫少ク爲メニ栽培サレタル地面モ亦極メテ少シ

阿片ハ本地唯一ノ物產ニシテ毎年ノ產額二十萬兩內外アリ從來吉林方面ニ輸出シ品質ノ佳良ナルヲ以テ特ニ敦化土煙ノ名ヲ得タルモ昨今ニ至リ禁煙令發布サレシ以來禁煙局ヲ官設シ阿片喫煙者ヲ頻リニ處罰スルコトトナリシヲ以テ唯一ノ物產モ大打擊ヲ蒙リ今後芥子培養ノ見込立タサルヨ

ク且ツ買付委託ヲ依賴サレ居ルコトアルヲ以テ問屋ニ依ル方便宜ナリ

以上ノ如ク問屋アリ兩替屋アルモ現時ノ情況ニテハ此等ノ商業機關ヲ利用シテ盛ニ取引スヘキ餘地ナシ只從來ヨリ存在スルヲ以テ盛ナラサルモ俄ニ閉店ノ悲境ニ立チ至ラサル位ナレハ此等ノ機關カ今後新ニ開設サレ增加スヘキ見込ハ到底之レナシ

敦化カ斯ク衰運ニ赴キタル所以ハ耕地僅カニ五萬晌ニ滿タサルカ上ニ豐饒ナラス近ク延吉廳ノ開設ト共ニ人口增加セス位置ハ吉林街道ニ遠ケレハ沿道ノ物貨ヲ蒐集スヘキ便利ナク旅客ノ通過ハ冬季間ニ限リ春夏秋ノ三期ハ額木索ヲ通過ス故ニ敦化ハ單ニ縣治ノ存スルヲ以テ政治的一小都市ト稱スヘキモ商業的都市ニアラス從テ年々ノ收稅額モ琿春局子街ニ比シ極メテ少ク山海稅局ハ七千吊內外、民稅局ハ一萬吊內外、斗量局ハ六千吊內外、餉捐局ハ三萬吊內外ニ過キス以テ一般ヲ窺知スヘシ

第三　主ナル輸入品

本城ノ主ナル輸入品ハ諸種ノ綿布及絹織物、燐寸、洋雜貨、京貨、石油、砂糖、昆布鹽等ニシテ年々ノ輸入高ハ約九十萬吊乃至百萬吊ナリト言フ殆ト全部ヲ吉林ヨリ輸入シ只タ一部ノ昆布ノミ琿春方面ヨリ輸入サル延吉廳管內ヨリハ高粱ノ燒酎輸入サルルモ僅カニ二三萬斤ヲ越ユルコトナシ

綿布ハ上海祥泰洋行ノ小見印、三井洋行ノ双蟹印、「マンチエスター」ノ鍔印、三A組合ノ三A印等各四十ヤード」一匹トシテ二十三吊乃至二十八吊位マテノ相場ニテ取引サル土布ノ大物トシテハ山東製ノ

明治四十三年三月二十日印刷
明治四十三年三月二十五日發行

統監府臨時間島派出所殘務整理所

東京市京橋區高代町四番地
印刷人　高島幸三郎
東京市京橋區高代町四番地
印刷所　高島活版所

韓国併合史研究資料 ⑫1
間嶋産業調査書（下）

2018年4月　復刻版第1刷発行

原本編著者　統監府臨時間島派出所残務整理所
発行者　北村正光
発行所　株式会社 龍溪書舎
〒179-0085　東京都練馬区早宮 2-2-17
TEL 03-5920-5222・FAX 03-5920-5227

ISBN978-4-8447-0474-4
間嶋産業調査書(上·下) 全2冊　**分売不可**

印刷：大鳳印刷
製本：高橋製本所